D1685163

MALOWANY PTAK

jerzy
kosiński

MALOWANY PTAK

Z angielskiego przełożył
TOMASZ MIRKOWICZ

Wydawnictwo
A. Kuryłowicz

Tytuł oryginału:
THE PAINTED BIRD

Copyright © Jerzy Kosiński 1965, 1976
All rights reserved
Polish edition copyright © Wydawnictwo Albatros A. Kuryłowicz 2003
Polish translation copyright © Julita Wroniak-Mirkowicz 2003

Ilustracja na okładce: Jacek Kopalski
Projekt graficzny okładki i serii: Andrzej Kuryłowicz
Skład: Laguna

ISBN 978-83-7659-306-7
Książka dostępna także jako e-book

Dystrybucja
Firma Księgarska Jacek Olesiejuk
Poznańska 91, 05-850 Ożarów Maz.
t./f. 22.535.0557, 22.721.3011/7007/7009
www.olesiejuk.pl

Sprzedaż wysyłkowa – księgarnie internetowe
www.empik.com
www.merlin.pl
www.gandalf.com.pl
www.ksiazki.wp.pl
www.amazonka.pl

WYDAWNICTWO ALBATROS
ANDRZEJ KURYŁOWICZ
Wiktorii Wiedeńskiej 7/24, 02-954 Warszawa

2011. Wydanie IV
Druk: B.M. Abedik S.A., Poznań

Pamięci mojej żony, Mary Hayward Weir,
bez której nawet przeszłość
straciłaby sens

i tylko Bóg jeden,
w Swoim pomyślunku,
wiedział, że to istoty
innego gatunku

Majakowski

1

Jesienią 1939 roku, w pierwszych tygodniach drugiej wojny światowej, rodzice sześcioletniego chłopca z dużego wschodnioeuropejskiego miasta wysłali go do odległej wioski, aby tam — podobnie jak tysiące innych dzieci — znalazł bezpieczne schronienie.

Pewien człowiek, który udawał się na wschód, zgodził się, za sowitym wynagrodzeniem, umieścić dziecko u chłopskiej rodziny. Nie mając innego wyjścia, rodzice powierzyli mu syna.

Wysyłając chłopca na wieś, byli przekonani, że właśnie w ten sposób mogą mu najlepiej zapewnić przetrwanie. Ze względu na antyhitlerowską działalność jego ojca w okresie międzywojennym sami również musieli się ukrywać, aby uniknąć zesłania na roboty do Niemiec lub uwięzienia w obozie koncentracyjnym. Chcieli uchronić syna od tych niebezpieczeństw i mieli nadzieję, że z czasem znów się połączą.

Jednakże bieg wypadków udaremnił ich plany. W zamieszaniu spowodowanym wojną i okupacją oraz ciągłymi przesiedleniami ludności, stracili kontakt z człowiekiem, który ulokował dziecko na wsi. Musieli liczyć się z tym, że nigdy go nie odnajdą. Kobieta, która wzięła do siebie chłopca, umarła dwa miesiące później. Od tej chwili wędrował samotnie od wioski do wioski; czasem udzielano mu schronienia, czasem go odpędzano.

Wsie, w których przyszło mu spędzić następne cztery lata, różniły się pod względem etnicznym od jego miejsca urodzenia. Tubylcza ludność, odizolowana od świata, pozbawiona dopływu świeżej krwi, miała jasną cerę, jasne włosy i niebieskie albo szare oczy. Chłopiec był ciemnowłosy, czarnooki i śniady. Posługiwał się językiem warstwy wykształconej, prawie niezrozumiałym dla wieśniaków ze wschodu.

Uważano go za przybłędę, Cygana lub Żyda, a udzielanie schronienia Cyganom i Żydom, zamykanym w gettach i obozach zagłady, narażało jednostki i społeczności na najsroższe kary ze strony Niemców.

Wioski w tej okolicy były zapomniane przez wieki. Niedostępne, położone daleko od ośrodków miejskich, znajdowały się w jednym z najbardziej zacofanych obszarów Europy Wschodniej. Nie istniały tam szkoły i szpitale, nie znano elektryczności, a mosty i brukowane drogi stanowiły rzadkość. Mieszkańcy niewielkich osad żyli tak samo jak ich przodkowie. Wioski toczyły waśnie o dostęp do rzek, lasów *i jezior. Jedynym prawem było prastare prawo silnych i bogatych do narzucania swojej woli słabym i ubogim. Ludność, podzieloną na katolicką i prawosławną, łączyła tylko wyjątkowa zabobonność oraz niezliczone choroby, nękające wieśniaków i ich zwierzęta.*

Tutejsi chłopi byli ciemni i okrutni, choć nie z własnej winy. Ziemia była marna, klimat surowy. Rzeki, z których ryby wybrano niemal doszczętnie, często wylewały na pastwiska i pola, przemieniając je w bagna. Znaczną powierzchnię zajmowały rozległe moczary i trzęsawiska, a gęste lasy od niepamiętnych czasów zapewniały schronienie bandom buntowników i przestępców.

Niemiecka okupacja tylko pogłębiła nędzę i zacofanie regionu. Wieśniacy musieli oddawać pokaźną część swoich mizernych plonów to wojskom okupanta, to partyzantom. Odmowa mogła spowodować karny najazd na wioskę, po którym z domostw pozostawały dymiące zgliszcza.

*

Mieszkałem w chacie Marty, oczekując, że lada dzień, lada chwila zjawią się po mnie rodzice. Płacz nie przynosił ukojenia, a Marta nie zwracała uwagi na moje pochlipywanie.

Była stara i tak zgarbiona, jakby usiłowała przełamać się wpół, lecz nie dawała rady. Jej długie włosy, nie znające grzebienia, splatały się w niezliczone kołtuny, których nie sposób było rozczesać. Nazywała je czarcimi warkoczami. Gnieździły się w nich złe moce, które — skręcając je ciasno — przyprawiały ją o zanik pamięci.

Kuśtykała, wsparta na sękatym kiju, mamrocząc do siebie w mowie, której prawie nie rozumiałem. Twarz miała drobną, zwiędłą, pokrytą siatką zmarszczek, skórę czerwonobrązową niczym jabłko zbyt długo trzymane w piecu. Zgrzybiałe ciało trzęsło się, jakby targały nim wewnętrzne wichry; palce kościstych rąk, o stawach wykręconych reumatyzmem, ani na chwilę nie przestawały dygotać, a głowa na długiej, chudej szyi kiwała się na wszystkie strony. Staruszka wzrok miała słaby. Spozierała na światło przez osadzone pod krzaczastymi brwiami wąskie szparki, podobne do bruzd w zaoranej ziemi. Z kącików oczu wiecznie sączyły się łzy, które — spływając po policzkach głębokimi wyżłobieniami — łączyły się z nitkami śluzu zwisającymi u nosa oraz pęcherzykami śliny cieknącej z ust. Chwilami przypominała starą, całkowicie przegniłą zielonoszarą purchawkę, czekającą, aż ostatni powiew wiatru wydmucha z niej czarny, suchy pył.

Początkowo lękałem się jej i zamykałem oczy, kiedy się do mnie zbliżała. Czułem wtedy bijący od niej przeraźliwy smród. Zawsze spała w ubraniu. Twierdziła, że stanowi ono najlepszą ochronę przed setkami chorób, jakie podmuch świeżego powietrza może wwiać do chaty.

Ażeby zachować zdrowie, mówiła, człowiek powinien się myć nie częściej niż dwa razy do roku, na Boże Narodzenie i na Wielkanoc, a nawet wówczas tylko pobieżnie, bez zdejmowania odzieży. Ciepłej wody używała jedynie po to, żeby ulżyć obolałym nogom — stopy jej pokrywały bowiem niezliczone guzy i odciski, paznokcie miała powrastane. Moczyła nogi zwykle raz lub dwa razy na tydzień.

Często głaskała mnie po głowie drżącymi, starczymi rękami podobnymi do grabi. Zachęcała mnie, żebym bawił się na podwórzu i zaprzyjaźniał ze zwierzętami domowymi. Z czasem pojąłem, że zwierzęta te wcale nie są tak groźne, jak mi się wydaje. Przypomniałem sobie bajki, jakie czytała mi o nich niania. Miały własne życie, kochały się i sprzeczały, wiodły dyskusje w swoim niezrozumiałym dla ludzi języku.

Kury tłoczyły się w kurniku, rozpychając się, aby dostać do ziarna, które im sypałem. Jedne przechadzały się parami, inne dziobały słabsze towarzyszki albo kąpały się samotnie w kałużach pozostałych po deszczu lub też, strosząc pióra niczym elegantki, zasiadały na jajkach i szybko zasypiały.

Niezwykłe rzeczy działy się w zagrodzie. Z jajek wykluwały się żółte i czarne pisklęta, wyglądające jak małe żywe jajeczka na cienkich nóżkach. Pewnego razu samotny gołąb przyłączył się do stada. Przyjęto go z wyraźną wrogością. Kiedy wylądował na podwórzu, trzepocząc skrzydłami i wzbijając tumany pyłu, kury rozpierzchły się w popłochu. A gdy zaczął się do nich zalecać, gruchając gardłowo i zbliżając się drobnymi kroczkami, patrzyły na niego z góry i z pogardą. Ilekroć się przysuwał, umykały, gdacząc przeraźliwie.

Któregoś dnia, kiedy gołąb jak zwykle usiłował się zaprzyjaźnić z kurami i kurczętami, z chmur oderwał się niewielki czarny kształt. Kury czmychnęły z wrzaskiem do obory i kurnika. Czarna kula spadała na stado jak kamień. Tylko gołąb nie miał gdzie się skryć. Zanim zdążył rozpostrzec skrzydła, silny ptak z ostrym, zakrzywionym dziobem przydusił go do ziemi i zadał pierwszy cios. Pióra gołębia pokryły się cętkami krwi. Marta wybiegła z chaty, wymachując kijem, ale jastrząb odfrunął bez przeszkód, unosząc w dziobie zwiotczałe ciało ofiary.

W niewielkim, szczelnie ogrodzonym kamieniami ogródku, Marta trzymała węża. Ślizgał się pośród liści, wywijając rozwidlonym językiem niby sztandarem na defiladzie wojskowej. Świat był mu całkiem obojętny; nie wiedziałem, czy mnie w ogóle dostrzega.

Pewnego razu wąż ukrył się w norze głęboko pod mchem i tkwił w niej bardzo długo bez jedzenia i picia, uczestnicząc w tajemniczych misteriach, o których nawet Marta nie chciała nic mówić. Kiedy się wyłonił, głowa błyszczała mu jak naoliwiona śliwka. Nastąpiło niezwykłe widowisko. Najpierw wąż popadł w bezruch; jedynie powolne dreszcze przebiegały po jego zwiniętym ciele. Potem wysunął się nieśpiesznie ze starej skóry, stając się jakby szczuplejszy i młodszy. Nie wymachiwał językiem; miałem wrażenie, że czeka, aż nowa skóra mu stwardnieje. Stara, na wpół przezroczysta, leżała porzucona; spacerowały po niej z lekceważeniem muchy. Marta podniosła ją z czcią i ukryła głęboko. Taka skóra miała ważne właściwości lecznicze, ale staruszka oświadczyła, że jestem za młody, aby zrozumieć ich charakter.

W zdumieniu obserwowaliśmy przedziwną transformację. Marta wyjaśniła mi, że dusza ludzka w podobny sposób porzuca ciało i wzlatuje do stóp Pana Boga. Kiedy znużona długą podróżą dociera do celu, Pan Bóg ujmuje ją w Swoje ciepłe dłonie, ożywia Swym oddechem, po czym albo przemienia w rajskiego anioła, albo strąca do piekieł, skazując na wieczne męki w ogniu.

Często odwiedzała chatę mała ruda wiewiórka. Najadłszy się do syta, wykonywała na podwórzu osobliwy taniec; biła ogonem ziemię, tarzała się i skakała, popiskując cichutko i siejąc popłoch wśród kur i gołębi.

Przychodziła do mnie codziennie, siadała mi na ramieniu, łaskotała mnie pyszczkiem w ucho, szyję, policzki, targała mi łapkami włosy. Po zabawie znikała, wracając do lasu oddzielonego od chaty polem.

Pewnego dnia, słysząc jakieś głosy, pobiegłem na pobliskie wzniesienie. Ukryty w krzakach z przerażeniem ujrzałem, że gromada wyrostków goni wiewiórkę przez pole. Pędząc jak oszalała, usiłowała dotrzeć bezpiecznie do lasu. Wyrostki rzucały przed nią kamienie, żeby odciąć jej drogę. Stworzonko słabło; jego skoki stawały się coraz krótsze i wolniejsze. W końcu łobuzom udało się osaczyć wiewiórkę, ale nadal broniła się dzielnie, kąsając ich ostrymi ząbkami. Wtedy, pochyliwszy się nad nią, polali ją jakimś płynem. Przeczuwając, że zaraz zdarzy się coś strasznego, zastanawiałem się rozpaczliwie, jak mogę pomóc mojej małej przyjaciółce. Ale było już za późno.

Jeden z wyrostków wyjął z zawieszonej na ramieniu puszki rozżarzoną żagiew i dotknął nią zwierzątka. Wiewiórka stanęła w ogniu. Z piskiem, od którego zamarło mi serce, podskoczyła do góry, jakby usiłowała wyrwać się płomieniom. Ogień objął ją całą; tylko puszysty ogon dygotał jeszcze przez moment. Po czym drobne, dymiące ciałko przekręciło się na bok i znieruchomiało. Wyrostki gapiły się na nie i śmiały, szturchając je patykiem. Od śmierci przyjaciółki nie miałem już rano na kogo czekać. Opowiedziałem o całym zajściu Marcie, ale chyba nic nie zrozumiała. Ciągle tylko mruczała coś pod nosem, modliła się i odprawiała wokół domostwa tajemnicze czary, żeby odpędzić śmierć, która — jak twierdziła — czyha w pobliżu, chcąc wkraść się do środka.

Marta zachorowała. Narzekała na ostre bóle pod żebrami, tam gdzie kołacze się serce, na zawsze zamknięte w swej klatce. Oświadczyła mi, że albo Bóg, albo szatan zesłał na nią chorobę, aby zniszczyć jeszcze jedną ludzką istotę, kładąc kres jej ziemskiemu bytowaniu. Nie rozumiałem, dlaczego Marta nie zrzuci jak wąż skóry i nie rozpocznie życia od początku.

Kiedy jej podsunąłem ten pomysł, rozgniewała się i zwymyślała mnie od bluźnierczych cygańskich bękartów, powinowatych diabła. Zaczęła mi wyjaśniać, że choroba wchodzi w człowieka, gdy najmniej się tego spodziewa. Może przycupnąć za nim na wozie, może wskoczyć mu na plecy, kiedy schyla się w lesie, zbierając jagody, albo wynurzyć się z rzeki, gdy płynie na drugi brzeg łodzią. Wkrada się do ciała niepostrzeżenie, podstępnie, przez wodę, powietrze, przez kontakt ze zwierzęciem lub drugim człowiekiem, czasem zaś — mówiąc to zerknęła na mnie podejrzliwie — może ją wywołać spojrzenie ciemnych oczu osadzonych blisko orlego nosa. Takie oczy, zwane cygańskimi lub urocznymi, są w stanie spowodować paraliż, zarazę oraz śmierć. Dlatego właśnie zabraniała mi patrzeć prosto w oczy sobie, a nawet zwierzętom. Miałem przykazane splunąć szybko trzy razy i przeżegnać się, jeślibym przypadkiem napotkał wzrok jej lub któregoś ze zwierząt.

Często wybuchała gniewem, gdy ciasto, które zagniotła na chleb, kwasiło się. Winiła mnie, przekonana, że rzuciłem urok, i za karę przez dwa dni nie dostawałem chleba. Usiłując jej dogodzić, chodziłem po chacie z zamkniętymi oczami, potykając się o sprzęty i przewracając wiadra, a na zewnątrz depcząc grzędy kwiatowe; wpadałem na wszystko niczym ćma oślepiona nagłym światłem. Marta zaś zbierała gęsie pierze i sypała na rozżarzone węgle. Unoszący się dym rozdmuchiwała po całej izbie, mamrocząc zaklęcia mające odczynić zły urok.

Wreszcie oznajmiała, że został zażegnany. I nie myliła się, bo następny bochen, jaki piekła, zawsze okazywał się smaczny.

Marta nie poddawała się chorobie i bólowi. Toczyła z nimi ciągłą, chytrą walkę. Kiedy ból zaczynał ją męczyć, brała kawał surowego mięsa, kroiła drobno i umieszczała w glinianym garnku. Zalewała mięso wodą wydobytą ze studni tuż przed wschodem słońca, po czym zakopywała garnek głęboko w rogu chaty. To, jak twierdziła, na kilka dni — dopóki nie gniło mięso — przynosiło jej ulgę. Ale później, kiedy ból wracał, musiała cierpliwie powtarzać cały zabieg.

Marta nigdy nic nie piła w mojej obecności ani się nie uśmiechała. Wierzyła, że gdyby tak uczyniła, ja zaś policzyłbym jej zęby, skróciłoby to jej życie o tyle lat, ile ma zębów. Wprawdzie nie miała ich wiele, ale zdawałem sobie sprawę, że w jej wieku cenny jest każdy rok. Ja również starałem się jeść oraz pić bez odsłaniania zębów, a przeglądając się w granatowoczarnym lustrze studni, ćwiczyłem uśmiechanie się z zamkniętymi ustami. Nie wolno mi było podnieść z ziemi ani jednego włosa, który wypadł Marcie. Jak się dowiedziałem, nawet pojedynczy włos, jeśli spojrzał na niego ktoś obdarzony złym wzrokiem, mógł wywołać długotrwałe bóle gardła. Wieczorami Marta siadywała przy piecu, kiwając się i mamrocząc modlitwy. Usadawiałem się w pobliżu i rozmyślałem o rodzicach. Przypominałem sobie moje zabawki, teraz należące zapewne do innych dzieci: wielkiego pluszowego misia ze szklanymi oczami, samolot z twarzami pasażerów widocznymi w oknach i z obracającymi się śmigłami, mały, zwrotny czołg oraz wóz strażacki z rozsuwaną drabiną.

Im ostrzejszy i wyraźniejszy był ten obraz, tym jakby cieplej robiło się w chacie Marty. Widziałem matkę siedzącą przy fortepianie, słyszałem słowa śpiewanych przez nią piosenek. Przypominałem sobie strach, jaki czułem przed operacją ślepej kiszki, przeprowadzoną, kiedy miałem zaledwie cztery lata, lśniące szpitalne posadzki oraz gumową maskę, którą lekarze włożyli mi na twarz; zasnąłem tak prędko, że nie zdołałem nawet policzyć do dziesięciu.

Jednakże te wspomnienia z przeszłości coraz szybciej stawały się iluzją, taką samą jak fantastyczne opowieści mojej starej niańki. Zastanawiałem się, czy rodzice kiedykolwiek mnie odnajdą. Czy wiedzą, że nie powinni nic pić ani uśmiechać się w obecności ludzi obdarzonych złym wzrokiem, którzy mogą policzyć im zęby? Na myśl o szerokim, beztroskim uśmiechu ojca ogarniał mnie niepokój; ojciec pokazywał tyle zębów, że na pewno wkrótce umrze, jeśli porachuje je ktoś o urocznych oczach.

Pewnego ranka, kiedy się obudziłem, w chacie było zimno. Ogień w piecu zgasł, lecz Marta wciąż siedziała na środku izby, ze spódnicami podwiniętymi do góry, a bosymi nogami zanurzonymi w kuble wody.

Usiłowałem nawiązać z nią rozmowę, lecz nie odpowiadała. Gdy połaskotałem jej zimną, sztywną dłoń, guzowate palce nawet nie drgnęły. Ręka zwisała z poręczy fotela niczym mokra bielizna ze sznura w bezwietrzny dzień. Kiedy podniosłem Marcie głowę, jej wodniste oczy zdawały się patrzeć prosto na mnie. Takie oczy widziałem dotąd tylko raz, gdy na powierzchnię strumienia wypłynęły śnięte ryby.

Uznałem, że Marta czeka na zmianę skóry i, podobnie jak wężowi, nie wolno jej przeszkadzać. Nie bardzo wiedząc, co robić, postanowiłem uzbroić się w cierpliwość.

Była późna jesień. Wiatr łamał kruche gałązki i zdzierał z drzew ostatnie pomarszczone liście, które ciskał w niebo. Kury tkwiły na swoich grzędach osowiałe, senne i markotne, otwierając niechętnie to jedno, to drugie oko. W chacie panował ziąb, a ja nie umiałem rozpalić ognia. Marta w ogóle nie reagowała na moje próby nawiązania rozmowy. Siedziała bez ruchu, wpatrzona w coś, czego nie mogłem dostrzec.

Nie mając nic innego do roboty, położyłem się z powrotem spać, ufny, że kiedy się zbudzę, Marta będzie krzątała się przy kuchni, zanosząc ponure modły. Ale gdy się zbudziłem wieczorem, nadal moczyła nogi. Byłem głodny i bałem się mroku.

Postanowiłem zapalić lampę naftową. Zacząłem szukać zapałek, które Marta zwykle gdzieś chowała. Zdjąłem ostrożnie lampę z półki, ale wymsknęła mi się z rąk i trochę nafty rozlało się na podłogę.

Zapałki nie chciały się palić. Kiedy wreszcie któraś rozbłysła, złamała się i wpadła do kałuży nafty. Początkowo ogień pląsał nieśmiało w miejscu, wydzielając tylko kłąb błękitnego dymu. Po czym nagle skoczył odważnie na środek izby.

Nie było już ciemno, widziałem Martę bardzo wyraźnie. Ona jednak nie dostrzegała tego, co się dzieje. Jakby nie przeszkadzał jej płomień, który dotarł do ściany i wspinał się po nogach wiklinowego fotela.

Nie było też zimno. Płomienie zbliżały się do wiadra, w którym Marta moczyła nogi. Musiała czuć żar, ale nawet nie drgnęła. Podziwiałem jej wytrwałość. Choć przesiedziała w ten sposób całą noc i cały dzień, nadal tkwiła bez ruchu.

W izbie zrobiło się strasznie gorąco. Płomienie pięły się po ścianach niczym pędy dzikiego wina. Kołysały się, trzaskając jak deptane suche strąki, zwłaszcza przy oknie, gdzie słaby powiew wdzierał się do środka. Stałem przy drzwiach, gotów rzucić się do ucieczki, ale wciąż oczekiwałem, że Marta zaraz się poruszy. Siedziała jednak sztywno, jakby niczego nieświadoma. Języki ognia, niczym przyjazny pies, zaczęły lizać jej zwisające ręce, pozostawiając na nich purpurowe ślady, po czym uniosły się wyżej, do zmierzwionych włosów.

Przez moment migotały niby lampki choinkowe, po czym wzbiły się w słup, tworząc stożkowaty kapelusz ognia na głowie siedzącej. Staruszka przeobraziła się w pochodnię. Płomienie otuliły ją ciasno ze wszystkich stron. Woda w kuble syczała, kiedy wpadały do niej strzępy wytartej kurtki z króliczych futer, którą Marta miała na sobie. Widziałem przez ogień płaty pomarszczonej, obwisłej skóry staruszki i białawe plamy na jej kościstych ramionach.

Krzyknąłem do niej po raz ostatni i wybiegłem na podwórze. W kurniku, który przylegał do chaty, kury gdakały przerażone, głośno łopocząc skrzydłami. Zazwyczaj spokojna krowa muczała i waliła łbem w drzwi obory. Postanowiłem nie czekać na pozwolenie Marty i samemu wypuścić kury. Wybiegły jak oszalałe i — rozpaczliwie wymachując skrzydłami — usiłowały wzbić się w powietrze. Krowa zdołała wyłamać drzwi. Znalazła sobie punkt obserwacyjny w bezpiecznej odległości od pożaru, gdzie przystanęła, żując w zamyśleniu.

Wnętrze chaty przemieniło się w piec. Płomienie buchały z okien i szpar. Kryty strzechą dach zapalił się od spodu i dymił złowieszczo. Byłem zdumiony zachowaniem Marty. Czyżby naprawdę nic nie czuła? Czyżby uroki i klątwy uczyniły ją odporną na ogień, który obracał w popiół wszystko dokoła? Wciąż nie wychodziła, podczas gdy ja musiałem odsunąć się od chaty aż na skraj pola. Żar stawał się nieznośny. Kurnik i obora też zajęły się ogniem. Kilka szczurów, przerażonych gorącem, wybiegło w popłochu na podwórze. Żółte oczy kota, odbijające płomienie, przyglądały się z mroku.

Marta nie ukazywała się, choć nadal wierzyłem, że lada moment wyłoni się cała i zdrowa. Dopiero gdy zawaliła się jedna ze ścian, grzebiąc zwęglone wnętrze, straciłem nadzieję, że jeszcze kiedykolwiek ujrzę staruszkę.

Wydało mi się, że w kłębach dymu unoszących się do góry dostrzegam dziwny, podłużny kształt. Co to było? Czyżby dusza Marty wzlatująca do nieba? A może to sama Marta, zbudzona pożarem i wyzwolona ze starej, pomarszczonej skóry, opuszczała ziemię na ognistej miotle niczym wiedźma z bajki, którą opowiadała mi matka?

Gdy tak stałem wpatrzony w migoczące iskry i roztańczone płomienie, nagle z zadumy wyrwał mnie hałas ludzkich głosów i szczekanie psów. Nadciągali chłopi. Marta nieraz powtarzała, żebym się wystrzegał mieszkańców wioski. Mówiła, że jeśli mnie złapią, utopią jak parszywego kociaka albo zarąbią siekierą.

Zacząłem biec, kiedy tylko pierwsze ludzkie sylwetki ukazały się w kręgu światła. Nikt mnie nie widział. Gnałem jak szalony, wpadając na krzewy i potykając się o niewidoczne pniaki, aż w końcu przewróciłem się i stoczyłem do jaru.

Jeszcze przez chwilę słyszałem dolatujące z oddali krzyki i huk walących się ścian, ale zaraz potem zapadłem w sen. Obudziłem się o świcie, skostniały z zimna. Całun mgły wisiał między brzegami jaru niczym pajęczyna. Wdrapałem się z powrotem na wzniesienie. Wstęgi dymu i pojedyncze płomienie unosiły się nad stertą zwęglonych belek i popiołów tam, gdzie niedawno stała chata Marty.

Wszędzie dookoła panowała cisza. Byłem przekonany, że wnet spotkam rodziców. Zawsze wierzyłem, że choć przebywają daleko, dobrze wiedzą, co się ze mną dzieje. Czyż nie jestem ich dzieckiem? Czyż nie od tego dzieci mają rodziców, aby byli przy nich w chwilach niebezpieczeństwa?

Na wszelki wypadek, gdyby właśnie nadchodzili, zawołałem do nich. Ale nikt mi nie odpowiedział.

Byłem słaby z zimna i głodu. Nie miałem pojęcia, co robić ani dokąd iść. Rodzice wciąż się nie zjawiali.

Wstrząsany dreszczami, zwymiotowałem. Musiałem znaleźć ludzi. Musiałem udać się do wioski.

Kuśtykając na poobijanych nogach, ruszyłem niepewnie przez żółknącą jesienną trawę w kierunku odległych chałup.

2

Rodziców nigdzie nie było. Zacząłem biec przez pole w kierunku chłopskich chat. Na rozstaju dróg stał zmurszały krzyż, niegdyś pomalowany na niebiesko. U góry widziałem święty obrazek, z którego para wyblakłych, jakby załzawionych oczu spoglądała na puste pola i czerwoną kulę wschodzącego słońca. Na jednym z ramion krzyża przycupnął szary ptak. Kiedy mnie spostrzegł, rozpostarł skrzydła i znikł.

Od chaty Marty wiatr niósł przez pola swąd spalenizny. Cienka smuga dymu wznosiła się w zimowe niebo znad stygnących zgliszczy.

Zmarznięty i wylękniony dotarłem do wioski. Chaty, do połowy zapadłe w ziemię, o niskich, krytych strzechą dachach i zabitych deskami oknach, ciągnęły się po obu stronach ubitej drogi.

Dostrzegły mnie psy przywiązane do płotów; zaczęły

ujadać i szarpać się na łańcuchach. Przekonany, że któryś zerwie się lada moment, stanąłem na środku drogi; bałem się poruszyć.

Zaświtała mi w głowie przerażająca myśl, że w wiosce także nie znajdę rodziców. Usiadłem i rozpłakałem się, wzywając ojca, matkę, nawet niańkę.

Wkrótce zebrał się wokół mnie tłum mężczyzn i kobiet mówiących w nieznanym mi narzeczu. Ich podejrzane gesty i spojrzenia wzbudziły mój lęk. Kilku chłopów trzymało za obroże warczące, wyrywające się psy.

Ktoś dźgnął mnie w plecy grabiami. Odskoczyłem. Ktoś inny pchnął jakimś ostrym szpikulcem. Znów odskoczyłem, krzycząc głośno.

Tłum wyraźnie się rozochocił. Uderzył mnie pierwszy kamień. Położyłem się, twarzą do ziemi, nie chcąc wiedzieć, co będzie działo się dalej. Na moją głowę spadały kawałki suchego krowiego łajna, spleśniałe kartofle, ogryzki, grudy ziemi, kamyki. Zakryłem twarz dłońmi i krzyczałem w piach wiejskiej drogi.

Mocne szarpnięcie poderwało mnie na nogi. Wysoki, rudy chłop przyciągnął mnie do siebie za włosy, drugą ręką wykręcając mi ucho. Opierałem się rozpaczliwie. Tłum wył ze śmiechu. Mężczyzna szturchnął mnie, po czym kopnął sabotem. Motłoch zawył z radości; wieśniacy śmiali się, trzymając za brzuchy, a ujadające psy przysuwały się coraz bliżej.

Przez tłum przecisnął się chłop z parcianym workiem. Złapał mnie za szyję i zarzucił mi worek na głowę. Potem przewrócił mnie na ziemię i zaczął wpychać do czarnego, cuchnącego wora.

Broniłem się rękami i nogami, drapałem, gryzłem. Ale cios w kark sprawił, że straciłem przytomność.

Obudziłem się w bólu. Wtłoczony do wora, podróżowałem na czyichś spoconych barkach; przez szorstkie płótno czułem bijące z nich ciepło. Otwór worka związany był sznurkiem. Kiedy próbowałem się uwolnić, mężczyzna postawił worek na ziemi i kopnął go kilka razy; straciłem dech i zakręciło mi się w głowie. Od tej chwili bałem się choćby drgnąć: siedziałem nieruchomo, jak w letargu.

Dotarliśmy do zagrody. W nozdrza uderzył mnie smród gnoju, posłyszałem kozi bek i ryczenie krowy. Wór wylądował na klepisku chałupy; ktoś zdzielił go batem. Wyskoczyłem ze środka jak oparzony, rozrywając sznurek. Przede mną stał chłop z batem w ręku. Smagnął mnie po nogach. Skakałem po chacie jak wiewiórka, a on wciąż mnie okładał. Do izby weszły inne osoby: kobieta w poplamionym, wymiętym fartuchu, dwóch parobków, a spod pierzyny i zza pieca wypełzło, jak stado karaluchów, kilkoro małych dzieci.

Otoczyli mnie. Ktoś spróbował dotknąć moich włosów. Kiedy odwróciłem się w jego stronę, szybko cofnął dłoń. Rozmawiali o mnie. Chociaż niewiele rozumiałem, kilka razy usłyszałem słowo „Cygan". Usiłowałem im coś powiedzieć, ale język, jakiego używałem, i mój sposób mówienia wywoływały u nich tylko chichot.

Chłop, który przytaszczył wór, znów zaczął smagać mnie

po łydkach. Skakałem coraz wyżej, a dzieci i dorośli wyli ze śmiechu.

Dali mi pajdę chleba i zamknęli w komórce, gdzie trzymano drwa na opał. Ciało paliło mnie od razów bata; nie mogłem zasnąć. W komórce panował mrok, słyszałem tupot biegających szczurów. Kiedy ocierały się o mnie, krzyczałem, płosząc kury śpiące po drugiej stronie ścianki działowej.

Przez kilka następnych dni do chaty przychodziły mnie oglądać całe chłopskie rodziny. Gospodarz smagał batem moje pokryte strupami nogi, zmuszając mnie, żebym skakał jak żaba. Byłem prawie nagi, ubrany tylko w worek, który mi dano, z wyciętymi otworami na nogi. Często spadał, kiedy skakałem po chacie. Chłopi ryczeli z radości, a chłopki chichotały, widząc, jak usiłuję przysłonić sobie ptaszka. Niektórym patrzyłem prosto w oczy, a wówczas szybko odwracali wzrok lub spluwali trzykrotnie, spoglądając w ziemię.

Pewnego dnia do chaty zawitała stara baba zwana Mądrą Olgą. Gospodarz traktował ją z wyraźnym szacunkiem. Zbadała mnie dokładnie, długo patrząc mi w oczy, w zęby, obmacała mi kości i kazała nasiusiać do małego słoiczka. Obejrzała barwę moczu.

Potem przez dłuższy czas studiowała pokaźną bliznę na moim brzuchu, pamiątkę po operacji, i ugniatała mi dłońmi żołądek. Po zakończeniu inspekcji zaczęła się targować zawzięcie z chłopem, aż wreszcie przywiązała mi do szyi sznurek i poprowadziła z sobą. Zostałem przez nią kupiony.

Zamieszkałem w jej chacie. Była to dwuizbowa ziemianka, którą wypełniały stosy suszonych traw, liści i krzewów, dziwnie ukształtowane barwne kamyki, żaby, krety oraz garnki pełne wijących się jaszczurek i glist. Na środku chaty płonął ogień, nad którym wisiały kotły.

Olga pokazała mi wszystko. Od tej pory miałem pilnować ognia, znosić z lasu chrust, utrzymywać w czystości przegrody dla zwierząt. Musiałem też pomagać Oldze w przygotowywaniu proszków, które sporządzała, ucierając w moździerzu i mieszając najróżniejsze składniki.

Z rana towarzyszyłem Oldze, kiedy wyruszała na obchód wieśniaczych chat. Mężczyźni i kobiety żegnali się na jej widok, ale witali ją uprzejmie. Chorzy czekali w środku.

Kiedy wezwano nas do kobiety, która jęczała, trzymając się za brzuch, Olga kazała mi masować ciepły, wilgotny brzuch chorej i wpatrywać się w niego bez przerwy, sama zaś mamrotała jakieś zaklęcia i czyniła nad naszymi głowami różne znaki. Pewnego razu wezwano nas do dziecka, któremu gniła noga — skóra była pomarszczona, brązowa, a z rany ciekła krwawa, żółta ropa. Po chacie rozchodził się tak potworny smród, że nawet Olga musiała co chwila otwierać drzwi, aby wpuścić nieco świeżego powietrza.

Przez cały dzień wpatrywałem się w toczoną przez gangrenę nogę, podczas gdy dziecko na zmianę to płakało, to zapadało w sen. Przerażeni rodzice stali na zewnątrz i modlili się głośno. Kiedy dziecko kolejny raz zapadło w drzemkę, Olga przyłożyła mu do nogi rozgrzany do czerwoności pręt, który czekał w ogniu, i dokładnie wypaliła ranę. Dziecko zaczęło się miotać na boki, krzycząc wniebogłosy, po czym zemdlało, ale zaraz znów odzyskało przytomność. Izbę wypełnił swąd palonego ciała. Rana skwierczała jak boczek smażony na patelni. Po wypaleniu rany Olga przykryła ją kawałkami wilgotnego chleba, w który zagniotła pleśń i świeżo zebrane pajęczyny.

Olga umiała wyleczyć prawie każdą chorobę; mój podziw dla znachorki rósł bezustannie. Przychodzili do niej ludzie z najróżniejszymi dolegliwościami, a ona wszystkim potrafiła pomóc. Kiedy kogoś bolały uszy, przemywała je olejem kminkowym, wsuwała w każde zwinięty w trąbkę kawałek lnu namoczony w gorącym wosku, po czym podpalała. Pacjent, przywiązany do stołu, wył z bólu, podczas gdy ogień spalał zwitki tkwiące w jego uszach. W końcu Olga wydmuchiwała z uszu resztki, które zwała „trocinami", a następnie smarowała oparzone miejsca maścią z soku cebuli, żółci kozła lub królika oraz kilku kropel gorzałki.

Potrafiła także wycinać czyraki, guzy, kaszaki i wyrywać zepsute zęby. Usunięte czyraki wkładała do octu, żeby się zamarynowały, gdyż wówczas mogły służyć do sporządzania leków. Ostrożnie odciągała do specjalnych naczyń ropę sączącą się z ran i pozostawiała ją na wiele dni, żeby sfermentowała. Z kolei wyrwane zęby ja ucierałem w moździerzu na proszek, który następnie sechł na piecu, wysypany na kawałki kory.

Czasami w środku nocy przylatywali po Olgę wystraszeni wieśniacy; zarzucała na ramiona wielką chustę i szła do połogu, dygocząc z zimna i niewyspania. Kiedy wzywano ją do którejś z sąsiednich wiosek i nie było jej przez kilka dni, ja pilnowałem chaty, karmiłem zwierzęta i podkładałem drwa do ognia, żeby nie zgasł.

Chociaż Olga mówiła w dziwnym narzeczu, nauczyliśmy się całkiem nieźle porozumiewać. W zimie, kiedy szalała zawieja, a wioskę ciasno otulały nieprzejezdne śniegi, siedzieliśmy razem w ciepłej chacie i Olga opowiadała mi o wszystkich dzieciach Boga i wszystkich duchach szatana. Nazywała mnie Czarnym. Od niej po raz pierwszy dowiedziałem się, że ma mnie w swej mocy zły duch, który — choć nie zdaję sobie sprawy z jego obecności — ukrył się w moim ciele niby kret na dnie nory. Takich ludzi jak ja, opętanych przez złe moce, można rozpoznać po ich urocznych czarnych oczach, które potrafią patrzeć bez zmrużenia w oczy jasne i przejrzyste. Dlatego to, mówiła Olga, mogę bezwiednie rzucać urok na ludzi, kiedy im się przyglądam.

Uroczne oczy mogą zarówno rzucać urok, jak i zdejmować, tłumaczyła. Muszę pilnować się, kiedy patrzę na ludzi, zwierzęta lub nawet ziarno, żeby nie myśleć o niczym, tylko o chorobie, którą pomagam wypędzić. Bo jeśli uroczne oczy spojrzą na zdrowe dziecko, natychmiast zacznie słabnąć; jeśli na cielę, powali je śmiertelna choroba; jeśli na trawę, po skoszeniu nie wyschnie na siano, lecz zgnije.

Sam fakt, że byłem we władaniu złego ducha, przyciągał do mnie inne tajemnicze istoty. Unosiły się wokół mnie strzygi; zjawy milczące, ciche, które rzadko ukazują się ludziom. Bywają jednak złośliwe i natrętne: przewracają ludzi na polach i w lasach, zaglądają do chałup, mogą się przeistoczyć w prychającego kota lub we wściekłego psa, jęczą, kiedy wpadają w furię. O północy przemieniają się w gorącą smołę.

Zły duch przyciąga również upiory. Są to dawno zmarli grzesznicy, skazani na wieczne potępienie, powracający do życia tylko w czasie pełni księżyca. Mają nadprzyrodzone moce, a ich oczy zawsze żałośnie spoglądają na wschód.

Utopce, chyba najgroźniejsze z tych niematerialnych stworów, ponieważ często przybierają ludzką postać, też coś ciągnie do opętanego. W utopce przeistaczają się nie-chrzczeni topielcy i niemowlęta porzucone przez matki. Do wieku siedmiu lat chowają się w wodzie lub w lasach, po czym znów oblekają ludzkie kształty i, w przebraniu włóczęgów, za wszelką cenę starają się wedrzeć do kato-lickich lub unickich świątyń. Kiedy im się udaje, zagnież-dżają się tam i odtąd bez spoczynku kręcą się po ołtarzach, złośliwie brudzą wizerunki świętych, gryzą, tłuką i łamią sprzęty liturgiczne, a kiedy tylko mogą, wysysają krew ze śpiących.

Olga podejrzewała, że jestem utopcem, i czasem mówiła mi o tym. Aby hamować pragnienia mojego złego ducha i zapobiec jego metamorfozie w upiora lub strzygę, każdego ranka przyrządzała gorzką miksturę, którą musiałem wypijać, zagryzając kawałkiem węgla drzewnego posmarowanego czosnkiem. Inni ludzie także się mnie bali. Ilekroć szedłem sam przez wioskę, mieszkańcy odwracali głowy i żegnali się. Ciężarne kobiety umykały w popłochu. Co odważniejsi wieśniacy szczuli mnie psami, więc gdyby nie to, że nauczyłem się szybko uciekać i nie oddalać za bardzo od chaty Olgi, którąś samotną wyprawę przypłaciłbym życiem. Zwykle pozostawałem w chacie i pilnowałem, żeby kot albinos nie zadusił trzymanej w klatce czarnej, niezwykle rzadkiej kury, którą Olga uważała za szczególnie cenną. Spoglądałem w puste oczy ropuch skaczących w wysokim garnku, pilnowałem ognia w palenisku, mieszałem wrzące napary i obierałem zgniłe kartofle, pieczołowicie gromadząc w naczynku zielonkawą pleśń, którą Olga okładała rany i sińce. Olga cieszyła się w wiosce niezwykłym szacunkiem i ilekroć jej towarzyszyłem, nie obawiałem się nikogo. Często proszono ją, żeby zasypywała oczy bydłu, aby ochronić je od złych uroków podczas pędzenia na targ. Pouczała wieśniaków, jak mają spluwać trzy razy, kiedy kupują świnię, i jak podawać jałówce specjalnie przyrządzony chleb ze świętym ziołem przed sparzeniem jej z bykiem. Nikt w wiosce nie kupiłby konia ani krowy, dopóki Olga nie zawyrokowała, czy zwierzę jest zdrowe. Polewała je wodą i widząc, jak się otrząsa, wyrażała swoją opinię, od której zależała cena, a często i zawarcie transakcji.

Zbliżała się wiosna. Lód na rzece pękał i niskie promienie słońca przenikały nurt wzburzonej, wirującej wody. Błękitne ważki unosiły się tuż nad powierzchnią, walcząc z nagłymi podmuchami zimnego, wilgotnego wiatru. Ten sam wiatr szalał nad jeziorem, gdzie porywał opary wilgoci unoszące się znad topniejącej w słońcu tafli, szarpał jak pasemka wełny i wciągał w górę w skotłowane powietrze.

Lecz kiedy wreszcie nadeszło wyczekiwane ocieplenie, wraz z nim nadciągnęła zaraza. Zaatakowani nią ludzie skręcali się z bólu niczym glisty nadziane na szpilkę; trzęsły nimi straszliwe dreszcze i umierali bez odzyskania przytomności. Biegałem z Olgą od chaty do chaty, wpatrywałem się w pacjentów, żeby wypędzić z nich chorobę, ale wszystko daremnie. Choroba okazała się zbyt silna.

Za zabitymi na głucho oknami, wewnątrz pogrążonych w półmroku chat, udręczeni, umierający ludzie jęczeli i wyli. Kobiety tuliły do piersi małe, ciasno pozawijane ciałka niemowląt, z których raptownie uchodziło życie. Zrozpaczeni mężczyźni okrywali piernatami i kożuchami trawione gorączką żony. Zapłakane dzieci patrzyły na pokryte sinymi plamami twarze martwych rodziców.

Zaraza nie ustępowała.

Wieśniacy wychodzili na progi chat i znad ziemskiego pyłu podnosili oczy ku Bogu. On jeden mógł uśmierzyć ich gorzki żal. On jeden mógł zesłać miłosierny, spokojny sen na umęczonych. On jeden mógł przemienić straszliwą, zagadkową chorobę w wieczne zdrowie. On jeden mógł ukoić ból matki opłakującej utracone dziecko. On jeden...

Ale Bóg, w Swojej nieprzeniknionej mądrości, czekał. Wokół chat płonęły ognie, a obejścia, ogrody i ścieżki okadzano dymem. Od pobliskich lasów niósł się szczęk siekier i łomot padających drzew; potrzeba było drewna do podtrzymywania ognisk. Słyszałem krótkie, dźwięczne ciosy siekier rozchodzące się w jasnym, ale nieruchomym powietrzu. Kiedy docierały do wioski i pastwisk, odgłosy te stawały się dziwnie przytłumione, odległe. Podobnie jak mgła kryje i przyciemnia blask świecy, tak stojące powietrze, ciężkie od zarazy, wchłaniało dźwięki i więziło je niby w zatrutej sieci.

Pewnego wieczoru twarz zaczęła mnie palić, a moim ciałem trzęsły niepohamowane dreszcze. Olga patrzyła mi chwilę w oczy i położyła na czole swoją zimną dłoń. Po czym szybko, bez słowa, zaciągnęła mnie na odległe pole. Tam wykopała głęboki dół, rozebrała mnie do naga i kazała mi wskoczyć do środka.

Kiedy stanąłem na dnie, dygocząc z zimna i gorączki, Olga zaczęła zasypywać dół, aż w końcu tkwiłem zakopany po szyję. Wtedy udeptała ziemię wokół mojej głowy i ubiła na płask łopatą. Sprawdziwszy, czy w okolicy nie ma mrowisk, rozpaliła z torfu trzy dymiące ogniska.

Moje ciało zasadzone jak roślina w zimnej ziemi w kilka minut całkiem wystygło; przypominało teraz korzeń więdnącego chwastu. Utraciłem świadomość. Niczym porzucona główka kapusty stałem się częścią wielkiego pola.

Olga nie zapomniała o mnie. Kilkakrotnie w ciągu dnia przynosiła mi i wlewała do ust chłodne napoje, które jakby przesączały się przeze mnie prosto w ziemię. Od dymu ognisk, do których Olga dorzucała świeżego torfu, łzawiły mi oczy i szczypało mnie w gardle. Świat, widziany z poziomu gleby, kiedy wiatr co pewien czas rozwiewał dymy, przypominał szorstki dywan. Niskie chwasty rosnące dookoła zdawały się wznosić wysoko niczym drzewa. Sylwetka zbliżającej się Olgi rzucała na ziemię potężny cień, jakby nadchodził straszliwy wielkolud.

34

Napoiwszy mnie po raz ostatni o zmroku, znachorka dołożyła torfu do ognisk i wróciła do chaty spać. Pozostałem na polu sam, wrośnięty w ziemię, która wciągała mnie coraz głębiej w siebie. Ognie paliły się wolno, a iskry skakały niczym robaczki świętojańskie w nieprzeniknionym mroku. Czułem się tak, jakbym był rośliną prężącą się ku słońcu, która nie może rozprostować łodyg przytrzymywanych przez ziemię. Albo zdawało mi się, że moja głowa nabrała własnego życia i toczy się coraz szybciej, w coraz bardziej oszałamiającym tempie, aż wreszcie uderza w tarczę słońca, które łaskawie grzało ją w ciągu dnia.

Chwilami, czując na czole wiatr, martwiałem ze zgrozy. Oczami wyobraźni widziałem skrzykujące się armie mrówek i karaluchów, które pędzą ku mnie, żeby zagnieździć się pod moją czaszką. Będą się tam rozmnażać i wyjadać mi myśli, wszystkie po kolei, aż stanę się pusty jak dynia, z której wydrążono miąższ.

Zbudziły mnie hałasy. Otworzyłem oczy, niepewien, gdzie się znajduję. Byłem zespolony z ziemią, ale w mojej ociężałej głowie zaczęły kiełkować myśli. Świat szarzał. Ogniska wygasły. Na ustach czułem chłodne krople rosy, która osiadła mi na twarzy i włosach.

Hałasy powróciły. W górze krążyło stado kruków. Jeden z nich wylądował nieopodal z szelestem szeroko rozpostartych skrzydeł. Zbliżał się powoli do mojej głowy; inne ptaki zaczęły osiadać na ziemi.

Z przerażeniem patrzyłem na lśniące, czarnopióre ogony

i ruchliwe oczka. Kruki podchodziły coraz bliżej, wyciągając szyje, niepewne, czy jestem żywy, czy umarły. Nie czekałem, żeby się przekonać, co zrobią. Wrzasnąłem. Spłoszone odskoczyły. Kilka poderwało się do lotu, ale zaraz opadło z powrotem na ziemię. Zerkając na mnie podejrzliwie, zaczęły otaczać mnie pierścieniem.

Znów wrzasnąłem. Ale tym razem nie odskoczyły; coraz odważniej postępowały w moją stronę. Serce waliło mi jak młotem. Nie wiedziałem, co robić. Ponownie krzyknąłem, ale ptaki wcale nie okazały strachu. Dzieliło je ode mnie zaledwie pół metra. Ich sylwetki rosły mi w oczach, ich dzioby wyglądały coraz groźniej. Krzywe, szeroko rozstawione szpony przypominały ogromne grabie.

Jeden kruk zatrzymał się przede mną, zaledwie kilka centymetrów od mojego nosa. Ryknąłem groźnie, ale ptak tylko potrząsnął łebkiem i rozchylił dziób. Zanim wrzasnąłem jeszcze raz, dziobnął mnie w głowę; w jego dziobie pojawiła się kępka włosów. Znów zadał cios, wyrywając następną.

Zacząłem kręcić głową z boku na bok, żeby poszerzyć otwór przy szyi. Ale moje ruchy jedynie wzbudziły większe zaciekawienie ptaków. Otoczyły mnie i dziobały, jak popadnie. Darłem się, ile tchu, lecz głos miałem zbyt słaby, aby wzbił się nad ziemię i doleciał do chaty Olgi; opadał z powrotem.

Ptaki robiły ze mną, co chciały. Im gwałtowniej się miotałem, tym bardziej je to podniecało i tym większej nabierały odwagi. Lecz jakby specjalnie unikały mojej twarzy; ich ataki koncentrowały się na włosach z tyłu głowy.

Traciłem siły. Obracanie głowy wymagało tyle samo wysiłku, co przestawianie ogromnego wora zboża. Odchodziłem od zmysłów; widziałem wszystko jakby przez miazmatyczne wyziewy. Poddałem się. Sam byłem teraz ptakiem. Usiłowałem uwolnić z ziemi moje zziębnięte skrzydła. Rozpostarłem je i przyłączyłem się do stada kruków. Uniesiony nagłym podmuchem świeżego, orzeźwiającego wiatru, poszybowałem prosto ku promieniowi słońca drgającemu nad horyzontem niczym napięta cięciwa; pierzaści towarzysze podchwycili moje radosne krakanie.

Kiedy przybyła Olga, otaczało mnie gęste stado kruków. Byłem niemal zamarznięty, a moja głowa nosiła głębokie rany od ptasich dziobów. Znachorka wykopała mnie czym prędzej.

Po siedmiu dniach powróciłem do zdrowia. Olga twierdziła, że zimna ziemia wypędziła z mojego ciała chorobę. Mówiła, że chorobę przejął tłum duchów przemienionych w kruki, które próbowały mojej krwi, aby się upewnić, czy rzeczywiście jestem jednym z nich. To dlatego właśnie, jej zdaniem, ptaki nie wydziobały mi oczu.

Mijały tygodnie. Zaraza ustąpiła, a liczne nowe groby porosły świeżą trawą, której nie wolno było dotykać, gdyż niechybnie zawierała truciznę wyssaną ze zmarłych.

Pewnego pogodnego ranka Olgę zawołano nad rzekę. Chłopi wyciągnęli właśnie z wody ogromnego suma o długich, sterczących sztywno wąsach. Była to potężna ryba, naprawdę monstrualnych rozmiarów, jedna z największych, jakie kiedykolwiek złowiono w tej okolicy. Któremuś z rybaków sieć przecięła żyłę w ręce. Podczas gdy Olga zakładała mu krępulec, żeby zatamować strugi krwi tryskające z rany, inni rybacy rozcięli rybie brzuch i, ku powszechnej radości, wydobyli z niej nieuszkodzony pęcherz.

Stałem sobie spokojnie przy Oldze, niczego nie przeczuwając, kiedy nagle złapał mnie jakiś grubas i podniósł do góry, krzycząc coś do pozostałych. Jego pomysł zdobył poklask tłumu; wieśniacy zaczęli podawać mnie szybko z rąk do rąk. Zanim zrozumiałem, co się dzieje, cisnęli do wody pęcherz i rzucili mnie na niego. Pęcherz zapadł się nieco. Ktoś pchnął go nogą. Odpływałem od brzegu, obejmując kurczowo rękami i nogami sunący po wodzie balon; głowa co chwila zanurzała mi się w zimnej, brunatnej rzece, a gdy się ponownie wyłaniała, krzyczałem i błagałem o litość.

Ale oddalałem się coraz bardziej. Ludzie biegli wzdłuż brzegu, wymachując rękami. Ciskali kamienie, które wzbijały fontanny wody. Jeden o mało nie trafił pęcherza. Prąd szybko znosił mnie na środek rzeki. Oba brzegi były straszliwie daleko. Tłum zniknął za pagórkiem.

Świeży wiatr, jakiego nigdy nie czułem na lądzie, marszczył taflę wody. Gładko płynąłem w dół rzeki. Co jakiś czas drobne fale niemal całkowicie zalewały pęcherz. Ale po chwili znów wypływał na powierzchnię i wolno, majestatycznie dryfował dalej. Nagle jednak wpadł w wir. Kręcił się w kółko, wciąż w kółko, to oddalając się, to powracając do tego samego miejsca.

Usiłowałem rozhuśtać pęcherz i, ruchami ciała, zmienić jego kierunek. Przerażała mnie myśl, że całą noc będę wirował na środku rzeki. Gdyby pęcherz pękł, utonąłbym natychmiast. Nie umiałem pływać.

Słońce powoli chyliło się ku zachodowi. Przy każdym obrocie pęcherza świeciło mi przez chwilę prosto w oczy, a jego oślepiające odbicie tańczyło na migoczącej powierzchni wody. Zrobiło się chłodno, wiatr przybrał na sile. Pęcherz, uderzony nowym podmuchem, wyskoczył z wiru.

Znajdowałem się wiele mil od wioski Olgi. Prąd niósł mnie w kierunku brzegu pogrążonego w głębokim cieniu. Zacząłem rozróżniać jego linię, dostrzegać wysokie, kołyszące się witki sitowia, ukryte gniazda śpiących kaczek. Pęcherz przemieszczał się wolno między rzadkimi kępkami traw. Ważki przelatywały nerwowo koło mnie. Żółte kielichy grążeli szeleściły, z błota rozległ się rechot przerażonej żaby. Nagle trzcina przekłuła pęcherz. Poczułem pod nogami grząskie dno.

Wokół panowała cisza. Jedynie gdzieś z olchowych zagajników i dalekich mokradeł dobiegały niewyraźne głosy, nie wiadomo czy ludzkie, czy zwierzęce. Zdrętwiały, zgięty wpół, pokryty gęsią skórką, wytężałem słuch, ale nic więcej nie zakłócało ciszy.

3

Lękałem się samotności. Ale pamiętałem, co mi mówiła Olga: aby przetrwać bez ludzkiej pomocy, potrzebne są dwie rzeczy. Pierwszą jest wiedza o roślinach i zwierzętach, znajomość trucizn i ziół leczniczych. Druga to ogień, czyli własna „kometa". Wiedza była trudniejsza do zdobycia — wymagała wieloletniego doświadczenia. Natomiast do zrobienia komety wystarczyła litrowa puszka po konserwach, w której wybijano po bokach gwoździem liczne otworki. Zamiast rączki mocowano do puszki metrową drucianą pętlę; dzięki niej można było wymachiwać puszką jak lassem albo jak kadzielnicą w kościele.

Taki mały, przenośny piecyk mógł służyć jako stałe źródło ciepła i jako miniaturowa kuchenka. Można go było napełnić każdym dostępnym paliwem, zawsze pozostawiając na dnie nieco żaru. Energiczne machanie puszką powodowało, że otworkami wpadało powietrze, rozniecając ogień niby kowal miechem, podczas gdy siła odśrodkowa chroniła żar przed wypadnięciem. Ciągłe dokładanie paliwa zapobiegało zgaśnięciu komety, natomiast rozważny dobór materiału opałowego, a także nadawane puszce ruchy pozwalały osiągnąć temperatury najwłaściwsze do różnych celów. Na przykład pieczenie kartofli, rzepy i ryb wymagało powolnego ognia z torfu i wilgotnych liści, a pieczenie świeżo zabitego ptaka — trzaskającego ognia z suchych gałązek i siana. Ptasie jaja, zaraz po wybraniu z gniazd, najlepiej gotowało się na ogniu z kartoflanych łętów.

Żeby ogień nie zgasł w ciągu nocy, kometę napychało się ciasno wilgotnym mchem porastającym u dołu pnie wysokich drzew. Mech żarzył się ciemno, wydzielając dym, który odstraszał węże i owady. W razie niebezpieczeństwa wystarczyło kilka ruchów, aby strzelił płomieniem. W wilgotne, śnieżne dni kometę trzeba było często napełniać suchym, żywicznym drewnem i energicznie huśtać. W dni wietrzne lub gorące i suche kometa prawie wcale nie wymagała kołysania, a żeby opóźnić spalanie, dodawało się świeżej trawy albo skrapiało paliwo wodą.

Kometa zapewniała także niezbędną ochronę przed psami i ludźmi. Nawet najbardziej zajadłe psy stawały daleko, widząc wściekle kołyszącą się puszkę, sypiącą iskrami, od których mogła im się zająć ogniem sierść. Również najodważniejszy zbir wolał nie ryzykować oparzeń twarzy lub utraty wzroku. Człowiek uzbrojony w buzującą kometę był jak forteca — można go było atakować bezkarnie tylko długimi drągami lub ciskając kamienie.

Dlatego właśnie zgaśnięcie komety było sprawą niezwykle poważną. Mogło je spowodować zaspanie, niedbalstwo lub nagła ulewa. Zapałki na tym terenie stanowiły rzadkość. Były drogie i prawie nieosiągalne. Ci, którzy je mieli, dla oszczędności każdą sztukę rozszczepiali na dwoje. Ogień przechowywano skrzętnie przez noc w paleniskach kuchni i pieców. Przed udaniem się na spoczynek kobiety zgarniały w stożek tlące się węgiełki, aby nie zgasły do rana. O świcie żegnały się nabożnie przed przystąpieniem do rozdmuchania żaru. Ogień, mówiono, nie jest człowiekowi przyjazny z natury. Dlatego trzeba mu dogadzać. Wierzono również, że dzielenie się z kimś ogniem, a zwłaszcza jego pożyczanie, sprowadza nieszczęście. Bo przecież ci, którzy pożyczają ogień na ziemi, muszą zwrócić go w piekle. Wynoszenie ognia z domu sprawiało, że krowy przestawały dawać mleko lub nie chciały się cielić. Natomiast zgaśnięcie ognia mogło mieć tragiczne następstwa w wypadku połogu.

Tak jak kometa potrzebowała ognia, tak człowiek komety. Była mu wręcz niezbędna, kiedy zbliżał się do osiedli, których zawsze pilnowały sfory półdzikich psów. W zimie zgaśnięcie komety oznaczało brak ciepłej strawy i groziło odmrożeniami.

Ludzie zawsze nosili na plecach lub przy pasie nieduże worki, w których gromadzili opał do komet. W ciągu dnia wieśniacy pracujący w polu piekli na nich warzywa, ptaki i ryby. Wracając wieczorem do domu, mężczyźni i chłopcy z całej siły rozhuśtywali komety i wypuszczali je w niebo: leciały wielkim łukiem, buzując zawzięcie, podobne do czerwonych kul. Ogniste ogony znaczyły ich szlak. Stąd właśnie wzięła się nazwa. Albowiem rzeczywiście przypominały prawdziwe komety z płomiennymi ogonami, których pojawienie się na niebie, jak mi tłumaczyła Olga, zwiastuje wojnę, zarazę i śmierć.

Zdobycie puszki na kometę nie było rzeczą łatwą. Znajdowano je tylko przy odległych torach kolejowych, którymi jeździły wojskowe transporty. Jednakże miejscowi chłopi nie dopuszczali do zbierania puszek obcych, a za znalezione przez siebie domagali się sowitej zapłaty. Społeczności mieszkające po obu stronach torów toczyły ze sobą boje. Codziennie wysyłały gromady mężczyzn i chłopców zaopatrzonych w worki na puszki oraz uzbrojonych w siekiery do walki z konkurencją.

Moją pierwszą kometę dostałem od Olgi, która otrzymała ją w zapłacie za wyleczenie chorego. Dbałem o nią najlepiej, jak umiałem: zaklepywałem młotkiem otwory, kiedy stawały się za duże, prostowałem wybrzuszenia, czyściłem z rdzy blachę. Z obawy, aby nikt nie ukradł mi tej jedynej cennej rzeczy, owijałem umocowany do niej drut wokół nadgarstka i nigdy się z nią nie rozstawałem. Trzaskający wesoło ogień napawał mnie poczuciem dumy i bezpieczeństwa. Nigdy nie przepuszczałem okazji, aby uzupełnić zapas odpowiedniego opału. Olga często posyłała mnie samego do lasu po różne rośliny i zioła o właściwościach leczniczych i, jak długo miałem przy sobie kometę, nie lękałem się niczego.

Ale Olga była teraz daleko, komety zaś nie miałem. Dygotałem z zimna i ze strachu, a stopy mi krwawiły, pocięte przez ostre liście trzcin. Strąciłem z łydek i ud pijawki, które na moich oczach nabrzmiewały krwią. Długie, krzywe cienie padały na rzekę, wzdłuż mroczniejących brzegów niosły się stłumione szepty. Skrzypienie grubych gałęzi buków oraz szelest wierzb muskających liśćmi powierzchnię wody brałem za odgłosy tajemniczych istot, o których opowiadała mi Olga. Dziwaczne, o krętych ciałach i spiczastych pyszczkach — miały bowiem głowy nietoperzy i odwłoki węży — okręcały się człowiekowi wokół nóg, pozbawiając go woli życia, aż wreszcie siadał na ziemi, spragniony snu, z którego nigdy się nie budził. Czasami widywałem w stodole takie cudacznie ukształtowane węże, na których widok krowy muczały trwożliwie. Podobno wysysały z wymion mleko lub — co gorsza — wślizgiwały się krowom przez odbyt do żołądka i pożerały wszystko, co te jadły, aż w końcu zwierzęta padały z wycieńczenia.

Przedarłszy się przez trzciny i wysokie trawy ruszyłem biegiem od rzeki, przebijając się przez barykady splątanych chwastów; co chwila musiałem się schylać i niemal przeczołgiwać pod wiszącymi nisko gałęziami, nadziewając się na ostre trzciny i kolce.

W oddali zaryczała krowa. Wspiąłem się szybko na drzewo i rozglądając się dookoła, wreszcie ujrzałem błyski komet. Jacyś ludzie wracali do chałup z pastwiska. Ostrożnie zacząłem podkradać się do nich, nasłuchując szczekania towarzyszącego im psa, które wyraźnie zbliżało się w moją stronę.

Głosy były już całkiem blisko. Za grubą ścianą roślinności widocznie prowadziła ścieżka. Słyszałem posuwisty chód krów i głosy młodych pastuchów. Co pewien czas iskry z ich komet rozświetlały mroczne niebo, po czym gasły, opadając zygzakiem. Szedłem za nimi przez krzaki, zdecydowany rzucić się na któregoś i wyrwać mu kometę.

Pies kilkakrotnie łapał mój zapach i wpadał w krzaki, ale chyba w mroku nie czuł się pośród nich zbyt pewnie. Kiedy syknąłem jak wąż, wycofał się na ścieżkę, skąd tylko co pewien czas powarkiwał. Pastuchowie, wietrząc niebezpieczeństwo, zamilkli i też nasłuchiwali leśnych odgłosów. Przysunąłem się do dróżki. Krowy niemal ocierały się bokami o gałęzie, za którymi czekałem przyczajony. Były tak blisko, że biło we mnie parujące z nich ciepło. Pies ponowił atak, ale znów przepędziłem go sykiem.

W pewnym momencie dźgnąłem dwie mijające mnie jałówki ostro zakończonym patykiem. Ryknęły i zaczęły biec truchtem; pies pomknął za nimi. Wtedy wydałem z siebie długi, przeciągły wrzask potępieńca i uderzyłem w twarz najbliższego pastucha. Zanim pojął, co się dzieje, wyrwałem mu kometę i czmychnąłem w krzaki.

Pozostali chłopcy, wystraszeni potwornym wrzaskiem i paniką bydła, uciekli w stronę wioski, ciągnąc za sobą oszołomionego pastucha. Ja zaś, przytłumiwszy jasny płomień komety wilgotnymi liśćmi, zagłębiłem się w las.

Kiedy się dostatecznie oddaliłem, rozdmuchałem ogień. Jego blask przyciągał z mroku dziesiątki dziwacznych owadów. Ujrzałem wiedźmy zwisające z drzew. Wpatrywały się we mnie, usiłując sprowadzić z obranej drogi i pomieszać mi kierunki. Słyszałem wyraźnie dygot wędrujących dusz, które umknęły z ciał zatwardziałych grzeszników. W rdzawym świetle komety widziałem pochylające się nade mną drzewa. Zewsząd rozlegały się płaczliwe głosy i ponure skrzypienie; to tajemnicze strzygi i upiory próbowały się uwolnić z pni drzew, w których tkwiły zaklęte.

Tu i tam dostrzegałem na pniach znaki wyrąbane siekierami. Pamiętałem, co mówiła mi Olga: takie nacięcia robią wieśniacy, którzy pragną rzucić urok na swoich wrogów. Uderzając siekierą w soczysty miąższ drzewa, należy wypowiedzieć imię znienawidzonej osoby i przywołać w pamięci jej twarz. Wówczas osobę tę nawiedzają choroba i śmierć. Prawie wszędzie dookoła widziałem takie nacięcia. Tutejsi ludzie musieli mieć wielu wrogów i nie szczędzili wysiłków, aby sprowadzić na nich katastrofę.

Wystraszony, dziko wymachiwałem kometą. Widziałem niekończące się rzędy drzew, które gięły się przede mną uniżenie, zapraszając, bym wkroczył głębiej w ich zwierające się szeregi.

Prędzej czy później musiałem skorzystać z tego zaproszenia. Chciałem bowiem trzymać się z dala od wiosek położonych wzdłuż rzeki.

Szedłem dalej, głęboko przekonany, że czary Olgi spowodują, iż w końcu do niej wrócę. Czyż nie powtarzała mi bezustannie, że tak zaczaruje moje nogi, aby przyniosły mnie z powrotem, gdybym próbował uciec? Nie miałem się czego obawiać. Jakaś nieznana siła, tkwiąca albo w moim ciele, albo gdzieś nade mną, prowadziła mnie nieomylnie do starej Olgi.

4

Mieszkałem teraz u młynarza, którego wieśniacy przezywali Zazdrośnikiem. Był jeszcze bardziej małomówny od innych chłopów w tej okolicy. Kiedy sąsiedzi przychodzili z wizytą, sączył z nimi gorzałkę, ale prawie cały czas siedział w milczeniu, jakby zagubiony w myślach, wpatrując się w wyschnięty zewłok muchy rozgniecionej niegdyś na ścianie; tylko z rzadka cedził wolno jakieś słowo. Budził się z zadumy jedynie wówczas, gdy do izby wchodziła żona. Równie cicha i małomówna, zawsze siadała za mężem i skromnie spuszczała oczy, ilekroć przy stole obecni byli mężczyźni. Oni natomiast zawsze zerkali na nią ukradkiem.

Spałem na strychu, dokładnie nad sypialnią młynarza i młynarzowej. W nocy budziły mnie ich kłótnie. Młynarz oskarżał żonę o to, że flirtuje z pewnym młodym parobkiem i lubieżnie obnaża się przed nim w polu lub koło młyna.

Kobieta nie zaprzeczała; słuchała biernie, bez słowa. Czasami awantury przeciągały się do rana. Rozgniewany młynarz zapalał w izbie świece, wciągał buty i zaczynał bić żonę. Przyciśnięty do szpary w podłodze obserwowałem, jak okłada ją batem po gołym ciele. Kobieta kuliła się, zasłaniając ściągniętą z łóżka pierzyną, ale młynarz wyszarpywał ją jednym ruchem i ciskał na ziemię, a następnie stawał nad żoną w szerokim rozkroku i dalej biczował jej pulchne ciało. Po każdym smagnięciu na delikatnej skórze wykwitały czerwone, krwiste pręgi.

Młynarz nie znał litości. Wielkimi zamachami ramienia spuszczał rzemień na żonine pośladki i uda, chłostał jej piersi i szyję, bił plecy i łydki. Kobieta, zupełnie wyczerpana, leżała na podłodze i skomlała jak szczeniak. Potem czołgała się do stóp męża, błagając o przebaczenie.

Wreszcie młynarz ciskał bat na ziemię, gasił świece i kładł się spać. Kobieta wciąż jęczała, nie wstając z podłogi. Nazajutrz poruszała się z trudem, starając się ukryć czerwone pręgi, i ocierała łzy posiniaczonymi, poranionymi rękami.

Chałupa młynarza miała jeszcze jednego lokatora: dobrze odżywioną burą kotkę. Pewnego dnia ogarnął ją szał. Zamiast miauków, wydawała zduszone piski. Leżąc na grzbiecie, ślizgała się jak wąż wokół ścian, kołysała na boki pulsującym zadkiem, czepiała się pazurami spódnicy młynarzowej. To burczała dziwnym głosem, to znów pojękiwała, a jej ochrypłe wrzaski wszystkich wprawiały w niepokój. O zmierzchu zaczęła piszczeć jeszcze głośniej, cały czas tłukąc się ogonem po bokach i ocierając pyszczkiem o meble i sprzęty.

Młynarz zamknął rozognioną samicę w piwnicy i poszedł do młyna, mówiąc żonie, że sprowadzi na kolację parobka. Kobieta bez słowa wzięła się do szykowania jadła i nakryła do stołu.

Parobek był sierotą. Pracował na roli u młynarza dopiero pierwszy sezon. Był wysokim, nieśmiałym młodzieńcem o lnianej czuprynie, którą odruchowo zgarniał dłonią ze spoconego czoła. Młynarz wiedział, że wieś plotkuje o jego żonie i parobku. Mówiono, że młynarzowa odmienia się, kiedy patrzy w błękitne oczy młodzika. Nie przejmując się tym, że mąż może ją zobaczyć, popędliwie zadziera jedną ręką spódnicę wysoko nad kolana, a drugą ściąga w dół stanik sukni i obnaża falujące piersi, ani na moment nie odrywając wzroku od oczu chłopaka.

Młynarz wrócił z parobkiem, niosąc w worku na plecach kocura pożyczonego od sąsiada. Zwierzę miało łeb wielkości rzepy i długi, mocny ogon. Z piwnicy wciąż dobiegały lubieżne piski kotki. Kiedy młynarz ją wypuścił, szybko wybiegła na środek izby. Oba koty, sapiąc, zaczęły krążyć nieufnie wokół siebie, ale podchodziły coraz bliżej.

Młynarzowa podała kolację. Wszyscy jedli w milczeniu. Młynarz siedział u szczytu stołu, mając po jednej ręce żonę, po drugiej parobka. Ja dziobałem swoją porcję przykucnięty obok pieca. Podziwiałem apetyt obu mężczyzn: ogromne kawały mięsa i chleba, popijane głębokimi haustami gorzałki, znikały im w gardłach niczym orzeszki laskowe.

Jedynie kobieta wolno przeżuwała każdy kęs. Kiedy

pochylała głowę nisko nad misą, parobek rzucał ukradkowe, szybsze od błyskawic spojrzenia na pełny gors jej sukni.

Na środku izby kotka nagle wyprężyła się w łuk i obnażając zęby, zaatakowała pazurami kocura. On zatrzymał się, przeciągnął i strzyknął śliną prosto w jej rozognione oczy. Samica okrążyła go, doskoczyła bliżej, cofnęła się, po czym palnęła go łapą w pysk. Teraz kocur zaczął ją ostrożnie obchodzić, wciągając w nozdrza jej oszałamiający zapach. Wyprężył ogon i spróbował podejść ją od tyłu. Ale nie dała mu; przypłaszczywszy się do podłogi, obracała się wkoło jak kamień młyński, co rusz bijąc kocura po nosie sztywno wyprostowanymi łapami.

Młynarz i dwoje pozostałych jedli w milczeniu, wpatrując się z zafascynowaniem w zwierzęta. Kobieta była czerwona na twarzy; nawet jej szyję oblał rumieniec. Parobek raz po raz podnosił na nią oczy, ale zaraz je opuszczał. Z krótkich włosów, które wciąż odgarniał ręką, spływał pot. Jedynie po młynarzu nie znać było napięcia: jadł spokojnie, obserwując koty, i jakby od niechcenia zerkał to na żonę, to na gościa.

Nagle kocur podjął decyzję. Jego ruchy stały się lżejsze. Zbliżył się. Kiedy kotka figlarnie skłoniła łebek, jakby zamierzała się cofnąć, skoczył wysokim łukiem i wylądował jej czterema łapami na grzbiecie. Wbił zęby w kark samicy i zdeterminowany, napięty, wszedł w nią jednym ruchem. Kiedy się nasycił i wyczerpał, zwolnił uchwyt. Przygwożdżona do podłogi kotka wrzasnęła przeraźliwie i wymsknęła się spod samca. Wskoczyła na wystygły piec i zaczęła przewracać się po nim jak wyrzucona na brzeg ryba, zakładając łapki za uszy i pocierając łebkiem o wciąż ciepłą ścianę.

Młynarzowa i parobek przestali jeść. Wpatrywali się w siebie, rozchylając pełne strawy usta. Kobieta, dysząc ciężko, wsunęła dłonie pod obfite, falujące piersi i ściskała je raz po raz, nieświadoma, co robi. Parobek, spoglądając na zmianę to na koty, to na nią, oblizał suche wargi i z trudem przełknął trzymany w ustach pokarm.

Młynarz dojadł ostatni kęs, odchylił głowę i jednym haustem opróżnił kubek gorzałki. Pijany, wstał z zydla, wziął blaszaną łyżkę, stuknął nią w stół i podszedł do parobka. Ten wciąż siedział oszołomiony. Kobieta, zadarłszy spódnicę, kręciła się bez celu po kuchni.

Młynarz pochylił się nad parobkiem i szepnął mu coś do pąsowego ucha. Młodzieniec poderwał się jak dźgnięty nożem i zaczął protestować. Teraz młynarz spytał głośno, czy pożąda jego żony. Parobek zarumienił się, ale nie odpowiedział. Młynarzowa, dysząc ciężko, odwróciła się plecami i zajęła czyszczeniem garnków.

Młynarz wskazał palcem kota i znów szepnął coś do młodzieńca. Ten wstał z wysiłkiem od stołu i ruszył w stronę drzwi. Ale młynarz doskoczył do niego, przewracając zydel, i zanim chłopak zorientował się, co się dzieje, przyparł go do ściany; jedną ręką trzymał go za gardło, kolano wgniatał mu w żołądek. Przerażony parobek nie mógł się poruszyć. Dysząc chrapliwie, zaczął coś bełkotać.

Kobieta rzuciła się z płaczem do męża, błagając, by dał

spokój. Obudzona kotka obserwowała awanturę z pieca, spłoszony kocur czmychnął na stół.

Młynarz odtrącił żonę jednym kopnięciem. I szybkim ruchem, takim, jakim kobiety obierające kartofle wydłubują z nich zgniły miąższ, wbił łyżkę w oko młodzieńca i nią zakręcił.

Oko wyskoczyło z twarzy jak żółtko ze stłuczonego jaja i po ręce młynarza stoczyło się na podłogę. Parobek zawył i zaczął drzeć się wniebogłosy, ale młynarz wciąż przyciskał go do ściany. Wbił zakrwawioną łyżkę w drugie oko, które wyskoczyło jeszcze szybciej niż pierwsze. Przez moment wisiało na policzku chłopca, jakby wahało się, co robić, ale w końcu ześlizgnęło mu się po koszuli na podłogę.

Całe zajście trwało dosłownie chwilę. Aż nie wierzyłem, że zdarzyło się naprawdę. Przez myśl przemknął mi promyk nadziei, iż wydłubane oczy można z powrotem wstawić na miejsce. Młynarzowa krzyczała przeraźliwie. Uciekła do sąsiedniej izby i pobudziła dzieci, które zaczęły pochlipywać ze strachu. Parobek wył nieludzko, po czym nagle ucichł, zasłaniając twarz dłońmi. Strużki krwi ściekały mu spomiędzy palców na ręce, skapując wolno na koszulę i spodnie.

Młynarz, wciąż ogarnięty furią, pchnął parobka w stronę okna, jakby nie zdawał sobie sprawy, że ten nic nie widzi. Chłopak potknął się, krzyknął, o mało nie przewrócił stołu. Młynarz chwycił biedaka za ramiona, otworzył nogą drzwi i silnym kopniakiem wypchnął go na zewnątrz. Parobek znów krzyknął, potykając się o próg, i upadł na podwórze. Psy zaczęły ujadać, choć nie wiedziały, co się stało.

Oczy leżały na podłodze. Obchodząc je, zerknąłem w dół i napotkałem ich nieruchomy wzrok. Koty nieśmiało wróciły na środek izby i zaczęły się nimi bawić niczym kłębkami wełny. W świetle lampy naftowej ich własne źrenice zwęziły się w szparki. Zwierzęta toczyły oczy po podłodze, wąchały, lizały i podawały sobie łagodnymi uderzeniami miękkich łap. Miałem teraz wrażenie, że oczy spoglądają na mnie z każdego kąta izby, jakby nabrały nagle nowego życia i samoistnego ruchu.

Wpatrywałem się w nie zafascynowany. Gdyby nie obecność młynarza, chętnie bym je zabrał. Na pewno nadal widziały. Nosiłbym je w kieszeni i wyjmował, kiedy byłyby mi przydatne; umieszczałbym je wtedy na własnych oczach. Postrzegałbym wówczas dwa razy tyle albo i jeszcze więcej. Może umiałbym je umocować z tyłu głowy, a wówczas informowałyby mnie — choć nie bardzo wiedziałem jak — co dzieje się za mną. Lub jeszcze lepiej, zostawiałbym je gdzieś, a one opowiadałyby mi później, co wydarzyło się podczas mojej nieobecności.

Ale może oczy wcale nie miały zamiaru nikomu służyć. Może planowały uciec kotom i wytoczyć się przez drzwi. Wędrowałyby sobie przez pola, jeziora, lasy, oglądając wszystko po drodze, wolne jak ptaki oswobodzone z sideł. Odkąd stały się wolne, nie musiały już obawiać się śmierci, a ponieważ były takie małe, mogły wszędzie znaleźć ukrycie i obserwować ludzi bez ich wiedzy. Podniecony, postanowiłem zamknąć cichutko drzwi i schwytać oczy.

Ale młynarz, najwidoczniej rozdrażniony zabawą kotów,

odpędził je kopniakiem i rozgniótł oczy buciorami. Coś trzasnęło pod jego grubą podeszwą. Cudowne lustro, które mogło odbijać cały świat, pękło na zawsze. Na podłodze pozostała zmiażdżona galareta. Odczułem to jako okrutną stratę.

Młynarz, nie zwracając na mnie uwagi, usadowił się na ławie i kołysząc wolno, zapadł w sen. Wstałem ostrożnie, podniosłem z podłogi zakrwawioną łyżkę i zacząłem zbierać ze stołu naczynia. Do moich obowiązków należało zamiatanie podłogi. Sprzątając ją, trzymałem się z daleka od zmiażdżonych oczu, nie bardzo wiedząc, co z nimi zrobić. W końcu, odwracając głowę, zgarnąłem maź do wiadra i wrzuciłem do pieca.

Rano zbudziłem się wcześnie. Z dołu dobiegało mnie chrapanie młynarza i jego żony. Po cichu spakowałem do torby jedzenie, napełniłem kometę żarzącymi się węglami i przekupując psa na podwórzu kawałkiem kiełbasy, uciekłem z obejścia.

Przy młyńskim murze, obok stodoły, leżał parobek. W pierwszej chwili zamierzałem minąć go czym prędzej, ale kiedy przypomniałem sobie, że jest niewidomy, przystanąłem. Wciąż był w szoku. Zakrywał twarz rękami, jęczał, szlochał. Zakrzepła krew pokrywała jego twarz, dłonie, koszulę. Chciałem się do niego odezwać, ale lękałem się, iż spyta mnie o oczy, a ja będę musiał mu powiedzieć, że, niestety, młynarz rozgniótł je na miazgę. Było mi okropnie żal biedaka.

Zastanawiałem się, czy utrata wzroku pociąga za sobą

zanik pamięci o wszystkim, co się kiedykolwiek widziało. Jeśli tak, parobek nie będzie nic widział nawet w swoich snach. Ale jeśli nie, jeśli ślepiec nadal widzi pamięcią, to utrata wzroku nie jest aż tak straszna. Świat wszędzie wydawał mi się właściwie identyczny, a choć poszczególni ludzie różnili się od siebie, podobnie jak zwierzęta czy drzewa, to przecież człowiek nabierał chyba przez lata dostatecznego pojęcia o ich wyglądzie. Żyłem dotąd zaledwie siedem lat, a pamiętałem całkiem sporo rzeczy. I kiedy zamykałem oczy, wiele szczegółów dostrzegałem znacznie wyraźniej. Kto wie, może przed ślepym parobkiem otworzy się zupełnie nowy i bardziej fascynujący świat.

Od wioski dobiegły mnie jakieś hałasy. Z obawy, że to zbudził się młynarz, ruszyłem w drogę, co pewien czas podnosząc rękę i dotykając oczu. Szedłem teraz ostrożnie, bo wiedziałem, że gałki są słabo umocowane. Kiedy ktoś się schyla, zwisają mu jak jabłka na gałęzi i łatwo mogą wypaść. Postanowiłem, że odtąd będę skakał przez płoty, trzymając głowę w górze, ale przy pierwszej próbie potknąłem się i upadłem. Podniosłem strachliwie palce do oczu, aby upewnić się, czy wciąż tkwią na miejscu. Akurat kiedy sprawdzałem, czy nadal otwierają się i zamykają prawidłowo, ku swojej radości ujrzałem przelatujące przepiórki i drozdy. Frunęły bardzo szybko i choć mknęły ku chmurom, stając się mniejsze od kropli deszczu, moje oczy mogły śledzić, a nawet wyprzedzać ich lot. Przysiągłem sobie, że nie zapomnę nic, co widzę; wówczas, jeśli ktoś wyłupi mi oczy, na całe życie zachowam w pamięci obraz wszystkiego, co zdążę zobaczyć.

5

Do mnie należało zastawianie wnyków na ptaki, które Lech sprzedawał w okolicznych wioskach. Jako łowca ptaków nie miał sobie równych. Pracował sam. Mnie przygarnął dlatego, że byłem bardzo mały, bardzo chudy i bardzo lekki. Mogłem więc umieszczać sidła tam, gdzie Lech nie sięgał lub nie dawał rady: na cienkich gałęziach drzew, w gęstych kępach pokrzyw i ostów, na podmokłych wysepkach pośród bagien i moczarów.

Lech nie miał rodziny. Jego chatę wypełniały klatki z ptakami przeróżnych gatunków, od zwykłego wróbla po mądrą sowę. Wieśniacy płacili Lechowi za ptaki towarami, zaopatrując go w mleko, masło, śmietanę, sery, chleb, kiełbasę myśliwską, bimber, owoce, a nawet w płótno. Otrzymywał te podstawowe artykuły w pobliskich wioskach, które obchodził z klatkami, wychwalając urodę oraz zdolności śpiewacze schwytanych przez siebie ptaków.

Twarz Lecha pokrywały piegi i pryszcze. Wieśniacy wierzyli, że takie twarze mają ci, którzy wykradają z gniazd jaskółcze jaja, natomiast Lech twierdził, że sam sobie zawinił, nieopatrznie spluwając w młodości do ognia. Mówił, że jego ojciec był wiejskim pisarzem i pragnął wykierować syna na księdza. Ale Lecha ciągnęło do kniei. Studiował zwyczaje ptaków i zazdrościł im umiejętności latania. Pewnego dnia uciekł z rodzinnego domu i odtąd włóczył się od wioski do wioski, od lasu do lasu, żyjąc jak dziki i bezdomny ptak. Z czasem zaczął łapać ptactwo. Obserwował dziwaczne zwyczaje przepiórki i skowronka, umiał naśladować beztroskie kukanie kukułki, skrzek sroki, pohukiwanie sowy. Znał zwyczaje godowe gila, szał zazdrości derkacza latającego nad gniazdem porzuconym przez samicę, rozpacz jaskółki, której gniazdo zniszczyły psotne wyrostki. Rozumiał tajniki lotu sokoła i podziwiał cierpliwość bociana polującego na żaby. Zazdrościł słowikowi pięknego głosu.

Tak spędził młodość; w lasach, pośród ptaków. Teraz coraz bardziej łysiał, zęby mu próchniały, skóra twarzy zaczynała zwisać luźnymi fałdami, a wzrok powoli słabł. Więc Lech osiadł na stałe we wzniesionej przez siebie chacie, w której sam zajmował tylko kąt; resztę wypełniały klatki. Na dnie jednej z nich znalazło się miejsce dla mnie.

Lech często opowiadał mi o ptakach. Słuchałem go z zapartym tchem. Dowiedziałem się, że stada bocianów zawsze wracają zza odległych mórz na świętego Józefa i pozostają w wioskach, dopóki święty Bartłomiej nie wpędzi do błota wszystkich żab tyczkami od chmielu. Błoto zatyka pyski żabom, więc bociany nie słyszą ich rechotu, i — nie mogąc na nie polować — odlatują. Wierzono, że bociany przynoszą szczęście tym domostwom, na których zakładają gniazda.

Lech był jedynym człowiekiem w okolicy, który potrafił budować bocianie gniazda: jeśli on je robił, zawsze miały lokatorów. Ponieważ jednak kazał sobie słono płacić, tylko najbogatszych gospodarzy stać było na korzystanie z jego usług.

Lech bardzo starannie zabierał się do dzieła. Najpierw na środku dachu umieszczał drewnianą bronę służącą za szkielet całej konstrukcji. Zawsze była nieco przechylona na zachód, żeby wiejące z tego kierunku wiatry, najczęstsze w tym rejonie kraju, nie uszkodziły gniazda. Następnie nabijał zęby brony długimi gwoździami, aby bociany mogły mocować do nich zbierane przez siebie patyki i słomki. Tuż przed przylotem ptaków, dla zwrócenia ich uwagi, rozkładał na środku brony duży kawał czerwonego płótna.

Wiadomo było, że zobaczenie na wiosnę pierwszego bociana w locie zapowiada szczęście, natomiast ujrzenie go, gdy już siedzi w gnieździe, wróży rok kłopotów i niepowodzeń. Bociany dostarczały również informacji o tym, co się dzieje w wiosce. Nigdy nie powracały na dach, pod którym w czasie ich nieobecności popełniono przestępstwo lub ludzie żyli w grzechu.

Były to dziwne ptaki. Lech opowiedział mi, jak pewnego razu, kiedy usiłował poprawić przekrzywione gniazdo, podziobała go samica wysiadująca jaja. Żeby się zemścić, podrzucił jej do gniazda jajo gęsi. Kiedy wykluły się pisklęta, bociania para ze zdumieniem patrzyła na swoje potomstwo. Jedno z piskląt było jakieś niewydarzone, o płaskim dziobie i krótkich, koślawych nóżkach. Tata bocian oskarżył żonę o cudzołóstwo i chciał natychmiast zabić małego bękarta. Mama bocian uważała, że dziecko powinno pozostać w gnieździe. Rodzinna sprzeczka ciągnęła się kilka dni. Wreszcie bocianica, żeby uratować życie gąsiątka, wytoczyła je ostrożnie na kryty strzechą dach, z którego — nie czyniąc sobie najmniejszej krzywdy — spadło na stertę siana.

Wydawało się, że krok ten położył kres całej sprawie i przywrócił małżeńską harmonię. Jednakże kiedy nadszedł czas odlotu, wszystkie bociany jak zwykle zebrały się na naradę. Po dyskusji zdecydowano, że bocianica winna jest cudzołóstwa i nie ma prawa towarzyszyć mężowi. Zapadł wyrok. Zanim ptaki odleciały w równym szyku, rzuciły się na niewierną małżonkę, atakując ją dziobami i skrzydłami. Legła martwa blisko krytej strzechą chałupy, na której dachu mieszkała wraz z mężem. Obok jej ciała wieśniacy znaleźli roniącą gorzkie łzy brzydką gąskę.

Jaskółki także wiodły ciekawe życie. Ulubione ptaki Najświętszej Panienki były zwiastunkami wiosny i radości. Jesienią podobno odlatywały daleko od siedzib ludzkich i przycupywały, zmęczone i senne, na trzcinach porastających odległe moczary. Lech mówił, że obsiadają trzcinę tak gęsto, że w końcu łamie się pod ich ciężarem, pogrążając je w wodzie. I tak już pozostają przez całą zimę, bezpieczne w lodowym świecie.

Kukanie kukułki mogło oznaczać wiele rzeczy. Człowiek, który słyszy je wiosną po raz pierwszy, musi natychmiast zacząć pobrzękiwać drobnymi i przeliczyć wszystkie pieniądze, jakie ma w kieszeni, żeby zapewnić sobie posiadanie przez cały rok przynajmniej identycznej sumy. Zwłaszcza złodzieje powinni baczyć na to, kiedy po raz pierwszy słyszą kukanie. Jeśli wcześniej, niż na drzewach pojawią się liście, lepiej zrezygnować z planowanych kradzieży, bo się nie powiodą.

Lech darzył kukułki szczególną sympatią. Uważał je za ludzi przemienionych w ptaki — szlachciców daremnie błagających Pana Boga, aby przywrócił im ludzką postać. O ich herbowym pochodzeniu miało świadczyć to, jak postępują z młodymi. Kukułki, mówił Lech, nigdy się nie trudzą chowaniem własnego potomstwa. Wynajmują pliszki, żeby karmiły ich małe i się nimi opiekowały, same zaś tylko latają po lesie, wzywając Wszechmogącego, by znów przeistoczył je w szlachciców.

Lech ze wstrętem odnosił się do nietoperzy, które uważał za pół ptaki, pół myszy. Widział w nich wysłanników złych mocy, szukających nowych ofiar, i wierzył, że potrafią się wczepić człowiekowi we włosy i nasączyć jego umysł grzesznymi żądzami. Jednakże nawet z nietoperzy był pewien pożytek. Któregoś dnia Lech złapał na strychu jednego do siatki. Schwytanego położył wraz z siatką na mrowisku za chałupą. Nazajutrz pozostał tylko biały szkielet. Lech zebrał dokładnie wszystkie kości i wyjął z nich obojczyk, który odtąd nosił na piersi. Resztę kości zmełł, a proszek zmieszał ze szklanką gorzałki, którą dał do wypicia swojej ukochanej. Tym sposobem, jak twierdził, zapewnił sobie, że będzie go pragnęła coraz goręcej.

Lech uczył mnie, że człowiek powinien bacznie obserwować ptactwo i wyciągać wnioski z jego zachowania. Jeśli się ujrzy ptaki różnych gatunków lecące tłumnie na tle zachodzącego na czerwono słońca, należy wiedzieć, że na ich skrzydłach jadą złe moce szukające dusz potępieńców. Kiedy wrony, gawrony i kawki gromadzą się na polu, zebranie to zwołuje czart, który usiłuje wpoić im nienawiść do innych ptaków. Pojawienie się stada srok zapowiada oberwanie się chmury; wiosną lecące nisko dzikie gęsi wróżą deszczowe lato i nieudane żniwa.

O świcie, kiedy ptaki jeszcze spały, wyruszaliśmy, by podkraść się do ich gniazd. Lech podążał przodem, zręcznie przeskakując przez krzaki i zarośla. Ja szedłem tuż za nim. Później, gdy dzienny blask docierał do najbardziej zacienionych zakątków lasów i pól, wybieraliśmy przerażone, trzepoczące się ofiary z sideł zastawionych poprzedniego dnia. Lech ostrożnie wyplątywał ptaki i, aby mu się nie wyrywały, albo szeptał do nich uspokajająco, albo groził, że poderżnie im gardła. Potem wpychał je do sporego worka zarzuconego na plecy, w którym szamotały się i miotały, dopóki nie opadły z sił i nie ucichły. Każdy nowy jeniec sprawiał, że worek znów ożywał, drżąc i kołysząc się na plecach Lecha. Nad naszymi głowami krążyli przyjaciele i krewni schwytanych, złorzecząc nam skrzekiem. Lech spoglądał na nich spod szarych brwi i obsypywał przekleństwami. Kiedy to nie wystarczyło, aby odpędzić ptactwo, stawiał worek na ziemi, wyjmował procę, umieszczał w niej ostry kamień, celował dokładnie w środek stada i strzelał. Nigdy nie pudłował: nagle z nieba spadał nieruchomy kształt. Lech nawet nie raczył spojrzeć na zewłok. Około południa łowca przyspieszał kroku i odtąd częściej ocierał pot z czoła. Zbliżała się najważniejsza pora dnia. Kobieta, przezywana przez wieśniaków Głupią Ludmiłą, oczekiwała Lecha na odległej leśnej polanie, w miejscu znanym tylko im obojgu. Z workiem szamoczących się ptaków przerzuconym przez ramię, z dumą biegłem za łowcą.

Las stawał się coraz gęstszy, coraz bardziej ponury. Oślizgłe pnie grabów, nakrapiane niczym cielska węży, wznosiły się strzeliście w niebo, muskając wierzchołkami chmury. Lipy, które według Lecha pamiętały zamierzchłe początki ludzkości, stały niewzruszone, podobne do barczystych wojów zakutych w żelazne, zaśniedziałe mchem zbroje. Pnie dębów wyciągały do góry szyje niczym zgłodniałe ptaki wypatrujące pokarmu, a ich posępne konary zasłaniały słońce, pogrążając w głębokim cieniu sosny, topole i lipy. Czasami Lech przystawał i w milczeniu spozierał na ślady widoczne w pęknięciach gnijącej kory, sęki i galasy, gdzie z dna dziwacznych czarnych dziur wyzierało gołe białe drzewo. Przechodziliśmy przez zagajniki młodych brzózek o szczupłych, wiotkich pędach, nieśmiało prężących cienkie, malutkie gałązki i pączki.

Przez prześwitującą zasłonę liści dostrzegały nas liczne ptaki siedzące na gałęziach i, spłoszone, z biciem skrzydeł wzbijały się w powietrze. Ich świergot zlewał się z bzyczeniem pszczół, które otaczały nas niczym wędrująca, lśniąca chmura. Lech zakrywał twarz dłońmi i uciekał w gąszcz, a ja biegłem za nim, jedną ręką ściskając wór ptaków i kosz z sidłami, drugą opędzając się od napastliwego, mściwego roju.

Głupia Ludmiła była dziwną osobą i bardzo jej się bałem. Dobrze zbudowana, wyższa od innych kobiet, o długich, chyba nigdy nie ścinanych włosach luźno spadających na ramiona, miała potężne piersi, które zwisały jej niemal do samego brzucha, i mocne, umięśnione łydki. Latem chodziła ubrana tylko w spłowiały worek, który odsłaniał jej piersi i kępę rudych włosów w złączeniu ud. Mężczyźni i chłopcy opowiadali o uciechach, jakim oddawali się z Ludmiłą, kiedy nachodziła ją ochota. Wieśniaczki często usiłowały ją złapać, ale — jak z dumą mówił Lech — nikt nie zdoła schwytać jego miłej wbrew jej woli; zakręci ogonem i szukaj wiatru w polu. Niczym szpak znikała w podszyciu i wyłaniała się dopiero wtedy, kiedy wokół było pusto.

Nikt nie wiedział, gdzie jest kryjówka, w której spędza noce. Czasami o świcie, kiedy wieśniacy wyruszali z kosami na ramionach w pole, widzieli Głupią Ludmiłę kuszącą ich z daleka lubieżnymi gestami. Stawali i machali do niej, przeciągając się leniwie, a ich ochota do pracy słabła coraz bardziej. Dopiero krzyki żon i matek, podążających za nimi z sierpami i motykami, przywoływały chłopów do rozsądku. Kobiety często szczuły Ludmiłę psami. Największy i najgroźniejszy, jakiego na nią nasłano, postanowił nie wrócić.

Odtąd zawsze widziano ją prowadzącą go na sznurze. Inne psy czmychały z podkulonymi ogonami. Chodziły słuchy, że Głupia Ludmiła żyje z tym psem jak z mężczyzną. Ludzie powiadali, że pewnego dnia wyda na świat potomstwo porośnięte psią sierścią — potwory o wilczych uszach i czterech łapach — które będzie żyło gdzieś w lesie.

Lech nigdy nie powtarzał tych gadek. Raz tylko wspomniał, że gdy była młodą, niewinną dziewczyną, rodzice kazali Ludmile poślubić syna wiejskiego organisty, młodzieńca znanego z brzydoty i okrucieństwa. Odmówiła, wprawiając tym narzeczonego w taką furię, że zwabił ją poza wioskę, gdzie rzucił się na nią tłum pijanych chłopów; gwałcili ją, dopóki nie straciła przytomności. To przeżycie odmieniło dziewczynę i całkiem pomieszało jej rozum. Ponieważ nikt nie pamiętał, jakie ma nazwisko, a wiadomo było, że nie jest normalna, przezwano ją Głupią Ludmiłą.

Mieszkała w lesie. Wieśniakom, którzy dali się skusić szalonej i zaciągnąć w krzaki, tak bardzo dogadzała jej namiętność, że później nie chcieli nawet patrzeć na swoje grube i cuchnące żony. Ludmiły jednak żaden nie potrafił zadowolić; musiała mieć kilku mężczyzn, jednego po drugim. Mimo to była największą miłością Lecha. Układał o niej czułe pieśni, w których występowała jako dziwnie ubarwiony ptak lecący do odległych krain, wolny, szybki, jaśniejszy i piękniejszy od każdego innego stworzenia. Dla Lecha należała do pogańskiego, prymitywnego królestwa ptaków i lasów, gdzie niczego nie brakowało i gdzie wszystko było dzikie, kwitnące, wspaniałe i zespolone w odwiecznym procesie śmierci, gnicia i narodzin; należała do królestwa zakazanego dla człowieka i zupełnie odmiennego od świata ludzi.

Codziennie w południe Lech i ja udawaliśmy się na polanę, na której spodziewał się spotkać Ludmiłę. Kiedy zbliżaliśmy się, naśladował hukanie sowy. Głupia Ludmiła podnosiła się wówczas spośród wysokich traw; we włosy miała wplecione bławatki i maki. Lech pędził do niej ochoczo; długo stali razem, kołysząc się lekko niczym otaczające ich trawy, spleceni z sobą jak dwa drzewa wyrosłe z jednego pnia.

Poprzez liście paproci obserwowałem ich ze skraju polany. Ptaki w worku szamotały się i ćwierkały, zaniepokojone nagłym bezruchem, trzepocząc w podnieceniu skrzydłami. Mężczyzna i kobieta całowali się po włosach i oczach, pocierali policzkami. Upajał ich dotyk i zapach własnych ciał, a ręce z wolna stawały się coraz bardziej zalotne. Wielkie, poznaczone odciskami łapy Lecha gładziły miękkie ramiona kobiety, ona zaś tuliła jego twarz do swojej. Wreszcie osuwali się razem w zarośla, które zaczynały drżeć nad ciałami kochanków, częściowo zasłaniając je przed ciekawskim wzrokiem ptactwa krążącego nad polaną. Lech mówił mi później, że kiedy tak leżeli, Ludmiła opowiadała mu o swoim życiu i cierpieniach, wyjawiając kaprysy i zachcianki stanowiące treść jej dziwnych, nie-oswojonych uczuć, pozwalając, by poznał zaułki i tajne korytarze, którymi krążył jej słaby umysł.

Panował upał. Nie było żadnego powiewu wiatru; nie drgały nawet wierzchołki drzew. Tylko motyl zdołał zawisnąć na niewyczuwalnym prądzie powietrza i trwał w jednym miejscu nad zalaną słońcem polaną. Oprócz cykania koników polnych i bzyczenia ważek nie słyszało się żadnych dźwięków; dzięcioł przestał stukać, umilkła kukułka. Zapadłem w drzemkę. Nagle zbudziły mnie głosy. Mężczyzna i kobieta stali przytuleni, jakby wrośli w ziemię, szepcząc do siebie słowa, których nie rozumiałem. Rozdzielili się z ociąganiem i Głupia Ludmiła pomachała Lechowi ręką. Ruszył w moją stronę; idąc, co krok się potykał, ciągle bowiem odwracał się, aby z tęsknym uśmiechem na ustach jeszcze raz spojrzeć na ukochaną.

W drodze powrotnej zastawialiśmy kolejne sidła; Lech był zmęczony i milczący. Wieczorem, gdy ptaki w klatkach zasypiały, rozweselał się. Podniecony, mówił o Ludmile. Drżał na całym ciele i chichotał, przymykając oczy. Blade, pryszczate policzki pokrywały się rumieńcem.

Czasami przez wiele dni Głupia Ludmiła nie pojawiała się w lesie. Lecha ogarniała niema furia. Wpatrywał się ponuro w ptaki zamknięte w klatkach, mrucząc coś pod nosem. W końcu, po długim namyśle, wybierał najsilniejszego ptaka, przywiązywał go sobie do nadgarstka i przystępował do szykowania cuchnących farb, które rozrabiał z najrozmaitszych składników. Kiedy był zadowolony z kolorów, obracał ptaka i malował mu skrzydła, głowę i pierś w barwy tęczy, aż ten stawał się bardziej pstrokaty i jaskrawy niż bukiet polnych kwiatów.

Wtedy szliśmy w najgęstszy las. Tam Lech wydobywał malowanego ptaka; kazał mi go trzymać w ręce i lekko ściskać, żeby zaczął ćwierkać. Jego szczebiot przyciągał stado ptaków tego samego gatunku, które krążyło nerwowo nad naszymi głowami. Więzień, słysząc pobratymców, usiłował się do nich wyrwać. Ćwierkał coraz głośniej, a jego małe serce, zamknięte w świeżo malowanej piersi, biło jak oszalałe.

Gdy gromadziło się dostatecznie dużo ptaków, Lech dawał mi znak, żebym puścił więźnia. Ten wzbijał się do góry, szczęśliwy i wolny, kropka tęczy na tle chmur, po czym wlatywał w czekające brunatne stado. Przez moment ptaki były zbite z tropu. Barwny odmieniec krążył z jednego końca stada na drugi, daremnie próbując przekonać krewniaków, że jest jednym z nich. Ale ci, oszołomieni jaskrawymi kolorami, przyglądali mu się z niedowierzaniem. Gdy uporczywie usiłował zająć miejsce w szyku, spychali go coraz dalej i dalej. Wkrótce widzieliśmy, jak kolejno odrywają się od stada i atakują go zawzięcie. Jeszcze chwila i wielobarwny kształt zaczynał tracić wysokość i spadał na ziemię. Takie sceny rozgrywały się często. Kiedy w końcu odnajdywaliśmy malowane ptaki, zwykle nie żyły. Lech dokładnie oglądał i liczył otrzymane przez nie ciosy. Z barwnych skrzydeł sączyła się krew, zmywając farbę i znacząc ręce łowcy.

Głupia Ludmiła nie wracała. Lech, osowiały i posępny, wyciągał z klatek kolejne ptaki, malował je na coraz jaskrawsze barwy i wypuszczał, aby ginęły od razów pobratymców. Pewnego dnia schwytał dużego kruka; skrzydła pomalował mu na czerwono, pierś na zielono, ogon na niebiesko. Kiedy nad chatą pojawiło się stado kruków, Lech wypuścił malowanego ptaka. Jak tylko dołączył do stada, rozgorzała zaciekła bitwa. Odmieniec atakowany był ze wszystkich stron. Czarne, czerwone, zielone i niebieskie pióra spadały do naszych stóp. Ptaki szalały po niebie; nagle malowany kruk runął jak kamień na świeżo zaorane pole. Wciąż żył: rozchylał dziób i daremnie usiłował poruszyć skrzydłami. Oczy miał wydziobane, a jego barwne pióra spływały posoką. Jeszcze raz spróbował poderwać się z lepkiej od krwi ziemi, lecz zabrakło mu sił.

Lech schudł i coraz rzadziej wychodził z chaty; pociągał gorzałkę i wyśpiewywał piosenki o Ludmile. Czasami siadał okrakiem na łóżku i, pochylony nad klepiskiem, rysował coś długim patykiem. Rysunek stopniowo nabierał kształtów: zawsze przedstawiał długowłosą kobietę o pełnych piersiach.

Kiedy zabrakło ptaków do malowania, Lech zaczął włóczyć się po polach z flaszką bimbru sterczącą spod kurtki. Z obawy, że coś złego może mu się przydarzyć na bagnach, skradałem się za nim i czasami słyszałem, jak śpiewa. Jego głęboki, smętny głos wzbijał się wysoko, roztaczając nad bagnami smutek niby ciężką, zimową mgłę. Pieśń wznosiła się wraz ze stadami odlatujących ptaków, lecz zamierała na skraju nieprzeniknionych lasów.

Mieszkańcy okolicznych wiosek wyśmiewali się z Lecha. Gadali, że głupia Ludmiła rzuciła na niego urok i rozpaliła w jego lędźwiach ogień, który wpędzi go w szaleństwo.

68

Lech złościł się, przeklinając ich na czym świat stoi i grożąc, że naśle na nich ptaki, które wydziobią im oczy. Pewnego razu rzucił się na mnie i uderzył w twarz, krzycząc, że to ja, swoimi cygańskimi oczami, odstraszyłem mu kobietę. Przez następne dwa dni leżał i kurował się ze skutków pijaństwa. Kiedy wstał, spakował plecak i, zabierając bochen chleba, ruszył w las, polecając mi dalej zastawiać sidła i chwytać ptaki.

Mijały tygodnie. W sidła, które rozmieszczałem według poleceń Lecha, najczęściej łapały się tylko wiotkie, przezroczyste jak gaza pajęczyny, które wirowały w powietrzu. Bociany i jaskółki odleciały. Las wydawał się opustoszały; jedynie węży i jaszczurek było teraz więcej. Ptaki w klatkach siedziały nastroszone z poszarzałymi i nieruchomymi skrzydłami.

W końcu nadszedł pewien pochmurny dzień. Zlewające się w grubą pierzynę ciemne obłoki przysłoniły niebo, skrywając anemiczne słońce. Trawa na polach więdła pod smagnięciami wiatru. Wokół kulących się do ziemi chałup rozciągały się puste rżyska, czarne i brązowe od rdzy zbożowej. Wśród krzaków i chwastów, gdzie jeszcze niedawno beztrosko buszowały ptaki, wicher bezlitośnie biczował i ścinał szare, kosmate osty oraz przerzucał z miejsca na miejsce gnijące łęty kartofli.

Nagle pojawiła się Głupia Ludmiła, prowadząc na sznurze ogromnego psa. Zachowywała się dziwacznie. Wypytywała mnie o Lecha; kiedy jej powiedziałem, że odszedł przed wieloma dniami i nie wiem, gdzie się znajduje, na zmianę szlochała i śmiała się, chodząc tam i z powrotem po chacie, obserwowana przez ptaki i psa. Dostrzegła starą czapkę Lecha, przytuliła ją do policzka i rozpłakała się. Po czym, ni stąd, ni zowąd, cisnęła czapkę na klepisko i podeptała. Znalazła butelkę bimbru, którą Lech zostawił pod łóżkiem. Opróżniła ją, a następnie, zerkając na mnie spod oka, poleciła mi, żebym udał się z nią na pastwisko. Chciałem uciec, ale wtedy poszczuła mnie psem.

Pastwiska rozciągały się tuż za cmentarzem. Kilka krów pasło się w pobliżu, a paru młodych pastuchów grzało się przy ognisku. Żeby uniknąć wykrycia, przeszliśmy szybko cmentarz i przedostaliśmy się przez wysoki mur. Po drugiej stronie, gdzie nikt nie mógł nas dojrzeć, Ludmiła przywiązała psa do drzewa i grożąc mi pasem, poleciła, abym ściągnął spodnie. Sama wyślizgnęła się z worka i naga przyciągnęła mnie do siebie.

Po krótkiej szamotaninie osunęła się ze mną na ziemię; przysuwając twarz do mojej, kazała mi położyć się między jej rozchylonymi udami. Gdy znów usiłowałem się wyzwolić, zdzieliła mnie pasem. Moje krzyki przyciągnęły pasterzy.

Na widok zbliżających się chłopów Głupia Ludmiła szerzej rozsunęła nogi. Pastuchy podchodziły wolno, wpatrując się w jej ciało.

W milczeniu otoczyli ją kołem. Dwóch natychmiast zaczęło spuszczać portki. Reszta stała niezdecydowana. Na mnie nikt nie zwracał uwagi. Pies, trafiony kamieniem, leżał, liżąc bolący grzbiet.

Wysoki pastuch rzucił się na kobietę; wiła się pod nim,

wrzeszcząc głośno przy każdym jego ruchu. Pastuch bił ją po piersiach otwartymi dłońmi, ugniatał jej okrągły brzuch, gryzł sutki. Kiedy skończył i zwlókł się, następny zajął jego miejsce. Głupia Ludmiła jęczała i dygotała, przygarniając mężczyznę do siebie rękami i nogami. Inni kucali obok i przyglądali się, chichocząc i dowcipkując.

Zza cmentarza wyłonił się tłum bab uzbrojonych w grabie i łopaty. Na czele szło kilka młodych, rozkrzyczanych chłopek, które wymachiwały rękami. Mężczyźni podciągnęli portki, ale zamiast uciekać, chwycili leżącą na ziemi Ludmiłę i choć wyrywała się im rozpaczliwie, nie pozwolili jej wstać. Pies szarpał się i warczał, ale gruby sznur nie puszczał. Kobiety podeszły bliżej. Usiadłem w bezpiecznej odległości przy cmentarnym murze. I wtedy spostrzegłem Lecha biegnącego przez pastwisko.

Zapewne wrócił do wioski i dowiedział się, co się święci. Kobiety były tuż-tuż. Pasterze pierzchli w stronę muru, ale zanim Głupia Ludmiła zdążyła się podnieść, dopadły ją baby. Lech wciąż znajdował się daleko. Wyczerpany, musiał zwolnić tempo. Potykał się i słaniał przy każdym kroku.

Kobiety przytrzymały Głupią Ludmiłę na ziemi, po czym usiadły jej na rękach i nogach, żeby nie mogła się ruszyć, i zaczęły okładać ją grabiami, orać jej pazurami skórę, wyrywać włosy, pluć w twarz. Lech usiłował przedostać się do niej, ale zagrodziły mu drogę. Spróbował użyć siły, lecz wówczas przewróciły go i pobiły brutalnie. Kiedy przestał się miotać, kilka kobiet przekręciło go na wznak i rozsiadło się na nim. Następnie babska tłuszcza rzuciła się na psa

Ludmiły; zatłukły go wściekłymi ciosami łopat. Pastuchowie tymczasem wdrapali się na mur. Kiedy mnie mijali, odsunąłem się na bok, gotów w każdej chwili uciec na cmentarz i skryć się pośród grobów. Wieśniacy bali się duchów i upiorów, które podobno tam mieszkały. Głupia Ludmiła leżała zakrwawiona. Niebieskie sińce pojawiły się na jej udręczonym ciele. Stękając głośno, wygięła się w łuk; choć dygotała z wysiłku, nie zdołała się oswobodzić. Jedna z kobiet zbliżyła się, trzymając w ręce zakorkowaną butelkę brunatnoczarnej gnojówki. Przy wtórze ochrypłego śmiechu i okrzyków zachęty, uklękła między nogami Ludmiły i siłą wepchnęła naczynie w jej obolały, poraniony srom; z ust leżącej wyrwał się ochrypły jęk, który przeszedł w zwierzęce wycie. Pozostałe kobiety przyglądały się spokojnie. Nagle któraś z całej mocy kopnęła dno butelki wystającej z krocza. Rozległ się przytłumiony odgłos pękającego wewnątrz szkła. Teraz wszystkie baby zaczęły kopać Ludmiłę; krew tryskała na ich łydki i buty. Gdy wreszcie przestały się nad nią pastwić, Ludmiła leżała martwa.

Wyładowawszy furię, baby, gadając głośno, ruszyły w stronę wioski. Lech wstał: twarz miał zakrwawioną. Chwiejąc się niepewnie na nogach, wypluł kilka zębów, po czym z głośnym szlochem rzucił się na ciało swojej dziewczyny. Dotykał jej okaleczonych członków, żegnał się i mamrotał coś przez spuchnięte wargi.

Skulony i zziębnięty, siedziałem na cmentarnym murze, nie mając odwagi się poruszyć. Niebo zszarzało i pociemniało. Umarli szeptali o błąkającej się duszy Głupiej Ludmiły, która prosiła o odpuszczenie grzechów. Wyłonił się księżyc. Jego zimne promienie, blade i odsączone, oświetlały tylko ciemną sylwetkę klęczącego mężczyzny i jasne włosy martwej. Na zmianę to spałem, to budziłem się. Wiatr szalał nad grobami, zawieszając mokre liście na ramionach krzyży. Duchy jęczały, a od wioski niosło się wycie psów.

Kiedy zbudziłem się rano, Lech wciąż klęczał przy ciele Ludmiły; zgarbionymi plecami wstrząsały dreszcze. Zawołałem do niego, ale nie zareagował. Byłem zbyt przerażony, aby wrócić do chaty. Postanowiłem odejść. Nad nami krążyło stado ptaków; ich krzyki i nawoływania rozbrzmiewały dokoła.

6

Cieśla i jego żona lękali się, że swoimi czarnymi włosami ściągnę na ich zagrodę pioruny. Fakt, że w gorące, suche noce, gdy cieśla dotykał moich włosów kawałkiem krzemienia lub kościanym grzebykiem, po głowie skakały mi błękitno-żółte iskry, zwane tu „diabelskimi wszami". Wioskę często nawiedzały krótkie, gwałtowne burze z wyładowaniami elektrycznymi, które wzniecały pożary i zabijały ludzi oraz bydło. Pioruny uważano za ogromne, ogniste strzały ciskane w dół z niebios. Dlatego też wieśniacy nie próbowali gasić wywoływanych przez nie pożarów, wierząc, że żadna ludzka siła nie podoła temu zadaniu, podobnie jak nie sposób uratować rażonego piorunem człowieka. Mówiono, że jeśli piorun uderzy w chałupę, wbija się głęboko w ziemię i przyczajony czeka cierpliwie, rosnąc w moc, a po siedmiu latach przyciąga nowy piorun do tego samego miejsca. Również i przedmioty wyniesione z płonącego domu, w który trafił grom, miały tę właściwość.

Często o zmierzchu, kiedy w chatach zaczynały migotać nędzne płomyki świec i lamp naftowych, niebo zasnuwały ciężkie, obwisłe chmury, które sunęły złowrogo nad krytymi strzechą dachami. Wieśniacy milkli i wyglądali bojaźliwie przez okna, nasłuchując nadciągających grzmotów. Stare baby przykucnięte na piecach wyłożonych spękanymi kaflami przerywały modlitwy i zaczynały zastanawiać się na głos, kogo tym razem wynagrodzi Pan Bóg Wiekuisty, a kogo ukarze wszędobylski szatan, zsyłając na niego ogień i zniszczenie, śmierć lub paraliż. Skrzypienie trzeszczących drzwi, gwizdy wiatru i stękanie drzew przygiętych przez burzę brzmiały w uszach wieśniaków jak klątwy dawno zmarłych grzeszników, udręczonych niepewnością czyśćca lub smażących się wolno w wiecznych ogniach piekła.

W takich razach cieśla pospiesznie zarzucał na plecy grubą kurtę i, żegnając się bez przerwy, zakładał mi na nogę żelazne końskie pęta, których drugi koniec mocował do ciężkiej, wytartej uprzęży. Po czym, w szalejącej zawierusze, pośród błyskawic, sadzał mnie na furze i — wściekle okładając batem wołu — wywoził z wioski na odległe pole. Tam mnie porzucał, daleko od drzew i siedzib ludzkich, wiedząc, że obciążony pętami i uprzężą, nie zdołam przywlec się do chaty.

Zostawałem sam, wystraszony, wsłuchując się w skrzypienie oddalającego się wozu. Kiedy w pobliżu błyskało, na moment ukazywały mi się zarysy odległych chat, które zaraz nikły w ciemnościach, jakby nie istniały.

Na pewien czas zalegała cudowna cisza, jakby życie

roślin i ptaków nagle zamarło. Jednakże wciąż słyszałem jęki pustych pól i pastwisk, stękanie samotnych drzew. Wokół mnie przemykały chyłkiem wilkołaki. Z parujących bagien nadlatywały, łopocząc skrzydłami, półprzezroczyste zmory, a krążące w powietrzu zbłąkane upiory cmentarne wpadały na siebie z suchym grzechotem kości. Czułem na skórze ich dotyk oraz lekkie muśnięcia i lodowaty powiew drżących, zamarzniętych skrzydeł. Przerażony, przestawałem myśleć. Rzucałem się na ziemię i zaczynałem czołgać przez wzbierające kałuże, ciągnąc za sobą umocowaną do pęt uprząż. Nade mną sam Pan Bóg, zawieszony w przestrzeni, odmierzał na wiecznym zegarze czas trwania tego przeraźliwego widowiska. Pomiędzy Nim a mną gęstniała ciemna noc.

Mroku można było dotknąć, chwycić w garść jak skrzep zaschłej krwi, rozsmarować po twarzy i ciele. Wciągałem go ustami, połykałem, dusiłem się nim. Wytyczał dookoła nowe drogi, zamieniał płaskie pole w bezdenną otchłań. Wznosił gigantyczne góry, niwelował pagórki, zasypywał rzeki i doliny. W jego objęciach nikły wioski, lasy, przydrożne kapliczki, ciała ludzi. A diabeł, siedzący gdzieś daleko poza granicami znanego nam świata, ciskał z nieba żółte jak siarka błyskawice i zza czarnych obłoków wypuszczał dudniące gromy. Każdy piorun wstrząsał posadami ziemi i sprawiał, że chmury osuwały się coraz niżej, aż wreszcie ściana ulewnego deszczu obróciła wszystko w jedno wielkie bagno.

Wiele godzin później, o świcie, kiedy biały niby kość

księżyc ustępował miejsca posępnemu słońcu, cieśla przyjeżdżał na pole i zabierał mnie z powrotem do chaty.

Pewnego burzliwego popołudnia cieśla zachorował. Żona krzątała się wokół niego, przyrządzając gorzkie napary, i nie miała czasu wywieźć mnie poza wioskę. Kiedy rozległ się pierwszy grzmot, ukryłem się w sianie w stodole. Nagle stodołą wstrząsnął przeraźliwy huk. Chwilę później jedna ze ścian stanęła w ogniu; wysokie płomienie ślizgały się po nasiąkniętych żywicą deskach. Rozdmuchiwany przez wiatr ogień furczał głośno, a końce jego długich skrzydeł sięgały chaty i obory.

Oszołomiony, wypadłem na podwórze. W pobliskich chałupach ludzie miotali się w mroku. W wiosce zapanowało poruszenie: ze wszystkich stron dochodziły krzyki. Zaspany, rosnący tłum, uzbrojony w siekiery i grabie, pędził w stronę płonącej stodoły. Psy ujadały, a chłopki z dziećmi na rękach walczyły z wiatrem, który bezwstydnie zadzierał im spódnice na głowy. Wszystko, co żyło, wypadło na dwór. Ryczące, rozjuszone krowy, poganiane trzonkami siekier i szpadli, biegały po wsi z podniesionymi ogonami, cielaki na szczupłych, drżących nogach daremnie usiłowały się uczepić wymion matek. Woły ze zwieszonymi nisko ciężkimi łbami taranowały wrota obór, tratowały płoty i — kompletnie ogłupiałe — waliły rogami w ściany domów. Kury, szaleńczo trzepoczące skrzydłami, wzlatywały w powietrze.

Uciekłem czym prędzej. Wierzyłem, że to moje włosy ściągnęły piorun na obejście cieśli i że chłopi na pewno mnie rozszarpią, jeśli wpadnę im w ręce.

Walcząc z ohydną ulewą, potykając się o kamienie, wpadając do rowów i dołów pełnych wody, dotarłem wreszcie na skraj lasu. Kiedy doszedłem do ciągnących się lasem torów kolejowych, nawałnica właśnie ustawała; zapadła noc, lecz mroczną ciszę co rusz przerywały odgłosy rozbryzgujących się kropli. W pobliskiej gęstwinie znalazłem sobie osłoniętą kryjówkę. Przykucnąłem tam i — wsłuchując się w wyznania mchów — czekałem poranka.

Wiedziałem, że o świcie przejeżdża tędy pociąg. Tory służyły głównie do przewozu kłód z jednej stacji na drugą, odległych od siebie o kilkanaście kilometrów. Załadowane wagony ciągnęła niewielka, powolna lokomotywa.

Kiedy nadjechał pociąg, przez chwilę biegłem obok ostatniego wagonu, po czym wskoczyłem na niski stopień i pozwoliłem się wwieźć w bezpieczną głąb lasu. Po jakimś czasie zobaczyłem płaski nasyp, więc zeskoczyłem na ziemię i dałem nura w gęste podszycie, niezauważony przez strażnika siedzącego z tyłu lokomotywy.

Tu las był mniej gęsty. Idąc między drzewami, natrafiłem na zarośniętą chwastami brukowaną drogę, najwyraźniej nieużywaną od lat. Na jej końcu stał opuszczony wojskowy bunkier o potężnych ścianach ze zbrojonego betonu.

Panowała niczym niezmącona cisza. Ukryłem się za drzewem i rzuciłem kamyk w zamknięte drzwi. Odbił się z głośnym brzękiem. Zagrało echo, ale zaraz umilkło; znów zaległa cisza. Obszedłem bunkier, omijając połamane skrzynki po amunicji, kawałki żelastwa, puste puszki. Wspiąłem się na górny taras betonowej konstrukcji, po czym na sam jej czubek, gdzie ujrzałem kolejny stos pogiętych puszek. Nieco dalej znajdował się szeroki otwór. Gdy pochyliłem się nad nim, poczułem smród zgnilizny i wilgoci; ze środka docierały przytłumione piski. Podniosłem stary hełm i cisnąłem w dół: piski się wzmogły. Zacząłem szybko wrzucać w otwór grudy ziemi, odłamki betonu i kawałki blaszanej taśmy, opasującej skrzynki. Piski stały się jeszcze głośniejsze; w bunkrze miotały się jakieś żywe stworzenia.

Wziąłem płat wypolerowanej blachy i odbijając w nim promienie słońca, oświetliłem wnętrze. Teraz widziałem wszystko wyraźnie; ze trzy metry niżej, to wzbierając, to opadając, kotłowało się czarne, skłębione morze szczurów. Jego powierzchnia kołysała się nierównomiernie, połyskując niezliczonymi ślepiami. W odbitym świetle dostrzegałem mokre grzbiety i łyse ogony. Co rusz, niby spieniona fala, dziesiątki długich, wychudłych szczurów rzucały się spaz-matycznie na gładkie ściany bunkra, lecz za każdym razem spadały bezradnie na grzbiety pozostałych.

Wpatrzony w falującą masę, obserwowałem, jak szczury mordują się i pożerają nawzajem, jak wygryzają sobie z furią kawałki mięsa lub skrawki sierści. Tryskająca z ran krew tylko bardziej rozjuszała gryzonie. Każdy z nich pragnął wyrwać się spośród kotłującej masy; walczył o miej-sce na szczycie żywej piramidy, żeby jeszcze raz ponowić próbę wdrapania się po ścianie, nawet jeśli miał to przypłacić kolejną dziurą wygryzioną w zadku.

Zakryłem pospiesznie blachą otwór i znów podjąłem

wędrówkę. Po drodze najadłem się jagód. Miałem nadzieję dotrzeć przed zmierzchem do jakiejś wioski.

Późnym popołudniem, gdy słońce zaczynało już dogasać, ujrzałem pierwsze zabudowania. Kiedy się do nich zbliżyłem, zza płotu wypadła sfora psów i rzuciła się w moją stronę. Czym prędzej kucnąłem przy płocie i energicznie wymachując rękami, zacząłem skakać jak żaba, wyć oraz ciskać w psy kamieniami. Zatrzymały się ze zdumieniem, niepewne, kim jestem i jak się mają zachować. Ludzka istota przybrała nagle obcy dla nich wymiar. Kiedy tak gapiły się na mnie, ogłupiałe, z pyskami przekrzywionymi na bok, wdrapałem się na płot.

Ich jazgot i moje krzyki sprowadziły gospodarza. Kiedy go tylko ujrzałem, z miejsca zorientowałem się, że przez jakiś nieszczęśliwy zbieg okoliczności wróciłem do tej samej wioski, z której zbiegłem uprzedniej nocy. Twarz chłopa była znajoma, zbyt znajoma: często widywałem go w chacie cieśli.

On także rozpoznał mnie natychmiast i krzykiem wezwał dwóch parobków, z których jeden pognał w stronę zagrody cieśli, a drugi został pilnować, żebym nie uciekł. Wkrótce nadszedł cieśla, a z nim jego żona.

Pierwszy cios zwalił mnie z płotu; runąłem prosto pod nogi cieśli. Podniósł mnie i przytrzymując ręką, żebym nie upadł, walił po głowie raz po raz. Po czym, ucapiwszy mnie za kark jak królika, zaciągnął do własnej zagrody, do cuchnących spalenizną, dymiących jeszcze zgliszczy stodoły. Cisnął na kupę gnoju i znów uderzył w głowę; zemdlałem.

Kiedy odzyskałem przytomność, cieśla stał obok, szykując spory wór. Pamiętałem, że właśnie w takich worach topił chore koty. Rzuciłem mu się do nóg, ale bez słowa odepchnął mnie kopniakiem i wrócił do swojego zajęcia.

Nagle przypomniałem sobie, jak niegdyś mówił żonie, że partyzanci kryją łupy wojenne w starych bunkrach. Przy-czołgałem się do jego stóp i zacząłem przysięgać, że jeśli daruje mi życie, wskażę mu bunkier pełen butów, mundurów i pasów wojskowych, który odkryłem podczas ucieczki.

Zaintrygowało to cieślę, chociaż udawał, że mi nie dowierza. Kucnął przy mnie i potrząsnął mocno za ramię. Powtórzyłem swoją opowieść, usiłując jak najbardziej bez-namiętnym tonem przekonać go o niezmiernej wartości znalezionych przedmiotów.

O świcie cieśla zaprzągł do fury wołu, przywiązał mnie sobie sznurkiem do dłoni, wziął potężną siekierę i nie mówiąc ani słowa żonie czy sąsiadom, ruszył ze mną w drogę.

Przez całą jazdę głowiłem się, jak się uwolnić; sznurek był zbyt mocny, abym mógł go zerwać. Kiedy dotarliśmy na miejsce, cieśla zatrzymał furę. Podeszliśmy do bunkra i wspięliśmy się na nagrzany dach; początkowo udawałem, że nie pamiętam, gdzie znajduje się otwór. W końcu jednak zaprowadziłem tam cieślę. Chłop chciwie odsunął blachę. Uderzył nas w nozdrza smród, a szczury, oślepione światłem, zaczęły piszczeć. Cieśla pochylił się nad otworem, ale przez chwilę nic nie widział, bo mu oczy jeszcze nie przywykły do mroku.

Powoli przekradłem się na drugą stronę otworu, byle dalej od cieśli, napinając łączący nas sznurek. Wiedziałem, że jeśli w ciągu następnych kilku sekund nie zdołam uciec, chłop zabije mnie i ciśnie ciało do bunkra. Przerażony, pociągnąłem nagle za sznurek tak mocno, że werżnął mi się w nadgarstek aż do kości. Niespodziewane szarpnięcie zachwiało cieślą. Usiłował złapać równowagę, ale bezskutecznie; krzyknął, zamachał rękami i z głuchym łoskotem wpadł w rozwarte gardło bunkra. Zaparłem się nogami o nierówny, betonowy kołnierz, na którym spoczywała blacha. Napięty sznurek szorował przez moment o ostry brzeg, po czym pękł. Równocześnie usłyszałem z dołu krzyk i urywane jęki cieśli. Przysunąłem się lękliwie do otworu i oświetliłem wnętrze za pomocą blachy.

Masywna sylwetka cieśli była tylko częściowo widoczna. Twarz i ramiona ginęły pod powierzchnią morza szczurów, którego kolejne fale zalewały także brzuch i nogi mężczyzny. Nagle chłop zniknął zupełnie, a morze szczurów zakolebało się gwałtownie. Drgające grzbiety stały się brązowoczerwone od krwi. Dysząc i machając ogonami, gryzonie biły się teraz o dostęp do ciała; w półotwartych mordach połyskiwały zęby, a oczy odbijały blask słońca niczym paciorki różańca.

Patrzyłem na to widowisko jak sparaliżowany, nie potrafiąc oderwać się od krawędzi otworu; brakowało mi siły woli, by go zasłonić blachą i odejść. Nagle rozkołysane morze szczurów rozstąpiło się i powoli, niespiesznie, niczym ręka pływaka, wynurzyła się z niego ogryziona do kości dłoń z szeroko rozczapierzonymi palcami, a za nią ramię.

Przez chwilę sterczała nieruchomo nad kotłującymi się szczurami, aż wtem napór tłoczących się zwierząt wypchnął na powierzchnię cały błękitnobiały szkielet cieśli, miejscami zupełnie odarty z mięsa, gdzie indziej wciąż pokryty skrawkami czerwonej skóry i szarej odzieży. Pomiędzy żebrami, pod pachami oraz tam, gdzie wcześniej znajdował się brzuch, wychudłe gryzonie walczyły zajadle o zwisające resztki mięśni i kiszek. Oszalałe z głodu, wyrywały sobie strzępy odzieży, skóry, bezkształtne ochłapy mięsa. Dawały nura w środek ciała, po czym wyskakiwały przez inny wygryziony otwór. Trup osunął się w dół pod ich atakami. Kiedy znów wypłynął na powierzchnię krwawej, skotłowanej topieli, był to już tylko goły szkielet.

Porwałem siekierę cieśli i uciekłem, zdjęty przerażeniem. Zziajany dopadłem fury; wół, niczego nie podejrzewając, spokojnie skubał trawę. Wskoczyłem na wóz i szarpnąłem lejce, ale zwierzę nie chciało ruszyć bez swojego pana. Spoglądając za siebie, pewien, że stado szczurów zaraz rzuci się za mną w pogoń, zdzieliłem wołu batem. Obejrzał się z niedowierzaniem, wciąż się ociągając, ale kolejne smagnięcia bata przekonały go, że nie będziemy czekać na cieślę.

Wóz trząsł się niemiłosiernie na dziurawym, dawno nie używanym trakcie; koła szarpały krzaki i przygniatały do ziemi chwasty. Nie wiedziałem, dokąd prowadzi trakt, pragnąłem tylko uciec jak najdalej od bunkra i wioski cieśli. Pędziłem w szaleńczym tempie przez lasy i polany, unikając dróg, na których widniały świeże ślady chłopskich furmanek.

Kiedy zapadła noc, ukryłem furę w krzakach, a sam położyłem się spać na koźle.

Następne dwa dni spędziłem w podróży; raz ledwo udało mi się ominąć posterunek wojskowy stacjonujący w młynie. Wół schudł, boki mu się zapadły. Ale gnałem dalej, dopóki nie nabrałem przekonania, że umknąłem już dość daleko.

Właśnie zbliżaliśmy się do niedużej wioski; wjechałem spokojnie i zatrzymałem się przy pierwszej chacie; na mój widok chłop przeżegnał się. Zaproponowałem mu wołu i furę w zamian za dach nad głową i wikt. Wieśniak podrapał się w głowę, naradził z żoną, z sąsiadami i w końcu przystał na moją ofertę, choć najpierw jeszcze obejrzał podejrzliwie zęby wołu — i moje.

7

Wioska leżała daleko od torów kolejowych i rzeki. Trzy razy w roku zjawiali się niemieccy żołnierze, żeby zabrać żywność i inne towary, które chłopi musieli oddawać na rzecz wojska. Mieszkałem u kowala, który był zarazem sołtysem. Cieszył się we wsi szacunkiem i poważaniem. Dlatego traktowano mnie tu lepiej niż gdzie indziej. Ale co pewien czas, gdy sobie popili, chłopi narzekali, że mogę ściągnąć nieszczęście na wioskę, bo Niemcy, jeśli tylko dowiedzą się o cygańskim szczeniaku, ukarzą wszystkich mieszkańców. Nikt nie miał odwagi powiedzieć tego w oczy kowalowi, więc w sumie nie czułem się we wsi źle. Fakt, że kowal, kiedy miał już dobrze w czubie, lubił mnie czasem zdzielić po twarzy, jeśli akurat nawinąłem mu się pod rękę, ale innych przykrości nie doznawałem. Dwaj parobcy kowala woleli się tłuc między sobą i nie szukali ze mną zwady, a jego syn, znany w całej wiosce ze swoich miłosnych podbojów, rzadko przebywał w zagrodzie.

Każdego ranka kowalowa dawała mi kubas gorącego barszczu i kawał czerstwego chleba, który po namoczeniu w barszczu nabierał smaku równie szybko, jak barszcz tracił. Po tym posiłku rozpalałem kometę i, wcześniej od innych pastuchów, pędziłem bydło na łąki.

Wieczorami kowalowa odmawiała pacierze, jej mąż chrapał oparty o piec, a syn ruszał do wioski na dalsze podboje. Żona kowala często dawała mi kurtę męża do odwszenia. Siadałem w najjaśniejszym miejscu w izbie i, odginając materiał wzdłuż szwów, polowałem na białe, leniwe, napęczniałe od krwi owady. Wydłubywałem je i kładłem na stole, po czym gniotłem paznokciem. Kiedy było ich wyjątkowo dużo, kowalowa przyłączała się do mnie i jak tylko rzucałem kilka na stół, miażdżyła je, turlając po blacie butelkę. Wszy pękały z trzaskiem — ich rozpłaszczone zwłoki leżały w malutkich kałużach ciemnej krwi. Te, którym udało się spaść na klepisko, rozbiegały się pośpiesznie na boki. Nie mieliśmy szans ich rozdeptać.

Kowalowa nie pozwalała mi zabijać wszystkich wszy i pluskiew. Ilekroć znajdowaliśmy szczególnie spory i energiczny okaz, łapała go ostrożnie i wrzucała do przygotowanego w tym celu kubka. Po zgromadzeniu dziesięciu dorodnych sztuk wyjmowała je z kubka i zagniatała w cieście. Następnie dodawała do ciasta trochę ludzkiego i końskiego moczu, pokaźną porcję gnoju, martwego pająka i szczyptę kociego łajna. Ten preparat uchodził za najlepszy lek na bóle żołądka. Kiedy dręczyły kowala, co zdarzało się dość regularnie, musiał zjadać kilka utoczonych z niego kulek. Zaraz potem wymiotował, co — jak zapewniała żona — oznaczało całkowite pokonanie choroby, która w ten sposób opuszcza ciało. Wyczerpany torsjami, trzęsąc się niby trzcina, kowal kładł się na kilimie przy piecu i dyszał jak miech z jego własnej kuźni. Otrzymywał wówczas nieco letniej wody z miodem, co miało działanie uśmierzające. Gdy jednak ból i gorączka nie ustępowały, żona szykowała dalsze medykamenty. Ucierała na drobny pył końskie kości, wbijała do nich kilka kurzych jaj, dolewała parę kropli nafty i wsypywała kubek pluskiew i mrówek, które natychmiast rzucały się na siebie. Pacjent musiał wypić wszystko duszkiem; w nagrodę dostawał miarkę gorzałki i kawał kiełbasy.

Od czasu do czasu kowala odwiedzali tajemniczy jeźdźcy uzbrojeni w karabiny i rewolwery. Sprawdzali całe obejście, po czym zasiadali z gospodarzem do stołu. Kowalowa i ja przynosiliśmy z kuchni flaszki bimbru, pęta aromatycznej kiełbasy myśliwskiej, jaja gotowane na twardo i zimną pieczeń wieprzową.

Zbrojni przybysze byli partyzantami. Często zaglądali do wioski, zawsze niespodziewanie. Co więcej, wojowali ze sobą. Słyszałem, jak kowal wyjaśniał żonie, iż równolegle istnieją dwie partyzantki: „biała", która chce walczyć zarówno z Niemcami, jak i z Rosjanami, oraz „czerwona", która wspiera Armię Czerwoną.

Po wiosce krążyły najróżniejsze pogłoski. „Biali" chcieli

utrzymać własność prywatną; ziemia nadal miała należeć do dziedziców. „Czerwoni", popierani przez Sowietów, domagali się parcelacji. Obie grupy żądały, aby wieśniacy pomagali im coraz bardziej. „Biali" partyzanci, współdziałający z dziedzicami, mścili się na wszystkich podejrzanych o sprzyjanie „czerwonym". Z kolei „czerwoni" wspierali biedotę, a karali wioski, które sprzyjały „białym". Prześladowali zwłaszcza bogatych chłopów.

W wiosce przeprowadzali także rewizje Niemcy; przesłuchiwali mieszkańców, wypytując ich o partyzantkę, i dla postrachu rozstrzeliwali jednego albo dwóch. Ilekroć gruchnęła wieść, że właśnie jadą, kowal chował mnie w piwnicy, gdzie trzymał kartofle, a sam starał się udobruchać niemieckiego komendanta, obiecując terminowe dostawy płodów i większe kontyngenty zboża.

Czasami oba ugrupowania partyzantów napadały na siebie, mordując się wzajem podczas odwiedzin w wiosce, która przemieniała się wówczas w plac boju: terkotały karabiny maszynowe, wybuchały granaty, chaty stawały w płomieniach, porzucone bydło ryczało, konie rżały, półnagie dzieci wyły. Chłopi kryli się po piwnicach, obejmując modlące się żony. Jedynie na pół ślepe, głuche i bezzębne staruchy szły odważnie prosto w ogień karabinów maszynowych; mamrocząc modlitwy i żegnając się rękami powykręcanymi przez artretyzm, przeklinały walczących i wołały o pomstę do nieba.

Po bitwie wioska powoli wracała do życia. Chłopi i wyrostki kłócili się o broń, mundury i buty zabitych partyzantów oraz spierali o to, gdzie pochować trupy i kto ma kopać groby. Dni mijały na waśniach, a tymczasem ciała rozkładały się; za dnia obwąchiwały je psy, nocą obgryzały szczury.

Pewnej nocy kowalowa zbudziła mnie i kazała uciekać. Ledwo zdążyłem poderwać się z posłania, gdy wokół chaty rozległy się głosy i chrzęst broni. Pobiegłem chyłkiem na strych i, nakrywszy się workiem, przycisnąłem twarz do szpary między deskami, przez którą widać było sporą część obejścia.

Stanowczy męski głos rozkazał kowalowi wyjść z chaty. Chwilę później uzbrojeni partyzanci wywlekli półnagiego kowala na podwórze: stanął na środku, drżąc z zimna i podciągając opadające spodnie. Podszedł do niego dowódca w wysokiej czapie na głowie i z gwiaździstymi epoletami na ramionach. O coś pytał. Dobiegły mnie słowa: „...pomagałeś wrogom ojczyzny".

Kowal wyrzucił do góry ręce, zaklinając się w imię Syna i Ducha Świętego, że to nieprawda. Silny cios powalił go na ziemię. Podnosząc się wolno, kowal wciąż przysięgał, że jest niewinny. Któryś z partyzantów oderwał od płotu sztachetę, zamachnął się nią szeroko i walnął kowala w twarz. Kiedy ten upadł, ciężkimi buciorami zaczęli kopać go po całym ciele. Jęczał, zwijając się z bólu, podczas gdy oni pastwili się nad nim. Wykręcali mu uszy, deptali genitalia, miażdżyli obcasami palce.

Kiedy jego jęki umilkły, a ciało znieruchomiało, partyzanci wywlekli z chaty dwóch parobków, żonę kowala i szamoczącego się syna. Otworzywszy szeroko drzwi stodoły, przerzucili kobietę i mężczyzn przez dyszel wozu; wisieli na nim brzuchami do dołu, podobni do worków zboża. Następnie partyzanci zdarli z ofiar ubranie i przywiązali im ręce do kostek. Po czym, podwinąwszy rękawy, zaczęli biczować wijące się z bólu ciała stalowymi kablami od sygnalizacji kolejowej.

Powietrze aż dudniło od razów spadających z głośnym trzaskiem na wypięte pośladki, a ofiary skręcały się, to kurcząc się, to prężąc, i wyły jak potępieńcy. Drżałem i pociłem się ze strachu.

Deszcz razów nie ustawał. Teraz zawodziła już tylko kowalowa, podczas gdy partyzanci żartowali sobie z jej chudych, krzywych ud. Ponieważ wciąż jęczała, odcięli ją od dyszla i rzucili na wznak; białe piersi zwisły jej na boki. Chłostali ją z zapałem dalej: crescendo ciosów smagało brzuch kobiety, aż ściemniał od strużek krwi. Wreszcie i ona znieruchomiała. Oprawcy włożyli kurtki i pomaszerowali do chaty, gdzie zaczęli demolować meble i grabić, co popadnie.

Weszli na strych i mnie znaleźli. Trzymając za kark, obracali mnie na wszystkie strony, okładali pięściami i szarpali za włosy. Z miejsca zdecydowali, że jestem cygańskim przybłędą. Zastanawiali się głośno, co ze mną zrobić. Jeden uznał, że najlepiej odstawić mnie na niemiecki posterunek odległy o kilkanaście wiorst. Twierdził, iż powinno to dobrze usposobić komendanta do mieszkańców wsi, która spóźniała się z obowiązkowymi dostawami. Inny poparł ten pomysł, dodając, że przez jednego cygańskiego zasrańca Niemcy mogą spalić całą wioskę.

Związano mi ręce, nogi i wyniesiono mnie na zewnątrz. Partyzanci wezwali dwóch chłopów i zaczęli im coś tłumaczyć, wskazując palcami w moją stronę. Wieśniacy słuchali posłusznie, służalczo kiwając głowami. Wsadzono mnie na wóz i przymocowano sznurem do poprzecznej żerdzi. Chłopi usiedli na koźle i ruszyliśmy w drogę.

Partyzanci eskortowali wóz przez część trasy, kołysząc się swobodnie w siodłach i dzieląc pożywieniem, które zabrali z wioski. Kiedy wjechaliśmy w gęsty las, znów powiedzieli coś chłopom, po czym zacięli konie i znikli wśród drzew.

Znużony piekącym słońcem i niewygodną pozycją, zapadłem w drzemkę. Śniło mi się, że jestem wiewiórką przycupniętą w ciemnej dziupli i drwiącym wzrokiem obserwuję świat rozciągający się poniżej. Nagle przemieniłem się w konika polnego o długich, sprężystych odnóżach, na których przeskakiwałem ogromne połacie ziemi. Czasami, jakby poprzez mgłę, docierały do mnie głosy woźniców, rżenie konia i skrzypienie kół.

Do stacji kolejowej dojechaliśmy późnym popołudniem. Natychmiast otoczyli nas niemieccy żołnierze w wypłowiałych mundurach i spękanych butach. Chłopi pokłonili im się, wręczając kartkę napisaną przez partyzantów. Kiedy wartownik poszedł sprowadzić oficera, żołnierze przysunęli się do wozu; gapili się na mnie, wymieniając jakieś uwagi. Jeden z nich, starszawy, któremu upał wyraźnie dawał się we znaki, miał na nosie okulary zaparowane od potu. Oparty o wóz, przypatrywał mi się uważnie, choć beznamiętnie, wodnistymi, niebieskimi oczami. Uśmiechnąłem się do niego, ale nie zareagował. Patrzyłem mu prosto w twarz, zastanawiając się, czy przypadkiem nie rzucam na niego złego uroku. Zrobiło mi się go żal; nie chcąc, żeby się pochorował, spuściłem wzrok.

Z budynku stacji wyłonił się młody oficer i zbliżył do wozu. Żołnierze szybko obciągnęli mundury i stanęli na baczność. Chłopi, nie wiedząc, jak się zachować, wzięli przykład z żołnierzy i też wyprężyli się gorliwie.

Oficer powiedział coś krótko do jednego z żołnierzy, który wystąpił z szeregu, podszedł do mnie, poklepał szorstko po gęstej szopie włosów, zajrzał mi w oczy, odciągając palcem powieki, i sprawdził blizny na moich kolanach i łydkach. Po czym zakomunikował oficerowi wynik oględzin. Oficer zwrócił się do starszawego żołnierza w okularach, wydał mu rozkaz i odszedł.

Żołnierze zaczęli się rozchodzić. Z budynku stacji rozbrzmiewała wesoła muzyka. Na wysokiej wieży strażniczej ze stanowiskiem karabinu maszynowego wartownicy poprawiali hełmy.

Żołnierz w okularach zbliżył się, bez słowa odczepił od wozu sznur, którym byłem przywiązany, owinął go sobie wokół nadgarstka i gestem nakazał mi iść za sobą. Obejrzałem się na dwóch wieśniaków; siedzieli już z powrotem na wozie i popędzali konia.

Minęliśmy budynek stacji. Po drodze żołnierz zatrzymał się przy magazynie, skąd pobrał nieduży kanister benzyny.

Następnie ruszyliśmy wzdłuż torów w stronę ogromnego lasu.

Wiedziałem, że żołnierz otrzymał rozkaz mnie rozstrzelać, a potem oblać moje ciało benzyną i spalić. Nieraz byłem świadkiem podobnych scen. Przyglądałem się, kiedy partyzanci rozstrzeliwali chłopa podejrzanego o kolaborację. Najpierw kazali mu wykopać dół, do którego potem wrzucili jego zwłoki. Widziałem, jak Niemcy zastrzelili rannego partyzanta, który uciekał do lasu; pamiętałem też wysokie płomienie, wznoszące się później nad trupem.

Bałem się bólu. Wierzyłem, że rozstrzelanie musi boleć okrutnie, a palenie po oblaniu benzyną chyba jeszcze bardziej. Ale nic nie mogłem poradzić. Żołnierz miał karabin, a sznur przywiązany do mojej nogi trzymał mocno owinięty wokół nadgarstka.

Byłem boso, więc wysypane między podkładami kolejowymi kamyki raniły mnie w stopy. Próbowałem stąpać po samych podkładach, ale dzieliła je zbyt duża odległość. Parę razy usiłowałem iść po szynie, ale sznur przywiązany do kostki nie pozwalał mi utrzymać równowagi. Musiałem zresztą szybko przebierać nogami, żeby nadążyć za długimi, miarowymi krokami żołnierza.

Starszawy Niemiec przyglądał mi się; nawet uśmiechnął się pod nosem na widok moich akrobacji na szynie. Ale uśmiech był tak nikły, że nie miałem sobie co robić nadziei; człowiek ten zamierzał mnie zabić.

Już jakiś czas temu wyszliśmy poza teren stacji; teraz minęliśmy ostatnią zwrotnicę. Słońce powoli chyliło się ku zachodowi. W miarę jak zbliżaliśmy się do lasu, opadało ku wierzchołkom drzew. Żołnierz zatrzymał się, postawił na ziemi kanister i przełożył karabin na lewe ramię. Usiadł na skraju torów i, westchnąwszy głęboko, wyciągnął nogi w dół nasypu. Zdjął nieśpiesznie okulary, rękawem otarł z potu gęste brwi, po czym odpiął od pasa niedużą łopatkę. Z kieszeni na piersi wydobył papierosa i zapalił zapałką, którą następnie dokładnie zgasił.

Obserwował w milczeniu moje wysiłki rozluźnienia sznura, który wrzynał mi się w ciało. W końcu wyjął z kieszeni spodni mały scyzoryk, otworzył i przysuwając się bliżej, jedną ręką przytrzymał mi nogę, a drugą ostrożnie przeciął sznur. Następnie zwinął go i zamaszystym gestem cisnął daleko od torów.

Uśmiechnąłem się, żeby wyrazić wdzięczność, ale Niemiec w ogóle nie zareagował. Siedzieliśmy dalej; on palił papierosa, a ja obserwowałem błękitny dym, unoszący się spiralnie w górę.

Zacząłem myśleć o różnych sposobach umierania. Dotychczas tylko dwa wywarły na mnie silne wrażenie.

Pamiętałem doskonale, jak jednego z pierwszych dni wojny w kamienicę stojącą naprzeciwko domu, w którym mieszkali moi rodzice, trafiła bomba. W naszym mieszkaniu podmuch wybił szyby. Ziemia zadygotała w posadach; uderzył nas w uszy łoskot walących się murów i krzyki nieznanych, umierających ludzi. Widziałem brązowe prostokąty drzwi, sufity, ściany i wczepione w nie kurczowo obrazy osuwające się w otchłań. Niczym lawina spadały na ulicę majestatyczne fortepiany, machając w locie pojedynczym skrzydłem, opasłe, niedołężne fotele, zwinne taborety i podnóżki. Goniły je, podzwaniając cienko, rozsypujące się żyrandole, wypolerowane rondle, czajniczki, lśniące blaszane nocniki. Trzepocząc jak stado spłoszonych ptaków, frunęły w dół kartki wyrwane z rozszarpanych wybuchem książek. Wanny powoli, z rozmysłem, odrywały się od rur i osuwały po ścianach, po drodze zaplątując się w magiczne węzły poręczy, balustrad i rynien.

Gdy pył opadł, rozpołowiony dom nieśmiało ukazał swoje wnętrzności. Z poszarpanych krawędzi stropów, niby szmaty zakrywające brzegi ran, zwisały nieruchomo ludzkie trupy. Dopiero zaczynały nasiąkać krwią. Strzępy podartych papierów, odpryski tynku i farby osiadły na lepkich, czerwonych szmatach niczym głodne muchy. Wszędzie dookoła wciąż trwał ruch; tylko ciała leżały spokojnie, jakby odpoczywały.

Potem rozległy się jęki i krzyki ludzi przygniecionych przez belki stropów, nabitych na pręty i rury, częściowo rozerwanych lub zmiażdżonych przez odłamy murów. Tylko jedna staruszka, czepiając się rozpaczliwie cegieł, wypełzła z czarnej otchłani leja. Kiedy otworzyła bezzębne usta, żeby coś powiedzieć, nie udało jej się wydobyć żadnego dźwięku. Była na wpół naga; wyschnięte piersi zwisały z kościstej klatki. Kiedy doczołgała się do brzegu leja, podniosła się i przez moment stała na stercie gruzów otaczających wyrwę. Lecz nagle przewróciła się do tyłu i spadła w dół rumowiska.

Można też było umrzeć mniej spektakularnie, z rąk drugiego człowieka. Nie tak dawno temu, gdy mieszkałem u Lecha, na pewnym przyjęciu pobiło się dwóch chłopów. Zwarli się na środku izby, chwycili za gardła i przewrócili na klepisko. Gryźli się jak wściekłe psy, wyrywając sobie zębami skrawki ubrań i mięsa. Ich pokryte odciskami dłonie, a także kolana, ramiona i stopy, zdawały się mieć własne życie. Chwilami podrywali się z ziemi i skakali wokół siebie, wijąc się niby w szalonym tańcu; potem sczepiali się i znów okładali pięściami, drapali pazurami. Gołe kłykcie jak młoty waliły w czaszki, a kości pękały od siły ciosów.

Nagle krąg gości, obserwujących spokojnie zmagania, posłyszał głośny chrzęst, po czym chrapliwy charkot. Jeden z walczących dłużej pozostawał na górze. Drugi rzęził coraz głośniej i wyraźnie opadał z sił, ale mimo to uniósł głowę i plunął w twarz pogromcy. Ten nie wybaczył obelgi. Nadął się jak ropucha, zamachnął szeroko i ze straszliwą siłą walnął przeciwnika, wgniatając mu twarz. Głowa uderzonego stuknęła o klepisko i jakby zaczęła się topić; tworzyła się wokół niej coraz większa kałuża krwi. Mężczyzna nie żył.

Czułem się teraz jak parszywy kundel, którego zastrzelili partyzanci. Najpierw głaskali go po łbie i drapali za uszami. Pies, nie posiadając się ze szczęścia, szczekaniem objawiał swoją miłość i wdzięczność. Cisnęli mu kość. Pobiegł za nią, merdając wyleniałym ogonem, rozpędzając motyle i tratując kwiaty. Kiedy chwycił kość i dumnie uniósł do góry, trafiła go kula.

Żołnierz poprawił pas. Ruch ten wyrwał mnie z zadumy.

Zacząłem obliczać odległość dzielącą mnie od drzew i zastanawiać się, ile czasu zajęłoby żołnierzowi podniesienie karabinu i oddanie strzału, gdybym nagle rzucił się do ucieczki. Las znajdował się za daleko; zginąłbym na piaszczystym wzgórzu mniej więcej w połowie drogi. Najwyżej udałoby mi się dobiec do kępy wysokich zarośli, ale byłbym tam wciąż widoczny i musiałbym zwolnić tempo. Niemiec wstał i przeciągnął się, stękając. Otaczała nas cisza. Łagodny wietrzyk rozwiewał zapach benzyny, na jego miejsce przynosząc woń majeranku i sosnowej żywicy.

Żołnierz, oczywiście, może strzelić mi w plecy, pomyślałem. Ludzie wolą zabijać tak, żeby nie patrzeć ofiarom w oczy.

Niemiec odwrócił się do mnie i wskazując w kierunku lasu, wykonał taki gest, jakby mówił: „Uciekaj, chłopcze!". Więc to już koniec. Udałem, że nie rozumiem, i podszedłem bliżej. Żołnierz cofnął się gwałtownie, jakby w obawie, że chcę go dotknąć, i gniewnie wskazał mi las, drugą ręką zasłaniając oczy.

Wziąłem to za chytry podstęp; chce mnie przekonać, że nie będzie patrzył. Stałem w miejscu jak wrośnięty w ziemię. Spojrzał na mnie ze zniecierpliwieniem i powiedział coś w szorstko brzmiącej mowie. Znów machnął w stronę lasu. Ale ja ani drgnąłem. Wówczas położył się między szynami na swoim karabinie, z którego wcześniej wyjął zamek.

Ponownie obliczyłem odległość; uznałem, że ryzyko jest już niewielkie. Gdy zacząłem uciekać, żołnierz po raz pierwszy uśmiechnął się do mnie przyjaźnie. Na skraju nasypu obejrzałem się przez ramię: wciąż leżał bez ruchu, jakby drzemał w popołudniowym słońcu.

Pomachałem mu pośpiesznie i pędem zbiegłem z nasypu, podskakując jak zając. Chwilę później wleciałem w podszycie chłodnego, cienistego lasu. Paprocie smagały mnie po nogach, gdy tak mknąłem coraz głębiej w las, aż wreszcie padłem bez tchu na wilgotny, kojący mech.

Kiedy leżałem, wsłuchując się w leśne odgłosy, od strony torów doleciał mnie dźwięk dwóch wystrzałów. Widocznie żołnierz pozorował moją egzekucję.

Zbudzone ptaki zaszeleściły w listowiu. Tuż obok mnie spod korzenia wyskoczyła mała jaszczurka i zaczęła mi się przypatrywać. Mogłem ją zmiażdżyć jednym ruchem dłoni, ale brakowało mi sił.

8

Po wczesnej jesieni, która zniszczyła część plonów, nastała sroga zima. Najpierw przez wiele dni padał śnieg. Ludzie nie dali się zaskoczyć pogodzie; widząc, na co się zanosi, pośpiesznie robili zapasy żywności dla siebie i bydła, zatykali słomą dziury w chałupach i oborach, umacniali kominy i strzechy przed wichrem. Potem nadciągnął mróz, skuwając na kość wszystko pod śniegiem.

Nikt nie chciał wziąć mnie do siebie. Żywności brakowało, każda dodatkowa gęba stanowiła poważne obciążenie. Co więcej, nie było żadnej pracy, którą mógłbym wykonywać, choćby takiej, jak usuwanie gnoju z obór, bo śnieg sięgał aż po okap. Chłopi brali do chałup kury, cielaki, króliki, świnie, kozy, konie; ludzie i zwierzęta grzali się nawzajem ciepłem swoich ciał. Ale dla mnie nie było miejsca.

Zima nie zwalniała uścisku. Ciężkie niebo, zasnute ołowianymi chmurami, zdawało się przygniatać do ziemi kryte strzechą chaty. Czasem obłok ciemniejszy od innych przelatywał szybko jak balon, ciągnąc za sobą smętny cień, który ani na moment go nie odstępował niby zły duch grzesznika. Żeby wyjrzeć na zewnątrz, ludzie musieli chuchać na oszronione szyby. Kiedy widzieli złowieszczy cień przesuwający się przez wioskę, żegnali się i zaczynali mamrotać modlitwy. Nikt nie wątpił, że na ciemnym obłoku podróżuje diabeł; dopóki unosił się nad chatami, należało oczekiwać najgorszego.

Owinięty w stare gałgany, skrawki króliczych futer i końską skórę, wędrowałem od wioski do wioski, ogrzewając się jedynie ciepłem komety, którą zmajstrowałem z puszki znalezionej przy torach. Na plecach niosłem worek z zapasem opału, uzupełnianym troskliwie przy każdej okazji. Gdy tylko worek stawał się lżejszy, szedłem w las, obłamywałem z drzew gałązki, odrywałem korę, wykopywałem spod śniegu torf i mech. Kiedy worek był pełny, udawałem się w dalszą drogę z poczuciem zadowolenia i bezpieczeństwa, kręcąc kometą i radując się jej ciepłem.

Ze zdobywaniem pożywienia nie miałem trudności. Zwały śniegu zatrzymywały ludzi w chatach. Mogłem więc bez obaw drążyć tunele do zasypanych stodół i wybierać najlepsze kartofle i buraki, które później piekłem na komecie. Nawet jeśli ktoś akurat patrzył przez okno, brał mnie — bezkształtny zwój gałganów brnący przez śnieg — za widmo i najwyżej szczuł psami. Psy niechętnie opuszczały legowiska w ciepłych chatach i z trudem przedzierały się przez wysokie zaspy. Kiedy do mnie dochodziły, z łatwością odstraszałem je ziejącą ogniem kometą. Przemarznięte, zmęczone, wracały do chat, szczeknąwszy tylko raz czy dwa z poczucia obowiązku.

Na nogach miałem ogromne saboty przywiązane do nóg długimi paskami materiału. Szerokość podeszew, przy mojej niewielkiej wadze, sprawiała, że poruszałem się całkiem sprawnie, bez zapadania w śnieg. Zakutany po oczy, swobodnie krążyłem między wsiami, nie natykając się na nikogo oprócz groźnie spozierających kruków. Sypiałem w lesie, ryjąc sobie nory w śniegu pod korzeniami drzew; zaspy służyły mi za osłonę. Napełniałem kometę wilgotnym torfem i butwiejącymi liśćmi, które ogrzewały norę wonnym dymem. Ogień palił się przez całą noc; mogłem spać spokojnie.

Wreszcie, po kilku tygodniach łagodniejszych wiatrów, śnieg zaczął topnieć, a wieśniacy wyłaniać się z chat. Po zagrodach uganiały się wypoczęte psy, uniemożliwiając mi wykradanie jedzenia; bez przerwy musiałem się mieć na baczności. Nie miałem wyjścia. Postanowiłem znaleźć jakąś odosobnioną wioskę, leżącą daleko od posterunków niemieckich.

Szedłem lasem, choć spadające z konarów pacyny wilgotnego śniegu co rusz groziły zgaszeniem komety. Drugiego dnia wędrówki zatrzymało mnie głośne prychnięcie. Przykucnąłem za krzakiem, bojąc się poruszyć i nasłuchując szelestu drzew. Kilka spłoszonych wron przeleciało z trzepotem. Skradając się od drzewa do drzewa, zbliżyłem się do miejsca, skąd dochodził dźwięk. Na wąskiej, rozmokłej drodze ujrzałem porzucony wóz i konia; żadnego człowieka nie było w pobliżu.

Kiedy koń mnie zobaczył, zastrzygł uszami i rzucił łbem. Podszedłem bliżej. Zwierzę było tak wycieńczone, że dosłownie mogłem policzyć mu żebra. Zwiotczałe mięśnie przypominały mokre postronki. Szkapa skierowała na mnie mętne, przekrwione ślepia, które z trudem utrzymywała otwarte. Pokiwała słabo łbem na wychudłej szyi, a z jej pyska wydobył się dźwięk podobny do rechotu żaby. Jedną nogę miała złamaną tuż nad pęciną. Ostry koniec złamanej kości sterczał na zewnątrz; przy każdym ruchu kość coraz bardziej przebijała skórę.

Nad chromym zwierzęciem krążyły kruki; to wzbijały się w górę, to zniżały lot, uporczywie pełniąc wartę. Co pewien czas przysiadały na gałęziach drzew, strącając w dół grudy wilgotnego, topniejącego śniegu, które spadały z takim samym plaśnięciem, jak placki kartoflane przerzucane na patelni. Koń za każdym razem unosił ze znużeniem łeb, otwierał ślepia i rozglądał się wkoło.

Widząc, że obchodzę wóz, pomachał zapraszająco ogonem. Podszedłem, a wtedy oparł mi na ramieniu ciężki łeb, ocierając się nim o mój policzek. Kiedy pogłaskałem go po suchych chrapach, poruszył pyskiem, jakby zachęcał mnie, żebym się zbliżył jeszcze bardziej.

Schyliłem się, żeby zbadać nogę. Koń zwrócił ku mnie łeb, jakby oczekując mojej diagnozy. Wyprzągłem go i zacząłem namawiać, aby spróbował zrobić krok. Spróbował, rżąc żałośnie i potykając się, ale nie był w stanie.

Zwiesił łeb, zawstydzony i zrezygnowany. Objąłem go za szyję; czułem pod palcami tętniące w nim życie. Starałem się go przekonać, aby jednak poszedł ze mną; pozostanie w lesie oznaczało pewną śmierć. Mówiłem mu o ciepłej stajni, zapachu siana, zapewniałem, że ludzie potrafią nastawić mu nogę i wyleczyć ziołami.

Opowiadałem o pastwiskach porośniętych soczystą trawą, wciąż skrytych pod śniegiem, ale tylko czekających nadejścia wiosny. Tłumaczyłem mu, że jeśli uda mi się doprowadzić go do najbliższej wioski i oddać właścicielowi, bez wątpienia wpłynie to korzystnie na stosunek chłopa do mnie. Może pozwoli mi zostać w swojej zagrodzie. Koń słuchał, spozierając na mnie raz po raz, jakby chciał się upewnić, czy nie kłamię.

Cofnąłem się i lekko uderzając zwierzę gałązką, ponownie zachęciłem do zrobienia kroku. Zachwiało się, podnosząc wysoko złamaną nogę. Jednakże w końcu dało się przekonać i zaczęło iść, choć kulało straszliwie. Nasz marsz był powolny i bolesny. Koń co pewien czas przystawał, bezwładnie zwieszając łeb. Wtedy zarzucałem mu ręce na szyję, tuliłem się do niego, unosiłem złamaną nogę. Po chwili znów ruszał, jakby pchały go naprzód jakieś wspomnienia, jakaś myśl, która tylko na moment uleciała mu z głowy. Chwiał się, potykał, tracił równowagę. Ilekroć stawał na złamanej kończynie, kość coraz bardziej wysuwała się z rany; właściwie to gołą kością stąpał po śniegu i błocie. Każde bolesne rżenie szkapy przejmowało mnie dreszczem. Zapomniałem, że mam na nogach saboty; zdawało mi się, że ja też idę na wyszczerbionych kikutach goleni i jęczę przy każdym kroku.

Wyczerpany, umazany błotem, wreszcie dotarłem z koniem do wioski. Natychmiast otoczyła nas sfora jazgoczących psów. Opędzałem się od nich kometą, osmalając sierść najbardziej zajadłym. Koń stał obok niewzruszony; znów zapadł w letarg.

Z chat wyłonili się chłopi, wśród nich mile zdziwiony właściciel konia; wyjaśnił, że zwierzę spłoszyło się i uciekło wraz z wozem przed wieloma dniami. Odgonił psy i obejrzał złamaną nogę, po czym oświadczył, że szkapę trzeba zabić. Jedyny z niej pożytek to mięso, skóra do wyprawienia i kości do celów medycznych. W tej okolicy właśnie kości były najcenniejsze. Kuracja niejednej poważnej choroby polegała na kilkakrotnym codziennym podawaniu naparu z ziół zmieszanych ze sproszkowanymi końskimi kośćmi. Na ból zęba stosowano okłady z żabiego udka posypanego zmielonymi końskimi zębami. Zwęglone kopyta gwarantowały, że w ciągu dwóch dni zniknie przeziębienie, a kości miednicy, położone na ciele epileptyka, zapobiegały atakom.

Odsunąłem się, kiedy chłop badał zwierzę. Teraz przyszła moja kolej. Chłop obejrzał mnie dokładnie i spytał, skąd się wziąłem oraz czym się dotąd zajmowałem. Odpowiadałem najoględniej, jak potrafiłem, nie wspominając o niczym, co mogłoby wzbudzić jego podejrzenia. Kazał mi wszystko powtarzać kilkakrotnie, śmiejąc się z moich nieudolnych prób mówienia miejscowym dialektem. Dopytywał, czy jestem żydowską czy cygańską sierotą. Kląłem się na wszystkie świętości, że jestem dobrym chrześcijaninem i posłusznym parobkiem. Stojący obok chłopi przyglądali mi się krytycznie. Ale właściciel konia mimo to zdecydował się przyjąć mnie na parobka do prac w polu i w zagrodzie. Rzuciłem się na kolana i zacząłem całować go po nogach.

Nazajutrz rano wieśniak wyprowadził ze stajni dwa silne, dorodne konie. Zaprzągł je do pługa i podprowadził do kulawej szkapy cierpliwie czekającej przy płocie. Zrobił ze sznura pętlę i zarzucił szkapie na szyję; koniec sznura przywiązał do pługa. Zdrowe konie strzygły uszami i obojętnie spoglądały na inwalidę. Oddychał ciężko, kręcąc szyją, w którą uwierał go naprężony sznur. Stałem obok, zastanawiając się, jak mogę uratować mu życie, jak go przekonać, że nie wiedziałem, iż prowadząc do wsi, skazuję na taki los... Kiedy wieśniak podszedł do konia, żeby sprawdzić pętlę, ten nagle odwrócił łeb i polizał mężczyznę po twarzy. Chłop nawet nie spojrzał na zwierzę, tylko otwartą dłonią uderzył je w pysk. Koń odwrócił się, dotknięty i upokorzony.

Chciałem paść gospodarzowi do nóg i błagać o darowanie szkapie życie, ale wtem dostrzegłem jej wpatrzone we mnie, pełne wymówki ślepia. Przypomniałem sobie, co się dzieje, jeśli zwierzę lub człowiek, który ma umrzeć, policzy zęby osoby odpowiedzialnej za jego śmierć. Bałem się otworzyć usta, jak długo koń przyglądał mi się swym strasznym, zrezygnowanym wzrokiem. Czekałem, ale nie spuszczał oczu.

Nagle chłop splunął w garście, chwycił powiązany w supełki bat i smagnął po zadach zdrowe konie. Skoczyły gwałtownie do przodu; sznur napiął się jeszcze bardziej, a pętla zacisnęła na szyi skazańca. Szarpnięty do przodu, zacharczał chrapliwie, stracił równowagę i padł jak płot przewrócony wiatrem. Przez parę metrów zdrowe konie wlekły go brutalnie po rozmiękłej ziemi. Kiedy stanęły zdyszane, wieśniak podszedł do ofiary i kopnął ją kilka razy w kark i kolana. Zwierzę nawet nie drgnęło. Zdrowe konie, czując śmierć, zaczęły nerwowo przestępować z nogi na nogę, jakby chciały uniknąć spojrzenia szeroko otwartych, martwych ślepi.

Przez resztę dnia pomagałem chłopu ściągać ze zwierzęcia skórę i ćwiartować mięso.

Mijały tygodnie, a nikt z mieszkańców wioski nie pastwił się nade mną. Niektórzy chłopcy przebąkiwali czasem, że należy mnie odstawić na posterunek albo powiadomić niemieckich żołnierzy, że w wiosce znajduje się cygańskie szczenię. Kobiety schodziły mi z drogi, lękliwie odwracając główki dzieci. Mężczyźni zerkali na mnie w milczeniu i spluwali niedbale w moim kierunku.

Tutejszych wieśniaków cechowała powolna, powściągliwa mowa; każdą wypowiedź ważyli z rozmysłem. Tradycja wymagała, by oszczędzali słów, jak oszczędza się soli, a długi język uważano za największego wroga człowieka. Ludzie wygadani mieli opinię podstępnych i nieuczciwych; podejrzewano, że szkolili się u żydowskich lub cygańskich wróżbitów. Miejscowi chłopi siadywali zwykle w głuchej ciszy, tylko z rzadka przerywanej jakąś luźną uwagą. Czy to mówiąc, czy śmiejąc się, wszyscy zakrywali rękami usta, aby przypadkiem nie pokazać zębów komuś, kto im źle życzy. Jedynie wódka potrafiła rozwiązać języki i złagodzić surowe obyczaje.

Mój pan był człowiekiem powszechnie szanowanym; często zapraszano go na wesela oraz inne uroczystości. Czasami, jeśli dzieciom nic nie dolegało, a żona i świekra nie oponowały, zabierał i mnie. Kazał mi demonstrować przed gośćmi mój miejski akcent, powtarzać wierszyki i bajki, których nauczyłem się przed wojną od matki i nianiek. W porównaniu z miękką, rozwlekłą mową lokalną, miejski sposób wysławiania się, pełen twardych spółgłosek, podobny do terkotu karabinu maszynowego, wydawał się wręcz karykaturalny. Przed występem pan zmuszał mnie do opróżnienia jednym haustem miarki bimbru. Potykając się o podstawiane mi nogi, ledwo dawałem radę wyjść na środek izby.

Od razu rozpoczynałem popis, usiłując nie patrzeć nikomu w oczy lub na zęby. Ilekroć recytowałem szybko jakiś wierszyk, chłopi wybałuszali oczy ze zdumienia, pewni, że oszalałem, a moja pośpieszna mowa jest oznaką obłędu.

Pokładali się ze śmiechu, słuchając bajek i rymowanych opowiastek o zwierzętach. Słuchając opowieści o Koziołku Matołku i jego wędrówce po świecie w poszukiwaniu Pacanowa, o kocie w siedmiomilowych butach, byczku Fernando, królewnie Śnieżce i siedmiu krasnoludkach, myszce Miki, goście śmiali się do rozpuku, dławiąc się jedzeniem i zachłystując gorzałką.

Po występie wołano mnie po kolei do stołów, kazano powtarzać niektóre wierszyki i znów pojono bimbrem. Kiedy odmawiałem picia, chłopi sami wlewali mi gorzałę do gardła. Zwykle w połowie wieczoru byłem już zupełnie pijany i ledwo zdawałem sobie sprawę, co się dzieje. Twarze wieśniaków przybierały rysy zwierząt z opowiadanych przeze mnie bajek; wyglądali jak ożywione ilustracje, podobne do tych, jakie wciąż pamiętałem ze swoich książek. Miałem wrażenie, że spadam w dół głębokiej studni o gładkich, wilgotnych ścianach porośniętych gąbczastym mchem. Na dnie studni znajdowała się nie woda, lecz ciepłe, bezpieczne łóżko, w którym mogłem spać spokojnie, zapominając o wszystkim.

Zima dobiegała końca. Codziennie chodziłem z moim panem do lasu, żeby zbierać drewno. Ciepła wilgoć napełniała powietrze; wełniste mchy na konarach największych drzew pęczniały od niej i zwisały jak szarawe, na wpół zamarznięte królicze skórki. Woda, którą były nasiąknięte, ściekała po spękanej korze, pozostawiając na niej ciemne plamy. Drobne strumyki rozbiegały się swawolnie na wszystkie strony; to dawały nura pod ubłocone korzenie, to znów się wyłaniały, żeby kontynuować swoje dziecięce igraszki.

Sąsiedzi mojego pana wyprawili huczne wesele dla córki, dorodnej pannicy. Chłopi, wystrojeni jak na mszę, tańczyli na podwórzu, sprzątniętym i umajonym na tę okazję. Pan młody, zgodnie z odwieczną tradycją, całował kolejno wszystkich gości w usta. Panna młoda, oszołomiona zbyt licznymi toastami, na zmianę to śmiała się, to płakała, prawie nie zwracając uwagi, że mężczyźni szczypią ją w pośladki lub miętoszą jej cycki.

Kiedy izba się opróżniła, bo goście poszli tańczyć, wreszcie dopadłem stołu, żeby zjeść posiłek, na który zarobiłem swoim występem. Usiadłem w najciemniejszym kącie, żeby uniknąć pijackich docinków. Do izby weszli dwaj mężczyźni, obejmując się przyjaźnie. Znałem ich obu. Należeli do najbogatszych gospodarzy w wiosce. Każdy miał kilka krów, parę koni, sporo dobrej ziemi. Wsunąłem się za puste beczki stojące w rogu izby. Mężczyźni usiedli na ławie przy stole, wciąż zastawionym stertami jedzenia, i zaczęli wolno rozmawiać. Częstowali się nawzajem różnymi smakołykami, choć — jak to było w zwyczaju — nie patrzyli sobie w oczy, a miny mieli marsowe. W pewnej chwili jeden z nich leniwie sięgnął do kieszeni. Podczas gdy lewą ręką brał ze stołu kawałek kiełbasy, prawą wydobył długi, ostry nóż. Po czym wbił go z całej siły w plecy towarzysza.

Nie oglądając się, wyszedł z izby, ze smakiem pogryzając kiełbasę. Ranny usiłował się podźwignąć, tocząc wkoło szklistym wzrokiem. Kiedy mnie ujrzał, chciał coś powiedzieć, ale zdołał jedynie wypluć kawałek przeżutej kapusty. Znów spróbował się podnieść, ale tylko się zachwiał i zsunął łagodnie z ławy pod stół. Upewniając się, czy mnie nikt nie widzi, i daremnie usiłując pohamować drżenie, wymknąłem się jak szczur przez uchylone drzwi i pognałem do stodoły.

Po mrocznym obejściu uganiali się młodzieńcy; łapali dziewuchy i ciągnęli do stodoły. W środku, na stercie siana, leżał z wypiętymi do góry pośladkami jakiś mężczyzna; pod nim, na plecach, leżała baba. Po klepisku, potykając się, chodzili pijacy; przeklinali jeden drugiego, rzygali, naprzykrzali się kochankom, budzili chrapiących. Zerwałem deskę z tylnej ściany stodoły i przecisnąłem się przez otwór. Pobiegłem do stodoły mojego gospodarza i szybko wdrapałem się na siano nad przegrodą dla koni, gdzie zwykle sypiałem.

Zwłok nie usunięto z chaty natychmiast po weselu. Umieszczono je w bocznej izbie, a rodzina zamordowanego siedziała w głównej. Jedna z wiejskich staruch obnażyła lewe ramię trupa i umyła w brunatnej cieczy. Do izby wchodzili po kolei mężczyźni i kobiety chorzy na wole; z bród zwisały im ohydne, zachodzące na szyję wory nabrzmiałego mięsa. Starucha podprowadzała każdego pacjenta do zwłok, wykonywała mu nad gardłem zawiłe gesty, po czym siedmiokrotnie podnosiła rękę trupa i dotykała nią wola. Pacjent, blady ze strachu, za każdym razem musiał powtarzać: „Idź precz, choróbsko, tam, dokąd idzie ta ręka".

Po zabiegu pacjenci płacili rodzinie zmarłego. Trupa pozostawiono w izbie. Lewa ręka spoczywała mu na piersi, w prawą, zesztywniałą, wetknięto gromnicę. Czwartego dnia, kiedy smród w izbie wzmógł się, do wioski sprowadzono księdza i rozpoczęto przygotowania do pogrzebu.

Jeszcze długo po pogrzebie gospodyni nie zmywała śladów krwi w izbie, w której wydarzyło się morderstwo. Były wyraźnie widoczne na podłodze i na stole, niczym ciemnordzawa pleśń na zawsze wżarta w drewno. Wszyscy wierzyli, że plamy, nieme świadkinie zbrodni, prędzej czy później przywiodą winowajcę na miejsce przestępstwa i przyczynią się do jego śmierci.

Jednakże morderca, którego twarz dobrze zapamiętałem, często jadał w izbie, gdzie dopuścił się zbrodni, opychając się do syta obfitymi posiłkami. Nie mogłem pojąć, jak to możliwe, że nie lęka się rdzawych plam. Nieraz przypatrywałem się z niezdrową fascynacją, jak po nich stąpa, niewzruszenie kurząc fajkę lub zagryzając kiszonym ogórkiem wychyloną miarkę gorzałki.

W takich chwilach byłem napięty jak guma naciągniętej procy. Spodziewałem się, iż lada moment nastąpi coś niezwykłego, że w miejscu śladów otworzy się czarna przepaść, która pochłonie winowajcę, lub że morderca nagle zacznie się miotać w tańcu świętego Wita. Ale on bez lęku deptał po plamach. Czasami zastanawiałem się, zasypiając, czy przypadkiem nie straciły mściwej mocy. Bo jednak trochę wyblakły; ubrudziły je kociaki, a także i gospodyni, niepomna swoich zarzekań, przejeżdżała po nich gałganem, kiedy myła podłogę.

Z drugiej strony wiedziałem, że działanie sprawiedliwości często jest niezmiernie powolne. W wiosce słyszałem historię o czaszce, która wyleciała z grobu i zaczęła się toczyć w dół pochyłości, omijając krzyże i obsypane kwieciem kopce. Zakrystian usiłował zatrzymać ją łopatą, ale umknęła mu i poturlała się w stronę cmentarnej bramy. Dojrzał ją również gajowy i też próbował zatrzymać, strzelając do niej z dubeltówki. Ale czaszka, niezniechęcona przeszkodami, turlała się już drogą prowadzącą do wioski. Wyczekała na odpowiedni moment, po czym skoczyła pod kopyta koni jednego z gospodarzy. Konie spłoszyły się, przewracając wóz, a gospodarz spadł i zabił się na miejscu.

Kiedy ludzie dowiedzieli się o tym niecodziennym wydarzeniu, rozbudziło to ich ciekawość; postanowili wyjaśnić całą sprawę. Odkryli, że czaszka „wyskoczyła" z grobu starszego brata ofiary wypadku. Przed około dziesięciu laty miał on odziedziczyć gospodarstwo po zmarłym ojcu. Młodszy brat z żoną zazdrościli mu tego uśmiechu losu. I nagle pewnej nocy starszy brat zmarł. Brat i bratowa pogrzebali go szybko, nie dając nawet okazji krewnym na pożegnanie zwłok.

O przyczynie śmierci krążyły po wiosce różne plotki, lecz nie wiedziano nic pewnego. Młodszy brat, który przejął gospodarstwo, stopniowo obrastał w majątek i cieszył się coraz większym poważaniem.

Po spowodowaniu wypadku czaszka zrezygnowała z dalszej wędrówki; leżała spokojnie na zakurzonej drodze. Dokładne oględziny pokazały, że głęboko w kości tkwi duży, zardzewiały gwóźdź.

Tak to, po wielu latach, ofiara ukarała mordercę, a sprawiedliwości stało się zadość. Wierzono, że ani deszcz, ani ogień, ani wiatr nie zetrą nigdy śladów zbrodni. Sprawiedliwość wisi nad światem jak potężny młot uniesiony mocarnym ramieniem, które wstrzymuje się przez pewien czas, zanim ze straszliwą siłą spuści żelazną bryłę na niczego nie spodziewające się kowadło. Jak mówiono po wioskach, w słońcu widać nawet najmniejsze pyłki kurzu.

O ile dorośli na ogół mi nie dokuczali, to jednak wolałem wystrzegać się wyrostków. Bawili się w wielkich łowców; ja byłem ich zwierzyną. Nawet mój pan radził mi, żebym ich unikał. Zwykle pędziłem bydło aż na skraj pastwiska, daleko od innych. Trawa rosła tu bujniej, ale musiałem nieustannie pilnować krów, żeby nie weszły na sąsiadujące pola i nie poczyniły szkód. Ale tu byłem w miarę bezpieczny od napaści i nie kłułem nikogo w oczy swoją obecnością. Co pewien czas kilku pastuchów podkradało się i rzucało na mnie znienacka. Ponieważ obrywałem od nich cięgi, zawsze starałem się uciec na pole. Stamtąd krzyczałem głośno, że mój pan złoi im skórę, jeśli nie pilnowane przeze mnie krowy wejdą w szkodę. Groźba zwykle odnosiła skutek; wracali do swojego bydła.

Mimo to lękałem się tych napaści i nie miałem chwili spokoju. Każdy ruch pastuchów, każdy ich gest i zbicie się w ciasną gromadkę brałem za skierowany przeciwko sobie spisek.

Inne gry i zabawy wyrostków wiązały się ze sprzętem wojskowym znalezionym w lesie; głównie chodziło o naboje karabinowe lub miny lądowe, ze względu na swój kształt przezywane „mydłem". Żeby wejść w ich posiadanie, wystarczyło zagłębić się kilka kilometrów w las i pogrzebać w podszyciu. Amunicję ukryły dwa oddziały partyzantów, które przed paroma miesiącami stoczyły w tych stronach zażartą bitwę. Zwłaszcza „mydła" występowały obficie. Niektórzy chłopi mówili, że pozostawili je uciekający w popłochu „biali" partyzanci; inni przysięgali, że „biali" zdobyli je na „czerwonych", ale nie mogli zabrać ze sobą, bo byli zbyt obciążeni innym sprzętem.

W lesie trafiały się także uszkodzone karabiny. Chłopcy wymontowywali z nich lufy, cięli na krótsze kawałki i majstrowali pistolety o kolbach wystruganych z kawałka gałęzi. Pasowały do nich naboje karabinowe, których obfite zapasy również ukryli partyzanci. Wystrzał następował, kiedy umocowany na gumie gwóźdź uderzał w spłonkę. Choć prymitywnie skonstruowane, pistolety te były śmiertelną bronią. Dwóch wyrostków poważnie się poraniło, kiedy wypalili do siebie podczas kłótni. Innemu chłopcu samopał wybuchł w ręce, urywając mu palce i ucho. Najbardziej żałosnym przypadkiem był sparaliżowany, kaleki syn sąsiadów. Ktoś dla kawału wetknął mu na dno komety kilka naboi. Eksplodowały, kiedy — nic nie podejrzewając — zapalił ją rano i zakołysał między nogami.

Była też inna metoda strzelania, nazywana „proch z górki". Wyjmowało się pocisk z łuski i do połowy opróżniało ją z prochu. Po czym wpychało się pocisk do wewnątrz, na miejsce usuniętego prochu, którym z kolei posypywało się go z wierzchu. Tak przygotowany nabój wstawiano do szczeliny w desce lub zakopywano po czubek w ziemi, dokładnie na wprost celu. Następnie podpalano proch na wierzchu. Kiedy ogień dochodził do dna, pocisk wylatywał na odległość kilku metrów. Eksperci od tej metody strzelania urządzali zawody i zakładali się, czyja kulka poleci najdalej i jakie proporcje prochu u góry i u dołu dadzą najlepszy rezultat. Co odważniejsi chłopcy popisywali się przed dziewczynami, odpalając nabój, który trzymali w dłoni. Często łuska lub spłonka uderzała śmiałka lub któregoś z gapiów. Najprzystojniejszy chłopak w całej wiosce miał spłonkę wbitą w takie miejsce, że na samą wzmiankę wszyscy parskali śmiechem. Trzymał się z dala od ludzi, unikając spojrzeń chichoczących kobiet.

Ale podobne wypadki nikogo nie zrażały. I dorośli, i wyrostki wciąż handlowali między sobą amunicją, mydłem, lufami i zamkami karabinowymi, które wynajdowali, spędzając wiele godzin na dokładnym penetrowaniu gęstego podszycia.

Do najcenniejszych znalezisk należały zapalniki. Za jedną sztukę oferowano samopał z drewnianą kolbą i dwadzieścia naboi. Zapalnik z lontem był konieczny, żeby spowodować wybuch miny. Wystarczyło wetknąć go w mydło, przypalić, po czym uciec, zanim nastąpi eksplozja, od której zadrżą szyby w całej wiosce. Gdy miało się odbyć wesele lub chrzciny, natychmiast wzrastało zapotrzebowanie na zapalniki. Wybuchy stanowiły wspaniałą dodatkową atrakcję, a kobiety aż piszczały z podniecenia, czekając, kiedy się zaczną.

Nikt nie wiedział, że w stodole ukryłem zapalnik i trzy mydła. Znalazłem je w lesie, zbierając dziki tymianek dla żony gospodarza. Zapalnik był prawie nowy, z wyjątkowo długim lontem.

Czasami, kiedy nikt nie kręcił się w pobliżu, wyciągałem zapalnik oraz mydła i ważyłem je w dłoni. Te kawałki dziwnej substancji miały w sobie coś naprawdę niezwykłego.

Samo mydło paliło się opornie, lecz wystarczyło wetknąć w nie zapalnik i przytknąć ogień, aby iskra szybko przesunęła się po loncie i spowodowała eksplozję, która mogła obrócić w ruiny największą chałupę. Usiłowałem wyobrazić sobie ludzi, którzy wymyślili i produkowali zapalniki i mydła. Na pewno byli to Niemcy. Czyż nie mówiono po wioskach, że nikt nie oprze się potędze Niemców, ponieważ żywią się mózgami Polaków, Rosjan, Cyganów i Żydów?

Zastanawiałem się, skąd się bierze umiejętność wymyślania tego rodzaju rzeczy. Dlaczego wieśniacy nie potrafią zrobić nic podobnego? Próbowałem odgadnąć, co sprawia, że ludzie o pewnym kolorze oczu i włosów mają ogromną przewagę nad innymi.

Pługi, kosy, grabie, kołowrotki, studnie, sieczkarnie i młockarnie poruszane przez chodzące w kieracie ospałe konie lub chorowite woły, wszystkie te chłopskie urządzenia były w sumie tak prymitywne, że nawet najtępszy człowiek mógł je wymyślić i zrozumieć zasadę ich działania. Natomiast skonstruowanie zapalnika, zdolnego wstrzyknąć ogromną siłę w mydło, bez wątpienia przekraczało umiejętności nawet najtęższego wiejskiego umysłu.

Jeśli było prawdą, że Niemcy umieją robić takie wynalazki i są zdecydowani oczyścić świat z ludzi śniadych, ciemnookich, długonosych i czarnowłosych, to moje szanse przetrwania rzeczywiście przedstawiały się mizernie. Prędzej czy później po prostu musiałem znów wpaść w ich ręce, a mogłem już nie mieć tyle szczęścia, co uprzednio.

Przypomniałem sobie Niemca w okularach, który pozwolił mi uciec do lasu. Owszem, był blondynem o niebieskich oczach, ale nie wydał mi się zbyt mądry. Jaki sens miało tkwienie na małej, zaniedbanej stacji i ściganie takiego drobiazgu jak ja? Kto miał robić wynalazki, skoro Niemcy zajmowali się pilnowaniem stacyjek? Nawet najmądrzejszy człowiek nie wymyśli nic szczególnego, siedząc w zapadłej dziurze.

Na wpół drzemiąc, wyobrażałem sobie wynalazki, jakie chciałbym stworzyć. Na przykład zapalnik dla ludzi, który po odpaleniu zmieniłby mi odcień skóry oraz barwę oczu i włosów. Zapalnik, który po wetknięciu w stertę materiałów budowlanych wznosiłby w ciągu jednego dnia dom piękniejszy od najwspanialszej chałupy. Zapalnik, który chroniłby przed urokiem rzuconym przez złe oko. Wówczas nikt by się mnie nie lękał i moje życie stałoby się łatwiejsze i znacznie bardziej przyjemne.

Niemcy stanowili dla mnie zagadkę. Na co im było tyle bezcelowego niszczenia? Czy takim ogołoconym i okrutnym światem warto w ogóle rządzić?

Pewnej niedzieli grupa wyrostków wracających z kościoła dojrzała mnie na drodze. Ponieważ nie zdążyłbym uciec, przybrałem obojętną minę, starając się ukryć lęk. Jeden z nich, przechodząc obok, odwrócił się i pchnął mnie w głęboką, błotnistą kałużę. Inni zaczęli pluć mi w oczy, parskając śmiechem, ilekroć udało im się wcelować. Domagali się, żebym pokazał im swoje „cygańskie sztuczki". Próbowałem się im wyrwać i zbiec, ale otoczyli mnie ciasnym kręgiem. Sporo wyżsi, zacieśniając szeregi, zamykali mnie w żywej klatce jak ptaka. Bałem się, że zrobią mi coś złego. Spoglądając na ich ciężkie, niedzielne buty, pojąłem, że będąc boso, potrafię biec szybciej niż oni. Wybrałem największego z wyrostków i, podnosząc z ziemi ciężki kamień, rąbnąłem go w twarz. Jakby załamała się i osunęła od siły ciosu; chłopak upadł zakrwawiony. Inni odruchowo cofnęli się. W tej sekundzie skoczyłem przez leżącego i pognałem na przełaj w stronę wioski.

Kiedy dobiegłem do zagrody, zacząłem szukać gospodarza, żeby opowiedzieć mu, co się stało, i prosić, aby mnie ochronił. Ale jeszcze nie wrócił z rodziną z kościoła. Tylko jego stara, bezzębna świekra kręciła się po obejściu.

Nogi ugięły się pode mną. Od strony wioski nadciągał tłum mężczyzn i wyrostków. Zbliżali się szybko, wymachując pałkami i kijami.

To już był mój koniec. Wśród tłumu na pewno znajdował się ojciec lub bracia ranionego przeze mnie chłopaka; od nich nie mogłem spodziewać się litości. Wpadłem do kuchni, wrzuciłem szuflą trochę rozżarzonych węgli do komety, popędziłem do stodoły i zamknąłem za sobą wrota.

Myśli rozpierzchły mi się jak stado spłoszonych kur. Wiedziałem, że lada moment wpadnę w ręce tłumu.

Nagle przypomniałem sobie zapalnik i mydła. Wygrzebałem je czym prędzej. Drżącymi palcami wetknąłem zapalnik pomiędzy ciasno związane bryłki i przypaliłem kometą. Koniec lontu zasyczał; czerwona iskra zaczęła pełznąć wolno w stronę mydeł. Wepchnąłem ładunek pod stos połamanych pługów i bron w kącie stodoły i w szalonym pośpiechu zerwałem deskę z tylnej ściany.

Tłum wbiegł już do zagrody; słyszałem krzyki. Porwałem kometę i przecisnąłem się przez otwór w gęstą pszenicę rosnącą za stodołą. Schylony, żeby nikt mnie nie spostrzegł, pobiegłem w kierunku lasu poprzez łany pszenicy, drążąc przez nie tunel jak kret.

Byłem mniej więcej w połowie pola, kiedy ziemia zatrzęsła się od wybuchu. Obejrzałem się. Dwie ściany, markotnie oparte o siebie, to wszystko, co zostało ze stodoły. Pomiędzy nimi wirowały dziesiątki połamanych desek i obłoki siana. Wyżej wznosił się grzyb pyłu.

Odpocząłem dopiero wtedy, gdy dotarłem na skraj lasu. Ucieszyło mnie, że zagroda mojego pana nie stanęła w płomieniach. Słyszałem tylko wrzawę głosów. Nikt mnie nie gonił.

Wiedziałem, że nigdy nie będę mógł wrócić do wsi. Zacząłem zagłębiać się w las, rozglądając się po podszyciu, w którym kryły się naboje, mydła i zapalniki.

9

Przez kilka dni krążyłem po lasach, co jakiś czas próbując zbliżyć się do wiosek. W pierwszej spostrzegłem z daleka, że ludzie biegają od chaty do chaty, coś krzycząc i wymachując rękami; nie wiedziałem, co się stało, ale uznałem, że rozsądniej jest odejść. W drugiej wsi posłyszałem strzały; najwyraźniej w pobliżu znajdowali się albo Niemcy, albo partyzanci. Zniechęcony, przez kolejne dwa dni włóczyłem się po lesie. Wreszcie, głodny i wyczerpany, postanowiłem zajść do następnej wioski, która ze skraju lasu wyglądała całkiem spokojnie.

Wyłaniając się z krzaków, niemal wpadłem na chłopa orzącego niewielkie poletko. Był to olbrzym o potężnych dłoniach i stopach. Rudawy zarost zasłaniał mu twarz prawie po same oczy, potargane włosy stały nastroszone jak kępy sitowia. Bladoszare oczy przypatrywały mi się czujnie. Naśladując miejscową mowę, powiedziałem mu, że za kąt do spania i odrobinę strawy gotów jestem doić krowy, sprzątać oborę, pędzić bydło na pastwiska, rąbać drwa na opał, nastawiać wnyki na dziką zwierzynę, a także czynić uroki zapobiegające chorobom ludzi i zwierząt. Chłop wysłuchał mnie z powagą, po czym bez słowa zabrał do domu.

Był bezdzietny. Jego żona, mimo że sąsiedzi odmawiali ją od tego kroku, zgodziła się mnie przyjąć. Pokazano mi, gdzie mam spać w stajni, i wyjaśniono moje obowiązki.

Wieś należała do ubogich. Chaty zbudowane były z bali i oblepione z obu stron gliną zmieszaną ze słomą. Ściany, głęboko zapadłe w ziemię, podtrzymywały kryte strzechą dachy zwieńczone kominami wykonanymi z gliny i wierzbowych witek. Tylko kilku gospodarzy miało stodoły, a te, dla oszczędności, często przylegały do siebie tylną ścianą. Co pewien czas wioskę nachodzili niemieccy żołnierze z pobliskiej stacji i zabierali całą żywność, jaką udało im się znaleźć.

Kiedy się zbliżali, a na ucieczkę do lasu było za późno, chłop chował mnie w chytrze zamaskowanej piwnicy pod stodołą. Miała bardzo wąskie wejście, ale za to co najmniej trzy metry głębokości. Pomogłem chłopu ją wykopać i nikt więcej, oprócz nas dwóch i jego żony, nie wiedział o jej istnieniu.

Służyła za spiżarnię, dobrze zresztą zaopatrzoną: znajdowały się tu wielkie bryły masła i sera, wędzone szynki, pęta kiełbasy, gąsiorki samogonu i inne smakołyki. Na dnie piwnicy zawsze panował chłód. Podczas gdy Niemcy przetrząsali chałupę w poszukiwaniu żywności, ganiali po polach świnie, nieudolnie usiłowali łapać kury, ja siedziałem w ukryciu, rozkoszując się cudownymi zapachami. Czasami żołnierze stawali nawet na desce zasłaniającej wejście do piwnicy. Chwytałem się wtedy za nos, żeby przypadkiem nie kichnąć, i wsłuchiwałem w ich dziwną mowę. Jak tylko warkot ciężarówek cichł w oddali, gospodarz wyciągał mnie z ukrycia, żebym wracał do swoich zwykłych obowiązków.

Rozpoczęła się pora grzybobrania. Wygłodzeni wieśniacy powitali ją z radością; chodzili do lasu zbierać obfite plony. Ponieważ potrzebna była każda para rąk, mój pan zawsze zabierał mnie ze sobą. Spore gromady mieszkańców innych wsi również krążyły po lasach w poszukiwaniu grzybów. Zdając sobie sprawę, że wyglądam jak Cygan, mój pan, z obawy, iż ktoś dojrzy moje czarne włosy i doniesie na niego Niemcom, zgolił mi głowę do łysej skóry. Aby mniej rzucać się w oczy, wychodząc z chałupy, wkładałem wielką starą czapę, która zakrywała mi połowę twarzy. Ale mimo to czułem się nieswojo pod podejrzliwymi spojrzeniami wieśniaków i zawsze starałem się trzymać blisko mojego pana. Wiedziałem, że jestem mu na tyle potrzebny, że jeszcze przez pewien czas zechce mieć mnie u siebie.

W drodze na grzybobranie przecinaliśmy tory kolejowe biegnące przez las. Kilka razy dziennie przejeżdżały tędy ogromne, dyszące lokomotywy, które ciągnęły wiele wagonów towarowych. Z dachów wagonów sterczały karabiny maszynowe; jeden zamontowany był także na platformie przed lokomotywą. Żołnierze w hełmach badali niebo i las przez lornetki.

Potem na torach pojawiły się inne pociągi. W zamkniętych wagonach dla bydła tłoczyli się ludzie. Kilku chłopów, pracujących na stacji, przyniosło do wsi nowiny: tymi pociągami przewożono Żydów i Cyganów, których schwytano i skazano na śmierć. Do każdego wagonu upychano po dwieście osób; musieli stać prosto jak źdźbła zboża i z rękami w górze, aby zajmować jak najmniej miejsca. Byli wśród nich starzy i młodzi, mężczyźni i kobiety, dzieci i nawet niemowlęta. Paru chłopów z sąsiedniej wioski, zatrudnionych czasowo przy budowie obozu koncentracyjnego, wróciło z dziwnymi wieściami. Opowiadali, że po wypuszczeniu z pociągu dzielono Żydów na różne grupy, po czym kazano im rozbierać się do naga i zabierano wszystko, co mieli. Niemcy golili skazańcom głowy, podobno po to, żeby włosami wypychać materace. Oglądali zęby i jeśli u kogoś dostrzegli złote, natychmiast je wyrywali. Komory gazowe i piece nie nadążały za dostawami ludzi; zwłok wielu zagazowanych więźniów nie palono, a po prostu zakopywano w dołach w pobliżu obozu.

Chłopi w zamyśleniu słuchali tych opowieści. Mówili, że kara Pańska wreszcie dosięgła Żydów. Zasłużyli na nią dawno temu, kiedy ukrzyżowali Chrystusa. Bóg nic nie zapomina. Dotąd nie karał Żydów za ich grzechy, ale im nie wybaczył. Teraz Pan Wszechmogący, posługując się Niemcami jako swoim narzędziem, wyrównywał rachunki. Odbierał Żydom przywilej naturalnej śmierci. Musieli ginąć w płomieniach, już tu na ziemi cierpiąc męki piekła. Zostawali sprawiedliwie pokarani za grzechy przodków, za odrzucenie jedynej prawdziwej wiary, za bezlitosne mordowanie chrześcijańskich niemowląt i picie ich krwi. Wieśniacy obrzucali mnie coraz bardziej złymi spojrzeniami. „Ty Cyganie, ty Żydzie! — krzyczeli. — Jeszcze spłoniesz, diabelski pomiocie, jeszcze spłoniesz!". Udawałem, że nie o mnie mowa, nawet wówczas, gdy kilku pastuchów schwytało mnie i zaczęło wlec do ogniska, żeby przypalić mi pięty i spełnić wolę Bożą. Szamotałem się, drapiąc i gryząc. Nie miałem zamiaru dać się spalić w zwyczajnym ognisku, skoro innych palono w specjalnych, kunsztownych piecach skonstruowanych przez Niemców i wyposażonych w maszyny potężniejsze od największych lokomotyw.

Nocami nie spałem, zamartwiając się, czy mnie Bóg również ukarze. Moi rodzice zawsze chodzili w niedzielę do kościoła; czasami zabierali także mnie i niańkę. Czy możliwe, aby gniew Boży skrupiał się tylko na tych ludziach o czarnych włosach i oczach, którzy nosili miano Cyganów lub Żydów? Dlaczego ojciec, którego wciąż dobrze pamiętałem, miał jasne włosy i niebieskie oczy, a matka ciemne? Czym różnili się Cyganie od Żydów, jeśli jedni i drudzy byli śniadzi i czekał ich taki sam los? Pewnie kiedy skończy się wojna, na świecie pozostaną wyłącznie ludzie o jasnych włosach i niebieskich oczach. A co będzie z dziećmi blondynów, jeśli urodzą się ciemne?

Kiedy pociągi wiozące transporty Żydów przejeżdżały za dnia lub o zmierzchu, wieśniacy ustawiali się po obu stronach torów i machali wesoło do maszynisty, palacza i nielicznych strażników. W małych, kwadratowych okienkach u szczytu zaryglowanych wagonów czasami pojawiały się ludzkie twarze. Niektórzy skazańcy zapewne wdrapywali się na ramiona współwięźniów, aby zobaczyć, dokąd jadą i czyje głosy rozbrzmiewają na zewnątrz. Widząc przyjazne gesty wieśniaków, zamknięci w wagonach przypuszczalnie sądzili, że to ich się tak serdecznie pozdrawia. Wówczas twarze Żydów znikały, a na ich miejsce wyrastał las chudych, bladych ramion; kołysały się, dając rozpaczliwe znaki.

Wieśniacy z ciekawością obserwowali pociągi, wsłuchując się w dziwny szum ludzkiej ciżby, ni to jęki, ni krzyki, ni śpiew. Kiedy pociąg przejeżdżał i oddalał się, wciąż widać było na tle lasu pozbawione ciał ręce machające uporczywie przez okienka.

Czasami nocą ludzie wiezieni do krematoriów wyrzucali przez okienka małe dzieci w nadziei, że ratują im życie. Zdarzało się też, że zrywali deski podłogi i wówczas, zdecydowani na wszystko, przeciskali się przez otwór, spadając na wysypane żwirem tory, na szyny, na napięte przewody sygnalizacyjne. Rozpłatane przez koła, okaleczone zwłoki staczały się z nasypu kolejowego w wysokie zarośla.

Wieśniacy wędrujący za dnia wzdłuż torów odnajdywali te szczątki i pośpiesznie odzierali z odzieży i butów. Ostrożnie, aby nie zbrukać sobie rąk skażoną krwią niechrzczonych, rozrywali podszewki ubrań, szukając kosztowności. Często wybuchały kłótnie i walki o zdobycz. Później ogołocone nagie ciała pozostawiano na torach, pomiędzy szynami, gdzie znajdował je niemiecki patrol przejeżdżający tędy raz dziennie zmotoryzowaną drezyną. Niemcy albo polewali zwłoki benzyną i palili na miejscu, albo zakopywali w pobliżu.

Pewnego dnia po wsi gruchnęła wieść, że w ciągu nocy przejechało kolejno kilka pociągów wiozących transporty Żydów. Wieśniacy wcześniej niż zwykle zakończyli grzybobranie, po czym wszyscy udali się na tory. Szliśmy gęsiego po obu stronach szyn, zaglądając w krzaki i szukając śladów krwi na przewodach sygnalizacyjnych oraz na skraju nasypu. Przez kilka kilometrów niczego nie zauważyliśmy. Nagle jedna z kobiet dostrzegła połamane gałązki pośród gęstwiny krzaków dzikiej róży. Kiedy ktoś rozchylił kolczaste gałęzie, zobaczyliśmy mniej więcej pięcioletniego chłopca leżącego na ziemi. Jego marynarka i krótkie spodenki były dosłownie w strzępach. Miał długie, czarne włosy i ciemne, wyraźnie zarysowane brwi. Albo spał, albo nie żył. Któryś z wieśniaków nadepnął mu na nogę. Chłopiec drgnął i otworzył oczy. Widząc pochylonych nad sobą ludzi, usiłował coś powiedzieć, ale z jego ust popłynęła tylko różowa piana, która wolno zaczęła mu ściekać po brodzie i szyi. Bojąc się czarnych oczu chłopca, wieśniacy przeżegnali się i szybko odsunęli, aby przypadkiem nie policzył im zębów.

Słysząc za sobą głosy, chłopiec spróbował się przekręcić na bok. Ale widocznie miał pogruchotane kości, bo tylko jęknął i na jego wargach pojawił się wielki pęcherz krwi. Chłopczyk opadł na ziemię i zamknął oczy. Wieśniacy przypatrywali mu się podejrzliwie z pewnej odległości. Jakaś kobieta podkradła się bliżej, złapała wytarte buciki i zdarła mu je z nóg. Ranny drgnął, zajęczał i ponownie zalał się krwią. Uniósł powieki i zobaczył wieśniaków, którzy uciekali w popłochu przed jego wzrokiem, żegnając się lękliwie. Opuścił je i znieruchomiał. Dwóch mężczyzn chwyciło go za nogi i przekręciło na wznak. Nie żył. Ściągnęli z niego marynarkę, koszulkę, spodenki i zanieśli go na środek torów. Był dobrze widoczny; niemiecki patrol nie mógł przeoczyć zwłok.

Zawróciliśmy w stronę wsi. Odchodząc, obejrzałem się za siebie. Chłopiec leżał na jasnych kamykach nasypu, od których wyraźnie odcinała się kępka jego ciemnych włosów.

Starałem się odgadnąć, co myślał tuż przed śmiercią. Kiedy wyrzucano go z pociągu, rodzice lub przyjaciele niewątpliwie przekonywali go, że znajdzie pomoc u ludzi i uratuje się od straszliwej śmierci w ogromnym piecu. Prawdopodobnie poczuł się zawiedziony, oszukany. Wolałby tulić się do ciepłych ciał ojca i matki w zatłoczonym wagonie, czuć napór i gorący, ostry zapach potu współwięźniów, wiedzieć, że nie jest sam, i słuchać zapewnień, iż to wszystko jest tylko nieporozumieniem.

Choć żal mi było nieszczęsnego chłopca, w głębi serca doznałem ulgi, że nie żył. Trzymanie go w wiosce nie wyszłoby nikomu na dobre, myślałem. Jego obecność zagrażałaby życiu nas wszystkich. Gdyby Niemcy dowiedzieli się, że w wiosce przebywa żydowska znajda, zjawiliby się natychmiast. Przeszukaliby każdą zagrodę i wreszcie wykryliby chłopca, a przy okazji i mnie, schowanego w piwnicy. Zapewne uznaliby, że ja również wypadłem z pociągu, i zabiliby nas obu na poczekaniu, a potem ukarali całą wioskę.

Naciągnąłem płócienną czapkę głębiej na oczy i, powłócząc nogami, szedłem na końcu szeregu. Czy nie łatwiej byłoby zmieniać ludziom kolor włosów i oczu, niż stawiać ogromne piece i wyłapywać Żydów oraz Cyganów, żeby ich palić?

Zbieranie grzybów odbywało się teraz codziennie. Wracano z pełnymi koszami i suszono grzyby wszędzie, na strychach, w stodołach. W lasach wciąż rosło ich coraz więcej. Wieśniacy co rano rozchodzili się po lesie z pustymi koszami. Pszczoły, objuczone nektarem więdnących kwiatów, bzyczały leniwie w jesiennym słońcu pośród nieruchomego, gęstego podszycia, strzeżonego przez wieże ogromnych drzew.

Schylając się nad grzybami, chłopi nawoływali się wesoło, ilekroć trafiali na większe skupisko. Odpowiadała im łagodna kakofonia ptasich głosów rozbrzmiewających spośród leszczyny i jałowca, z gałęzi dębów i grabów. Czasami rozlegało się złowieszcze pohukiwanie sowy, ale sam ptak pozostawał niewidoczny, schowany głęboko w dziupli. Rudy lis, po uczcie z jaj kuropatwy, przebiegał chyłkiem nieopodal, aby ukryć się w gęstwinie. Żmije prześlizgiwały się nerwowo, posykując dla dodania sobie odwagi. Tłusty zając wpadał w zarośla potężnymi susami.

Symfonię lasu zakłócało jedynie sapanie lokomotywy, stukot wagonów, pisk hamulców. Wieśniacy prostowali grzbiety i spoglądali w stronę torów. Ptaki milkły, sowa głębiej kryła się w dziupli, otulając się dostojnie szarym płaszczem piór. Zając robił stójkę i strzygł długimi uszami, po czym, upewniwszy się, że nic mu nie grozi, kicał dalej. Przez następne tygodnie, do zakończenia pory grzybobrania, często chodziliśmy wzdłuż torów kolejowych. Czasami mijaliśmy niewielkie, podłużne kupki czarnych popiołów i zwęglonych kości, połamanych i wdeptanych w żwir. Chłopi zatrzymywali się i spoglądali w dół, wydymając wargi. Niektórzy obawiali się, że zwłoki tych, co skakali z pociągów, mogą pomimo spalenia sprowadzić pomór na ludzi i zwierzęta, więc czym prędzej zasypywali popioły żwirem z nasypu.

Pewnego razu, udając, że schylam się po grzyb, który wypadł z koszyka, podniosłem garść tego ludzkiego pyłu. Lepił mi się do palców i pachniał benzyną. Przypatrywałem mu się uważnie, ale nie miał w sobie nic ludzkiego. A jednak różnił się od popiołu, jaki pozostawał w kuchennym piecu opalanym drewnem, suszonym torfem i mchem. Wystraszyłem się. Zdało mi się, gdy rozcierałem w palcach garść popiołu, że duch spalonej osoby unosi się nade mną, obserwuje i zapamiętuje nas wszystkich. Lękałem się, że już nigdy nie odleci, że zawsze będzie przy mnie krążył, straszył po nocach, nasączy moje żyły chorobą, a umysł szaleństwem.

Po każdym przejeździe pociągu widziałem całe bataliony duchów o złych, mściwych twarzach zstępujące na świat. Chłopi mówili, że dym z krematoriów wznosi się prosto do nieba i ściele jak miękki, czysty dywan pod stopami Boga.

Zastanawiałem się, czy naprawdę konieczna jest zguba tylu Żydów, żeby okupić przed Panem śmierć Jego Syna. Może cały świat przemieni się wkrótce w jeden ogromny piec do palenia ludzi. Czyż ksiądz nie mówił, że zginiemy wszyscy, że „co z prochu powstało, w proch się obróci"?

Wzdłuż nasypu, pomiędzy szynami, znajdowaliśmy niezliczone skrawki papieru, notesy, kalendarzyki, zdjęcia rodzinne, dokumenty, stare paszporty, dzienniki. Ponieważ nikt w wiosce nie umiał czytać, za najcenniejszą zdobycz uważano, oczywiście, zdjęcia. Niektóre przedstawiały starsze, dziwnie odziane osoby siedzące w sztywnych pozach. Na innych elegancko ubrani rodzice w strojach, jakich nigdy nie widziano w wiosce, stali z rękami na ramionach dzieci, wszyscy uśmiechnięci. Czasami znajdowaliśmy fotografie pięknych dziewczynek, ładniejszych niż aniołki w kościele, lub brodatych mężczyzn o świdrujących, czarnych oczach. Były zdjęcia starców podobnych do apostołów oraz staruszek o wyblakłych uśmiechach. Na niektórych fotografiach dzieci bawiły się w parku, płakały niemowlęta, całowali się nowożeńcy. Na odwrocie widniały pożegnania; zaklęcia i religijne cytaty skreślone ręką drżącą ze strachu lub z powodu szarpania pociągu. Słowa często zmywała poranna rosa albo wybielało słońce.

Chłopi z zapałem gromadzili te pamiątki. Kobiety, chichocząc, szeptały o zdjęciach mężczyzn, podczas gdy wieśniacy wymieniali sprośne żarty i komentarze na temat sportretowanych dziewcząt. Mieszkańcy wioski zbierali zdjęcia, handlowali nimi, zawieszali w chatach i stodołach.

W niektórych domach na jednej ścianie wisiał wizerunek Najświętszej Panienki, na drugiej Chrystusa, na trzeciej krzyż, a na czwartej liczne fotografie Żydów. Gospodarze przyłapywali parobków, jak wymieniają zdjęcia dziewcząt, gapią się na nie w podnieceniu lub nieprzyzwoicie zabawiają się między sobą. Mówiono, że jedna z najładniejszych dziewczyn we wsi tak beznadziejnie zakochała się w przystojnym mężczyźnie z fotografii, że nie chce więcej patrzeć na narzeczonego.

Pewnego dnia jakiś chłopak wrócił z grzybobrania z wieścią, że przy torach znaleziono młodą Żydówkę. Żyła, miała tylko zwichnięte ramię i sporo sińców. Domyślano się, że wyskoczyła przez dziurę w podłodze, kiedy pociąg zwolnił na zakręcie, i dlatego uniknęła poważniejszych obrażeń.

Wszyscy pobiegli obejrzeć ten fenomen. Dziewczyna szła kulejąc, na wpół niesiona przez kilku mężczyzn. Jej szczupła twarz, o gęstych brwiach i niezwykle czarnych oczach, była bardzo blada. Długie, lśniące czarne włosy, przewiązane wstążką, spadały na ramiona dziewczyny. Sukienkę miała porwaną, widziałem sińce i zadrapania na białym ciele. Zdrową ręką podtrzymywała bolącą.

Mężczyźni zaprowadzili ją do chaty sołtysa. Zgromadził się tłum ciekawskich, którzy przyglądali się uważnie dziewczynie. Najwyraźniej nie rozumiała ich mowy. Gdy ktoś się do niej zbliżał, składała ręce jak do modlitwy, szwargocząc coś w obcym języku. Przerażona, rozglądała się wokół oczami o błękitnawych białkach i czarnych jak smoła tęczówkach. Sołtys naradzał się z wiejską starszyzną i z Tęczą, chłopem, który znalazł dziewczynę. Zdecydowano, że zgodnie z rozporządzeniem Niemców, zostanie nazajutrz odstawiona na posterunek. Wieśniacy wolno rozchodzili się do chałup. Tylko kilku odważniejszych wciąż tkwiło w miejscu, przypatrując się dziewczynie i wymieniając żarty. Na wpół ślepe staruchy spluwały po trzykroć w jej stronę i, burcząc pod nosem, ostrzegały przed nią wnuków.

W końcu Tęcza ujął dziewczynę za ramię i zabrał do siebie. Chociaż niektórzy uważali go za dziwaka, był lubiany w wiosce. Interesowały go bardzo różne zjawiska niebieskie, a zwłaszcza tęcze, czemu zawdzięczał swoje przezwisko. Wieczorami, kiedy podejmował sąsiadów, godzinami umiał o nich opowiadać. Słuchając go z ciemnego kąta izby, dowiedziałem się, że tęcza to długa, wygięta w łuk łodyga, pusta w środku jak słomka. Jeden jej koniec, zanurzony w rzece lub jeziorze, wsysa wodę, która następnie rozprowadzana jest sprawiedliwie po całej okolicy. Wraz z wodą wciąga także ryby i inne wodne stworzenia; dlatego właśnie w odległych od siebie jeziorach, stawach i rzekach znajdują się ryby tych samych gatunków.

Tęcza był sąsiadem mojego gospodarza. Jego stodoła i ta, w której miałem swoje legowisko, przylegały do siebie. Żona Tęczy umarła przed kilkoma laty, lecz on, choć wciąż młody, nie mógł zdecydować się na nową towarzyszkę. Sąsiedzi powiadali, że ten, kto zbyt długo wpatruje się w tęczę, nie widzi dobrej dupy, kiedy ma ją przed nosem. Posiłki gotowała mu pewna stara baba, która również zajmowała się jego dziećmi, kiedy pracował w polu lub raz na jakiś czas upijał się dla przyjemności.

Żydówka miała nocować w zagrodzie Tęczy. Wieczorem zbudziły mnie hałasy i krzyki dochodzące z sąsiedniej stodoły. W pierwszej chwili przeraziłem się. Ale znalazłem dziurę po sęku, przez którą mogłem obserwować, co się tam dzieje. Pośrodku zamiecionego klepiska leżała na stercie worków dziewczyna. Obok niej, na pieńku, płonęła lampa naftowa. Tęcza siedział przy głowie dziewczyny. Oboje tkwili nieruchomo. Nagle Tęcza chwycił sukienkę dziewczyny i szarpnął mocno. Ramiączko puściło. Dziewczyna próbowała uciec, ale Tęcza ukląkł jej na włosach, unieruchamiając kolanami głowę. Pochylił się i zerwał drugie ramiączko. Dziewczyna zaczęła szlochać, ale nie szamotała się.

Tęcza przeczołgał się do stóp Żydówki i, siadając jej na nogach, brutalnym ruchem zdarł z niej sukienkę. Dziewczyna usiłowała się podnieść i zdrową ręką przytrzymać materiał, ale chłop pchnął ją z powrotem na klepisko. Była teraz całkiem naga. Jej piersi pulsowały w migoczącym blasku lampy naftowej.

Tęcza przysiadł obok dziewczyny i potężnymi łapskami zaczął gładzić ją po ciele. Zwalista sylwetka mężczyzny zasłaniała mi twarz Żydówki, słyszałem jednak cichy szloch, od czasu do czasu przerywany krzykiem. Tęcza ściągnął powoli buty z cholewami i portki, pozostając tylko w zgrzebnej koszuli.

Siadł okrakiem na nieruchomej dziewczynie i począł wodzić łagodnie rękami po jej ramionach, piersiach, brzuchu.

Kiedy jego ruchy stawały się bardziej szorstkie, jęczała i kwiliła, wołając coś w swojej osobliwej mowie. Tęcza dyszał głośno. Wsparty na łokciach, przesunął się nieco w dół, po czym jednym gwałtownym szarpnięciem rozchylił nogi dziewczyny i opadł na nią z taką siłą, że klepisko aż zadudniło pod jego ciężarem.

Ciało Żydówki wygięło się w łuk; krzyczała, zaciskając i prostując palce, jakby chciała się czegoś chwycić. Nagle wydarzyło się coś dziwnego. Tęcza wciąż leżał na dziewczynie, pomiędzy jej udami, ale teraz jakby usiłował powstać. Ilekroć jednak się unosił, wyła z bólu; on także stękał i przeklinał. Próbował się oderwać od jej krocza, ale najwyraźniej nie mógł. Jakaś obca siła wewnątrz niej trzymała go mocno, niczym potrzask szaraka lub lisa.

Przez chwilę Tęcza leżał na dziewczynie, gwałtownie dygocząc. Po czym ponowił wysiłki, lecz za każdym razem dziewczyna skręcała się z bólu. On chyba też cierpiał. Ocierał pot z czoła, przeklinał, spluwał. Przy kolejnej próbie dziewczyna starała się pomóc. Rozchyliła szerzej nogi, uniosła biodra i zdrową ręką pchała własny brzuch. Wszystko daremnie. Niewidzialne powrósło sczepiało ich razem.

Często widywałem, jak to samo dzieje się z psami. Czasem, po gwałtownym spółkowaniu, nie mogły się rozłączyć, choć ze wszystkich sił pragnęły oswobodzenia. Mocowały się z bolesną uwięzią, coraz bardziej odsuwając się od siebie, aż w końcu stykały się tylko zadami. Wyglądały jak jedno ciało o dwóch głowach i dwóch zrośniętych ogonach. Z przyjaciela człowieka przemieniały się w wybryk

natury. Wyły, skamlały, dygotały na całym ciele. Ich przekrwione ślepia, błagające o ratunek, patrzyły z niewy-
słowionym bólem na ludzi, którzy okładali je grabiami
i kijami. Tarzając się w kurzu, zakrwawione od razów,
wciąż wznawiały próby rozdzielenia. Chłopi, zaśmiewając
się, kopali psy, ciskali w nie kamieniami, rzucali im na
grzbiety miauczące koty. Psy starały się uciec, ale każdy
z nich biegł w przeciwną stronę, więc tylko kręciły się
w kółko. We wściekłej furii usiłowały się gryźć. Wreszcie
rezygnowały z wszelkich wysiłków i czekały na pomoc
człowieka.

Wyrostki wrzucały je do rzeki lub jeziora. Psy rozpaczliwie próbowały utrzymać się na powierzchni, ale każdy
płynął w przeciwną stronę. Były zupełnie bezradne; nie
miały nawet sił szczekać i toczące pianę pyski coraz rzadziej
wyłaniały się z wody. Prąd znosił zwierzęta w dół rzeki,
a brzegiem postępował rozbawiony tłum, pokrzykując z radości i miotając kamienie w łby wynurzające się z wody.

Czasami z kolei wieśniacy, którzy nie chcieli stracić w ten
sposób dobrej suki, bezlitośnie odcinali ją od samca, skazując
go na trwałe kalectwo lub powolne wykrwawienie i śmierć.
Zdarzało się też, że psy, które przez wiele dni błąkały się
zrośnięte po okolicy, wpadając w rowy, obijając się o płoty,
plącząc się w zaroślach, wreszcie same się rozłączały.

Tęcza ponowił wysiłki. Wzywał głośno na pomoc Naj-
świętszą Panienkę. Dyszał i sapał. Jeszcze raz szarpnął się
potężnie, usiłując oderwać się od dziewczyny. Wrzasnęła
i zaczęła bić zaskoczonego chłopa pięścią po twarzy, drapać

paznokciami, gryźć w dłonie. Tęcza zlizał krew z warg, uniósł się na jednym ramieniu i drugą ręką rąbnął dziewczynę na odlew. Strach najwyraźniej pomieszał mu zmysły, bo opadł na nią, gryząc ją w piersi, w ramiona, w szyję. Okładał Żydówkę kułakami, a nagle zacisnął palce na jej ciele i począł je targać, jakby chciał rozerwać na strzępy. Dziewczyna zawyła; wysoki, nieprzerwany ryk trwał, dopóki nie zabrakło jej tchu, po czym zaraz rozległ się znów. Tęcza walił ją i walił, aż w końcu zabrakło mu sił. Leżeli bez ruchu i w milczeniu. Tylko migoczący płomień lampy drgał bezustannie.

Tęcza zaczął wzywać pomocy. Jego krzyki sprowadziły najpierw sforę ujadających psów, a potem gromadę zaalarmowanych mężczyzn uzbrojonych w siekiery i noże. Weszli do stodoły i, nic nie rozumiejąc, wybałuszyli oczy na widok pary na klepisku. Tęcza ochrypłym głosem wyjaśnił im szybko, co się stało. Zamknęli wrota, żeby nikt więcej nie wchodził do środka, i posłali po starą babę, guślarkę i położną, która znała się na podobnych sprawach.

Starucha uklękła przy sczepionej parze i wspomagana przez innych, coś zrobiła. Nie widziałem co; usłyszałem tylko ostatni, przejmujący krzyk dziewczyny. Po czym w stodole Tęczy zaległa cisza i zapanował mrok. O świcie pobiegłem do dziury. Przez szpary między deskami wpadało słońce, oświetlając słupy iskrzącego się pyłu z ziaren. Na klepisku, pod samą ścianą, leżał sztywno ludzki kształt, przykryty od stóp do głów końską derką.

Musiałem pędzić bydło na pastwisko, kiedy cała wieś

jeszcze spała. Gdy wróciłem o zmierzchu, słyszałem, jak chłopi omawiają zdarzenia minionej nocy. Tęcza zaniósł ciało z powrotem na tory, którymi rano przejeżdżał patrol. Przez kilka dni wieśniacy mieli o czym rozprawiać. Sam Tęcza, po paru głębszych, chętnie opowiadał ludziom, jak to Żydówka wessała go w siebie i nie chciała puścić.

Dziwne sny gnębiły mnie w nocy. Słyszałem w stodole jęki i krzyki, czułem dotyk lodowatej dłoni, pasma czarnych włosów, pachnących benzyną, łaskotały mnie po twarzy. O świcie, gnając krowy na pastwisko, lękliwie spozierałem na kłęby mgły wiszące nisko nad polami. Czasami wiatr unosił kawałek sadzy i najwyraźniej celowo ciskał w moją stronę. Przechodziły mnie dreszcze, zimny pot ściekał mi po plecach. Płat sadzy wirował nad moją głową i jakby zaglądał mi w oczy, po czym wzbijał się wysoko w niebo, do stóp samego Pana Boga.

10

Oddziały niemieckie zaczęły szukać partyzantów po okolicznych lasach i siłą egzekwować od chłopów przymusowe dostawy. Zrozumiałem, że mój pobyt we wsi zbliża się ku końcowi.

Pewnego wieczoru gospodarz kazał mi natychmiast uciekać do lasu. Dowiedział się, że Niemcy zamierzają przeprowadzić obławę. Dotarły do nich pogłoski, że w jednej z okolicznych wsi ukrywa się Żyd. Podobno przebywał tam od wybuchu wojny. Znała go cała wioska, gdyż jego dziad był właścicielem dużego ziemskiego majątku. Wszyscy mieszkańcy go lubili; powiadano: Żyd, ale porządny człowiek. Wyruszyłem późnym wieczorem. Zasnute chmurami mroczne niebo zaczęło się rozjaśniać, wyłoniły się gwiazdy, a blady jak cyna księżyc ukazał się w całej swojej krasie. Ukryłem się w osrebrzonej jego blaskiem kępie krzaków.

O świcie ruszyłem w stronę kołyszących się łanów zboża,

z daleka omijając wieś. Grube, ostre łodygi raniły mi stopy, ale chciałem schować się na samym środku pola. Przedzierałem się bardzo ostrożnie, uważając, by nie łamać źdźbeł i nie pozostawić wyraźnego tropu. Wreszcie uznałem, że zaszyłem się dość głęboko. Drżąc w porannym chłodzie, zwinąłem się w kłębek i zapadłem w drzemkę.

Zbudziły mnie szorstkie głosy zbliżające się ze wszystkich stron. Niemcy otoczyli pole. Przypadłem do ziemi. Trzask łamanych łodyg nasilał się, w miarę jak jeden z patroli szedł w moją stronę.

Żołnierze o mało na mnie nie nadepnęli. Zaskoczeni, wycelowali karabiny, a kiedy wstałem, zarepetowali broń. Było ich dwóch, obaj młodzi, w nowych, zielonych mundurach. Wyższy złapał mnie za ucho; roześmieli się, mówiąc coś na mój temat. Zrozumiałem, że dopytują się, czy jestem Cyganem lub Żydem. Zaprzeczyłem. To rozbawiło ich jeszcze bardziej; nie przestawali żartować. W trójkę udaliśmy się do wioski: kroczyłem na przedzie, a oni, weseli, tuż za mną.

Maszerowaliśmy główną drogą. Przerażeni chłopi zerkali na nas przez okna. Kiedy poznawali mnie, cofali się w głąb chat.

Na środku wioski czekały dwie wielkie, brunatne ciężarówki. Żołnierze w rozpiętych mundurach kucali przy nich, popijając z manierek. Kolejne patrole wracały z pól; Niemcy ustawiali karabiny w kozły i siadali na ziemi.

Kilku otoczyło mnie kołem. Wskazywali na mnie, to śmiejąc się, to nagle poważniejąc. Jeden schylił się, zbliżył twarz do mojej i uśmiechnął się ciepło i serdecznie. Już chciałem odwzajemnić jego uśmiech, kiedy nagle z całej siły uderzył mnie w brzuch. Straciłem dech i upadłem, charcząc i z trudem łapiąc powietrze. Żołnierze zarechotali. Z pobliskiej chaty wyłonił się oficer i, widząc, jak leżę na ziemi, podszedł bliżej. Żołnierze stanęli na baczność. Podniosłem się i również stałem, sam pośród ich kręgu. Oficer przyjrzał mi się chłodno, po czym wydał rozkaz. Dwóch żołnierzy chwyciło mnie za ramiona, zawlokło do chałupy, otworzyło drzwi i wepchnęło do środka.

Na środku mrocznej izby leżał człowiek. Był nieduży, wychudzony, smagły. Zmierzwione włosy opadały mu na czoło i twarz, rozpłataną od góry do dołu bagnetem. Ręce miał związane z tyłu, a przez rozcięty rękaw kurtki wyzierała głęboka rana.

Przykucnąłem w rogu. Mężczyzna utkwił we mnie spojrzenie lśniących czarnych oczu. Jakby wyrywały się spod gęstych, krzaczastych brwi i mknęły w moją stronę. Przerażały mnie. Odwróciłem wzrok.

Na zewnątrz zapuszczono silniki; zachrzęściły buty, karabiny, manierki. Padły rozkazy i ciężarówki odjechały z warkotem.

Otworzyły się drzwi; do chaty weszli żołnierze i chłopi. Chwycili za ręce rannego, wywlekli na dwór i wepchnęli na ławę w furze. Poranione dłonie zwisały mu bezwładnie jak kołyszącej się kukle. Mnie posadzono tyłem do niego; miałem przed sobą plecy woźniców, a on koniec wozu i umykającą drogę. Obok chłopów, którzy powozili furą, siedział na koźle niemiecki żołnierz. Z rozmowy wieśniaków zorientowałem się, że mają nas odstawić do komendy żandarmerii w pobliskim miasteczku.

Przez kilka godzin jechaliśmy zniszczoną drogą, noszącą ślady niedawnego przejazdu ciężarówek. Później skręciliśmy z niej i podróżowaliśmy lasem, płosząc zające i ptaki. Ranny opierał się o mnie ciężko. Nie byłem pewien, czy jeszcze żyje; czułem tylko jego bezwładne ciało, które przytrzymywał sznur okręcony wokół nas obu i umocowany do wozu.

Przystanęliśmy dwukrotnie. Chłopi podzielili się swoją żywnością z Niemcem, a on dał im po papierosie i żółtym cukierku. Dziękowali mu uniżenie. W drodze co rusz pociągali długie hausty z flaszek, które trzymali pod kozłem, toteż w czasie postojów szli się odlać w krzaki.

Nas ignorowali. Byłem głodny i bardzo osłabiony. Ciepły, pachnący żywicą wiatr napływał od strony lasu. Ranny pojękiwał. Konie niespokojnie zarzucały łbami, długimi ogonami opędzając się od much.

Ruszyliśmy znów. Niemiec na koźle oddychał ciężko, jakby spał. Zamknął rozchylone usta dopiero wtedy, gdy o mało nie wpadła mu do nich mucha.

Przed zachodem słońca dojechaliśmy do niewielkiego, gęsto zabudowanego miasteczka. Niektóre domy były wzniesione z cegieł i miały murowane kominy. Wokół ogródków biegły płoty pomalowane na biało lub na niebiesko. Przy rynsztokach drzemały zbite w gromadki gołębie.

Kiedy mijaliśmy pierwsze budynki, dostrzegły nas dzieci

bawiące się na drodze. Z zaciekawieniem otoczyły jadącą wolno furę. Żołnierz przetarł oczy, przeciągnął się, poprawił spodnie, po czym zeskoczył na ziemię i odtąd szedł obojętnie obok wozu. Tłumek dzieci powiększał się; wybiegały dosłownie z każdego domu. Nagle któryś ze starszych, wyższych chłopców uderzył rannego długą brzozową witką. Mężczyzna zadrżał i skulił się jeszcze bardziej. Dzieci, rozochocone, zaczęły ciskać w nas czym popadnie: kamykami, śmieciami. Ranny pochylił głowę. Czułem jego ramiona, mokre od potu, przyklejone do moich. Mnie również trafiło kilka kamyków, ale ponieważ siedziałem między woźnicami a rannym, byłem trudniejszym celem. Dzieci miały wspaniałą zabawę. Obrzucały nas wyschniętym krowim łajnem, zgniłymi pomidorami, cuchnącymi trupami ptaków. Jeden z chuliganów skoncentrował się na mnie. Idąc obok wozu, walił mnie kijem w coraz to inne miejsce. Na próżno usiłowałem zebrać dość śliny, by mu splunąć pogardliwie w twarz.

Do tłumu wokół wozu przyłączyli się dorośli. Wrzeszcząc: „Bić Żydów, bić sukinsynów!", zachęcali dzieci do dalszych ataków. Woźnice, żeby nie narażać się na przypadkowe pociski, zeskoczyli z fury i szli obok koni. Ranny i ja stanowiliśmy teraz znakomity cel. Spadł na nas kolejny grad kamieni. Miałem pocięte policzki, dolną wargę rozbitą, a jeden ząb ledwo mi się trzymał. Zacząłem pluć krwią w twarze najbliższych prześladowców, ale uskakiwali zwinnie, po czym znów się nad nami znęcali.

Jeden łobuz wyrwał z korzeniami pęk pokrzyw i paproci

rosnących przy drodze i smagał nimi rannego i mnie. Ból palił mi ciało, kamienie trafiały coraz bardziej celnie; wtuliłem głowę w ramiona, bojąc się, że jakiś uderzy mnie w oko.

Nagle z niepozornego domku, któryśmy mijali, wyskoczył mały, pulchny ksiądz ubrany w postrzępioną, spłowiałą sutannę. Czerwony z gniewu, wpadł w tłum, wymachując laską i bijąc naszych gnębicieli po rękach, twarzach i głowach. Dygocząc z wysiłku, zdyszany, spocony, rozpędził ich na boki.

Zaczął iść przy wozie, powoli odzyskując oddech. Jedną ręką wciąż ocierał czoło, drugą ujął moją dłoń. Ranny najwyraźniej tracił przytomność, bo jego ramiona stały się nagle zimne; chwiał się miarowo jak kukiełka na patyku.

Fura wtoczyła się na dziedziniec koszar żandarmerii. Ksiądz musiał pozostać na zewnątrz. Dwóch żołnierzy odwiązało krępujący nas sznur, ściągnęło z wozu rannego i położyło na ziemi. Ja stanąłem obok.

Wkrótce z budynku wymaszerował dziarskim krokiem wysoki oficer SS w czarnym jak sadza mundurze. Jeszcze nigdy nie widziałem tak wspaniałego stroju. Na dumnym zwieńczeniu czapki lśniła trupia główka i skrzyżowane piszczele, kołnierz zdobiły znaki podobne do błyskawic. Czerwona opaska z butnym znakiem swastyki przecinała rękaw.

Oficer wysłuchał meldunku żołnierza. Następnie, dzwoniąc obcasami o beton dziedzińca, podszedł do rannego. Jednym zręcznym ruchem błyszczącego buta obrócił jego twarz do światła.

Ranny wyglądał okropnie — zmasakrowana twarz, nos zmiażdżony, wargi poszarpane na strzępy. Jedno oko oblepiały mu kawałki krowiego łajna, grudki ziemi i skrawki pokrzyw. Oficer kucnął obok bezkształtnej twarzy odbijającej się w jego wypolerowanych sztylpach. Powiedział coś do rannego albo go o coś spytał.

Zakrwawiona, pokaleczona głowa uniosła się z takim trudem, jakby ważyła tonę. Chude, poranione ciało wsparło się na związanych rękach. Oficer odsunął się. Jego twarz znajdowała się teraz w słońcu i urzekała czystym, przejmującym pięknem; skórę miał prawie przezroczystą, włosy jasne i delikatne jak u dziecka. Dotąd zaledwie raz, w kościele, widziałem tak uduchowione oblicze. Był to fragment ściennego malowidła, skąpany w muzyce organów, na który padało tylko światło przesączone przez witraże.

Ranny podnosił się, aż niemal przybrał pozycję siedzącą. Cisza, niczym gruby płaszcz, spowiła dziedziniec. Żołnierze stali sztywno wyprostowani, obserwując wysiłki rannego. Oddychał ciężko. Usiłując otworzyć usta, zachwiał się jak strach na wróble od smagnięcia wiatru. Czując bliskość oficera, przechylił się w jego stronę.

Niemiec, zdjęty obrzydzeniem, zamierzał właśnie wstać z kucek, kiedy nagle ranny poruszył wargami, chrząknął, po czym — zanim opadł z powrotem, waląc głową w beton — krzyknął głośno jedno krótkie słowo: „Świnia!".

Żołnierze aż zadygotali, z niedowierzaniem spoglądając po sobie. Oficer podniósł się i wydał rozkaz. Szeregowcy stuknęli obcasami, zarepetowali broń, podeszli do rannego i oddali serię szybkich strzałów. Zmaltretowanym ciałem wstrząsnął dreszcz, potem znieruchomiało. Żołnierze załadowali karabiny i stanęli na baczność.

Oficer podszedł do mnie nonszalanckim krokiem, uderzając miarowo trzcinką w szew świeżo wyprasowanych spodni. Odkąd ukazał się na dziedzińcu, nie potrafiłem oderwać od niego wzroku. Było w nim coś absolutnie nadludzkiego. Zgrabna sylwetka odcinała się trwałą czernią od szarego, nijakiego tła. W świecie ludzi o udręczonych obliczach, z wybitymi oczami, o krwawych, posiniaczonych lub powykręcanych kończynach, wśród cuchnących, połamanych ciał, jakich widziałem już tyle, stanowił okaz schludnej doskonałości, której nic nie mogło pokalać; wpatrywałem się z zachwytem w gładką, woskowatą twarz, jasnozłote włosy wystające spod wysokiej czapki, oczy z czystego metalu. Każdy ruch zdawał się świadczyć, że ciało oficera napędza jakaś ogromna wewnętrzna siła. Granitowe brzmienie jego mowy pasowało idealnie do rozkazów zlecających zabijanie nędznych, gorszych istot. Podziwiając lśniącą trupią główkę i skrzyżowane piszczele zdobiące czapkę, poczułem ukłucie zawiści, jakiej nie znałem nigdy dotąd. Pomyślałem, jak by to dobrze było mieć taki lśniący, łysy czerep zamiast mojej cygańskiej twarzy, nielubianej i napawającej lękiem tylu prawych ludzi.

Oficer przyglądał mi się badawczo. Czułem się jak rozdeptana glista, z której wnętrzności wyciekają w kurz, stworzenie nie mogące nikogo skrzywdzić, choć w każdym wzbudzające niechęć i wstręt. W obliczu tak wspaniałej istoty jak oficer, uzbrojony we wszystkie oznaki potęgi i majestatu, szczerze wstydziłem się swojego wyglądu. Nie miałem nic przeciwko temu, żeby Niemiec mnie zabił. Wpatrzony w ozdobną klamrę szerokiego pasa znajdującą się dokładnie na poziomie moich oczu, czekałem na mądrą decyzję jej właściciela.

Na dziedzińcu znów zaległa cisza. Żołnierze stali posłusznie, gotowi na dalsze rozkazy. Wiedziałem, że właśnie waży się mój los, ale była to dla mnie rzecz całkowicie obojętna. Wierzyłem bezgranicznie w słuszność decyzji podjętej przez tego człowieka. Wiedziałem, że posiada przymioty obce zwykłym śmiertelnikom.

Zadźwięczała krótka komenda. Oficer odmaszerował. Żołnierz pchnął mnie brutalnie w stronę bramy. Żałując, że to wspaniałe spotkanie zakończyło się tak szybko, wyszedłem wolno przez bramę i wpadłem prosto w pulchne ramiona księdza, który czekał na zewnątrz. Wyglądał jeszcze żałośniej, niż pamiętałem. W porównaniu z mundurem ozdobionym trupią główką, piszczelami i błyskawicami, jego sutanna była zniszczoną szmatą.

11

Ksiądz pożyczył furę i wywiózł mnie z miasteczka. Powiedział, że znajdzie kogoś w pobliskiej wiosce, kto zaopiekuje się mną do końca wojny. Zanim wjechaliśmy do wioski, zatrzymał się przed kościołem. Zostawił mnie w wozie, sam zaś udał się na plebanię; widziałem, jak przekonuje proboszcza. Szeptali, gestykulując z ożywieniem. W końcu obaj ruszyli w moją stronę. Zeskoczyłem z wozu i ukłoniwszy się grzecznie proboszczowi, pocałowałem go w rękaw. Popatrzył na mnie, pobłogosławił i nic więcej nie mówiąc, wrócił do środka.

Pojechaliśmy dalej; wreszcie ksiądz zatrzymał wóz na samym skraju wsi przy samotnie stojącej zagrodzie. Wszedł do chałupy i nie wychodził tak długo, że zacząłem się lękać, czy nic mu się nie stało. Ogromny wilczur o ponurym, nieprzyjaznym wejrzeniu pilnował obejścia.

Ksiądz wyłonił się w towarzystwie niskiego, krępego

chłopa. Pies podkulił ogon i przestał warczeć. Chłop popatrzył na mnie, po czym wziął księdza na bok. Słyszałem tylko strzępy rozmowy. Wieśniak był wyraźnie zdenerwowany. Wskazując na mnie, krzyczał, iż wystarczy jeden rzut oka, by poznać, że jestem niechrzczoną cygańską gnidą. Ksiądz spokojnie oponował, ale chłop nie dawał się przekonać. Upierał się, że przyjmując mnie, naraziłby się na straszne niebezpieczeństwo, bo Niemcy często zaglądają do wioski; gdyby mnie znaleźli, nie pomogłaby żadna interwencja. Ksiądz powoli tracił cierpliwość. Nagle ujął wieśniaka za ramię i szepnął mu coś do ucha. Chłop natychmiast spokorniał; zaklął, ale kazał mi iść za sobą do chaty.

Ksiądz podszedł do mnie i popatrzył mi w oczy. Wpatrywaliśmy się w siebie w milczeniu. Nie bardzo wiedziałem, co robić. Usiłując pocałować go w rękę, cmoknąłem sam siebie w rękaw i stropiłem się jeszcze bardziej. Ksiądz roześmiał się, skreślił nad moją głową znak krzyża, po czym opuścił zagrodę.

Chłop, upewniwszy się, że ksiądz faktycznie odjechał, złapał mnie za ucho i, niemal podnosząc z ziemi, zaciągnął do chaty. Kiedy wrzasnąłem, dźgnął mnie palcem w żebra tak mocno, że zaparło mi dech.

Mieszkaliśmy w zagrodzie w trójkę. Wieśniak, który zwał się Garbosz i miał martwą, zaciętą twarz oraz wiecznie rozchylone usta; pies o chytrych, pałających gniewem ślepiach, który wabił się Judasz; oraz ja. Garbosz był wdowcem. Co pewien czas, kiedy dochodziło do kłótni z sąsiadami, padało imię Lilki, żydowskiej dziewczynki, którą zostawili pod jego opieką jej rodzice, sami uciekając dalej. Kiedy krowa lub jedna ze świń Garbosza weszła im w pole, wyrządzając szkody, sąsiedzi złośliwie przypominali mu o dziewczynce. Mówili, że codziennie ją bił, gwałcił i zmuszał do różnych bezeceństw, aż w końcu w ogóle znikła. On tymczasem, za pieniądze, które dostał na jej utrzymanie, odnowił sobie chałupę. W Garbosza wstępowała furia, kiedy słuchał tych oskarżeń. Spuszczał z uwięzi Judasza i szczuł nim oszczerców. Sąsiedzi czym prędzej zamykali się w chałupach i tylko przez okna zerkali na wściekłą bestię.

Nikt nigdy nie odwiedzał Garbosza. Zawsze siedział w chacie sam. Ja miałem obowiązek troszczyć się o dwie świnie, krowę, kilkanaście kur i dwa indyki.

Niespodziewanie, bez słowa, a także bez powodu, Garbosz znęcał się nade mną. Podkradał się do mnie od tyłu i smagał po nogach batem. Wykręcał mi uszy, tarł kciukiem włosy, łaskotał mnie w pachy i stopy, aż dostawałem spazmów. Nazywał mnie cygańskim gnojkiem i kazał sobie opowiadać cygańskie historie. Ale umiałem tylko recytować wierszyki i powtarzać bajki, których nauczyłem się w domu przed wybuchem wojny. Czasami wprawiały chłopa w szał, choć nie miałem pojęcia dlaczego. Znów łoił mi skórę albo groził, że zawoła Judasza i pozwoli, aby pies mnie zagryzł.

Judasz był wyjątkowo niebezpieczny. Jednym kłapnięciem szczęk mógł zabić człowieka. Sąsiedzi często wypominali Garboszowi, że spuścił psa na kogoś, kto kradł jabłka. Pies rozszarpał mu gardło i złodziej skonał na miejscu.

Garbosz ciągle judził przeciwko mnie psa. Stopniowo wilczur musiał dojść do wniosku, że jestem jego najgorszym wrogiem. Zwykle na sam mój widok stroszył sierść niczym jeżozwierz kolce. Jego przekrwione ślepia, nos i wargi drżały, a straszne zębiska ociekały pianą. Szarpał się w moją stronę, aż bałem się, że zerwie się z uwięzi, choć równocześnie miałem nadzieję, iż udusi się obrożą. Widząc strach, jaki mnie ogarniał, oraz furię psa, Garbosz spuszczał zwierzę z łańcucha, po czym, trzymając je tylko za obrożę, pozwalał mu postępować za mną, zmuszając mnie do cofnięcia się pod samą ścianę. W końcu warczący, zapluwający się pysk dzieliło od mojego gardła zaledwie kilka centymetrów; całe cielsko wilczura dygotało z dzikiej wściekłości. Prawie się dusił, tocząc pianę i bryzgając nią na boki, podczas gdy chłop szczuł go na mnie krzykiem i szturchańcami. Pies przysuwał się tak blisko, że jego ciepły, wilgotny oddech rosił mi twarz.

W owych chwilach życie uciekało ze mnie niemal zupełnie, a krew krążyła mi w żyłach zwolnionym, leniwym tempem, ciężka niczym wiosenny miód spływający przez wąską szyjkę flaszki. Dosłownie umierałem ze strachu, wpatrzony w pałające ślepia bestii i w owłosioną, pocętkowaną dłoń chłopa zaciśniętą na obroży. Potężne kły mogły lada moment wbić się w moje ciało. Nie chcąc się długo męczyć, wysuwałem szyję, aby pies tym łatwiej ją zgruchotał. Teraz rozumiałem, jak miłosierny jest lis, który natychmiast przegryza szyje gęsiom.

Ale Garbosz nie puszczał psa. Siadał przede mną i,

popijając bimber, zastanawiał się na głos, dlaczego ja żyję, podczas gdy jego synowie umarli tak młodo. Często i mnie zadawał to pytanie, nie wiedziałem jednak, co odpowiedzieć. Kiedy milczałem, spuszczał mi lanie. Nie mogłem zrozumieć, czego chce i dlaczego ciągle mnie bije. Starałem się go unikać. Robiłem posłusznie wszystko, co mi kazał, ale nadal dostawałem cięgi. W nocy zakradał się do kuchni, gdzie spałem, i budził mnie, wrzeszcząc mi prosto do ucha. Kiedy zrywałem się z krzykiem, wybuchał śmiechem, a za oknem Judasz szarpał się na łańcuchu; chętnie by się na mnie rzucił. Innymi razy, kiedy spałem, Garbosz cicho wprowadzał psa do chaty, wiązał mu pysk gałganami, po czym ciskał go w ciemności na moje posłanie. Pies tarzał się po mnie, a ja, oszalały z przerażenia, nie widząc ani gdzie jestem, ani co się dzieje, walczyłem z ogromną, włochatą bestią, która orała mi pazurami ciało.

Pewnego dnia przyjechał w odwiedziny dwukółką proboszcz. Pobłogosławił nas obu, po czym, zauważywszy czarnobłękitne sińce na moich ramionach i szyi, zapytał, kto mnie tak zbił i dlaczego. Garbosz przyznał, że to on, ale dodał, iż musiał mnie ukarać za nieposłuszeństwo. Ksiądz upomniał go łagodnie i polecił mu posłać mnie nazajutrz do kościoła.

Ledwo proboszcz odjechał, Garbosz wziął mnie do środka, rozebrał i zaczął chłostać wierzbową rózgą, unikając tylko twarzy, rąk i nóg, żeby nie pozostawić widocznych śladów. Jak zwykle, zakazał mi płakać, ale kiedy trafił w bardziej wrażliwe miejsce, nie wytrzymałem i zaskowytałem cicho. Czoło zrosił mu pot, na jego szyi wystąpiła żyła. Wepchnął mi w usta gałgan i, oblizując językiem suche wargi, bił mnie dalej. Nazajutrz z samego rana wyruszyłem do kościoła. Koszula i spodnie kleiły mi się do krwawych pręg na plecach i pośladkach. Ale Garbosz ostrzegł mnie, że jeśli pisnę choć słówko o wczorajszym laniu, wieczorem poszczuje mnie Judaszem. Zagryzłem wargi i przysiągłem, że nic nie powiem; miałem tylko nadzieję, że proboszcz sam niczego nie zauważy.

W brzasku jutrzenki dojrzałem przed kościołem tłum starych bab. Nogi miały poowijane długimi paskami materiału, a ramiona opatulały im przeróżne chusty; czekając na otwarcie świątyni, staruchy mamrotały bez przerwy modlitwy, zgrabiałymi z zimna palcami przesuwając paciorki różańca. Na widok proboszcza poderwały się chwiejnie na nogi i, wsparte na sękatych kijach, szybko podreptały w jego stronę; każda chciała jako pierwsza cmoknąć go w zatłuszczony rękaw. Stałem z boku, żeby nie zwracać na siebie uwagi. Ale te, które miały lepszy wzrok, spozierały na mnie z obrzydzeniem, nazywały czartem lub cygańską znajdą i spluwały po trzykroć w moją stronę.

Kościół zawsze mnie przytłaczał. A przecież był tylko jednym z licznych domów bożych rozsianych po całym świecie. Bóg nie mieszkał w żadnym z nich, ale z jakiejś przyczyny zakładano, że jest obecny we wszystkich równocześnie. Przypominał niespodziewanego gościa, dla którego bogatsi gospodarze zawsze stawiali dodatkowe nakrycie.

Proboszcz dostrzegł mnie i serdecznie pogładził po głowie. Plątałem się, odpowiadając na jego pytania i zapewniając, że już jestem posłuszny i gospodarz nie ma powodu, by spuszczać mi cięgi. Ksiądz dopytywał o rodziców, o nasze życie przed wybuchem wojny, o kościół, do którego mnie zabierali, a o którym niewiele umiałem powiedzieć. Uzmysłowiwszy sobie moją całkowitą ignorancję w sprawach wiary i jej praktykowania, zaprowadził mnie do organisty i polecił mu wyjaśnić mi znaczenie sprzętów liturgicznych oraz zacząć mnie szkolić na ministranta, abym umiał służyć do mszy porannej i nieszporów.

Odtąd chodziłem do kościoła dwa razy w tygodniu. Czekałem w sieni, aż stare baby dokuśtykają do ławek, po czym siadałem z tyłu, blisko chrzcielnicy z wodą święconą, która stanowiła dla mnie ogromną zagadkę. Wyglądała bowiem zupełnie tak samo jak każda inna woda. Nie miała barwy, nie miała zapachu; wydawała się czymś znacznie powszedniejszym niż, na przykład, sproszkowane końskie kości. A jednak jej siła magiczna podobno przewyższała moc wszystkich ziół, zaklęć i naparów, jakie dotąd poznałem.

Nie mogłem zrozumieć ani sensu mszy, ani roli księdza przy ołtarzu. Wszystko to było dla mnie magią, bardziej wspaniałą i kunsztowną niż czary Olgi, ale równie niepojętą. Patrzyłem z szacunkiem na kamienny ołtarz, zachwycałem się jakością spływającego z niego obrusa i splendorem tabernakulum, w którym mieszkał Duch Święty. Trwożliwie dotykałem niezwykłych przedmiotów przechowywanych w zakrystii: kielicha o lśniącym, wypolerowanym wnętrzu, w którym wino przemieniało się w krew; pozłacanej pateny, na której kapłan składał Hostię Świętą; kwadratowej, płaskiej bursy, do której chowano korporał. Bursa, rozcięta z jednej strony, składała się w harmonijkę. Jakże ubogo wyglądała w porównaniu z tym chata Olgi, pełna cuchnących żab, gnijącej ropy z ran, karaluchów.

Kiedy księdza nie było w kościele, a organista siedział na chórze przy swoim instrumencie, wślizgiwałem się ukradkiem do tajemniczej zakrystii, żeby podziwiać humerał, który ksiądz wsuwał przez głowę, po czym sprawnymi ruchami układał wokół szyi. Ze zmysłową rozkoszą gładziłem palcami wciąganą na humerał albę, wyrównywałem frędzle pasa, wąchałem wiecznie wonny manipularz zawieszany przez kapłana na lewym przedramieniu, upajałem się precyzyjnym krojem stuły oraz nieprawdopodobnie pięknymi wzorami ornatów, których różne barwy, jak wyjaśnił mi ksiądz, symbolizowały krew, ogień, nadzieję, pokutę i żałobę.

Kiedy Olga mamrotała magiczne zaklęcia, jej twarz zawsze zmieniała wyraz, wzbudzając strach lub szacunek. Guślarka wywracała oczami, rytmicznie potrząsała głową, wykonywała zawiłe ruchy rąk i dłoni. Ksiądz natomiast podczas odprawiania mszy świętej był taki sam jak zwykle. Miał tylko inną szatę i mówił innym językiem.

Jego wibrujący, donośny głos wzlatywał aż po kopułę świątyni, budząc nawet niemrawe staruchy drzemiące w wysokich ławach. Nagle prostowały opadające ramiona i z trudem unosiły pomarszczone powieki podobne do ciężkich, przejrzałych strąków fasoli. Smutne źrenice wyblakłych oczu spozierały lękliwie na boki, aż w końcu babiny, przypomniawszy sobie, gdzie się znajdują, od początku zaczynały mamrotać przerwane modlitwy, powoli znów kołysząc się do snu niczym zwiędłe wrzosy poruszane przez wiatr.

Kiedy msza kończyła się, staruszki szybko wypełniały nawy, przepychając się do rękawa księdza. Organy milkły. Przy drzwiach organista witał się serdecznie z księdzem, a do mnie machał ręką. Musiałem wracać do pracy: sprzątać izby, karmić bydło, przyrządzać posiłki.

Ilekroć wracałem do chałupy z pastwiska, kurnika czy obory, Garbosz próbował nowych metod chłostania mnie wierzbową rózgą lub sprawiania mi bólu za pomocą pięści i palców, najpierw jakby od niechcenia, potem z rosnącą zaciętością. Liczne pręgi i skaleczenia, nie mające czasu się zagoić, przemieniały się w otwarte rany, z których sączyła się żółta ropa. W nocy tak bardzo się bałem Judasza, że nie mogłem spać. Podrywałem się na każdy najlżejszy hałas, każde skrzypnięcie podłogi. Wpatrzony w nieprzenikniony mrok, wciskałem się w kąt izby. Moje uszy stawały się wielkie jak połówki dyni, gdy — wytężając słuch — starałem się odgadnąć po dźwiękach, co się dzieje w chacie i obejściu.

Kiedy wreszcie zapadałem w sen, męczyły mnie zmory, w których widziałem psy wyjące po okolicy. Unosiły mordy do księżyca, węsząc wonie nocy, a ja czułem, że zbliża się mój kres. Słysząc ujadanie, Judasz podkradał się do mojego posłania, a kiedy był tuż obok, rzucał się na mnie na komendę Garbosza i zaczynał szarpać zębami. Od jego śliny robiły mi się na skórze bąble, które miejscowy znachor musiał wypalać pogrzebaczem, rozgrzanym do czerwoności. Budziłem się z wrzaskiem; wtedy Judasz skakał na ścianę chałupy. Zaspany Garbosz wpadał do kuchni, pewien, że do środka wdarli się złodzieje, a zorientowawszy się, że krzyczałem bez powodu, bił mnie i kopał do utraty tchu. Leżałem na słomianej plecionce, okrwawiony i obolały, bojąc się, że jeśli zasnę, ponownie nawiedzi mnie koszmar. W ciągu dnia chodziłem nieprzytomny; za zaniedbywanie obowiązków znów dostawałem lanie. Czasami zasypiałem na sianie w stodole, podczas gdy Garbosz szukał mnie po całym obejściu. Kiedy przyłapywał mnie na drzemce, bicie zaczynało się od początku.

Doszedłem do wniosku, że pozornie bezzasadne ataki furii Garbosza muszą mieć jakąś tajemniczą przyczynę. Przypomniałem sobie magiczne zaklęcia Marty i Olgi. Wywierały wpływ na przebieg choroby, a także na inne wydarzenia, nie mające żadnego wyraźnego związku z samymi czarami. Postanowiłem odgadnąć, jakie okoliczności towarzyszą napadom szału Garbosza. Raz czy dwa wydało mi się, że wpadłem na właściwy trop. Dwukrotnie dostałem lanie chwilę po tym, jak podrapałem się w głowę. Może więc istniał związek między zachowaniem Garbosza a wszami, którym niewątpliwie przeszkadzałem w prowadzeniu normalnej działalności? Natychmiast przestałem się drapać, choć głowa swędziała mnie niemiłosiernie. Ale po dwóch dniach nieutrudniania wszom zajęć znów dostałem baty. Przyczyna tkwiła zatem gdzie indziej.

Według mojej następnej teorii bicia miały związek z furtką prowadzącą na pole koniczyny. Trzy razy po tym, jak przez nią przechodziłem, Garbosz wołał mnie do siebie i walił w twarz. Uznałem, że jakiś zły duch przecina mi drogę, kiedy idę do furtki, i podburza przeciwko mnie Garbosza. Postanowiłem więc, że aby uniknąć ducha przy furtce, będę przechodził przez płot. Ale to bynajmniej nie poprawiło sytuacji. Garbosz nie rozumiał, dlaczego tracę czas, wdrapując się na wysoki płot, zamiast przejść przez furtkę. Myśląc, że się z nim drażnię, jeszcze mocniej złoił mi skórę.

Podejrzewał mnie o złą wolę i dręczył bezustannie. Dla zabawy dźgał mnie między żebra trzonkiem motyki albo wrzucał w kępy pokrzyw i kolczastych krzaków niczym niechcianego kota, po czym zaśmiewał się, widząc, jak drapię się po piekących miejscach. Groził, że jeśli nadal będę nieposłuszny, przyłoży mi do brzucha mysz, tak jak mężowie robią niewiernym żonom. Tego lękałem się najbardziej. Wyobrażałem sobie mysz pod słoikiem stojącym na moim pępku i straszliwe męczarnie, kiedy uwięziony pod słojem gryzoń zacznie wżerać mi się w brzuch i wyjadać wnętrzności.

Zastanawiałem się nad różnymi sposobami rzucenia uroku na Garbosza, ale żaden nie wydawał się realny. Pewnego dnia, gdy przywiązał mi nogę do stołka i łaskotał w stopę źdźbłem żyta, przypomniałem sobie jedną z opowieści Olgi. Dotyczyła ćmy mającej na odwłoku wzór w kształcie trupiej czaszki podobnej do tej, która zdobiła czapkę niemieckiego oficera. Jeśli złapało się taką ćmę i chuchnęło na nią trzy razy, powodowało to śmierć najstarszego mieszkańca obejścia. Młodzi małżonkowie, czekający na spadek po żyjących dziadkach, uganiali się całe noce za właściwymi ćmami.

Od tej chwili, kiedy Garbosz i Judasz już spali, wędrowałem po chacie i otwierałem okna, żeby wpuścić ćmy. Wlatywały ich roje; zderzając się ze sobą, rozpoczynały taniec śmierci wokół migoczącej świecy. Niektóre wpadały w ogień i paliły się żywcem, inne znów przyklejały się do topniejącego wosku i nie mogły się oderwać. Powiadano, że Opatrzność Boska przemienia największych grzeszników kolejno w różne istoty i że w każdym wcieleniu muszą cierpieć katusze najbardziej właściwe dla tego gatunku. Ale niewiele mnie obchodziła pokuta płonących ciem. Chociaż machałem świecą w oknie, spraszając do chaty wszystkie, zależało mi tylko na jednej.

Pewnej nocy blask świecy i hałas zbudziły Judasza, a jego szczekanie zerwało z łóżka Garbosza. Podkradł się do mnie na palcach. Widząc, jak ze świecą w dłoni skaczę po izbie pośród roju much, ciem i innych owadów, był przekonany, że odprawiam jakieś złowieszcze cygańskie obrządki. Nazajutrz rano ukarał mnie przykładnie.

Ale nie zrezygnowałem. Po wielu tygodniach, tuż przed świtem, udało mi się wreszcie złapać upragnioną ćmę z dziwacznym wzorem. Ostrożnie chuchnąłem na nią trzy razy. Kiedy ją puściłem, przez moment trzepotała się wokół pieca, po czym znikła. Wiedziałem, że Garbosz ma przed sobą tylko kilka dni życia. Patrzyłem na niego z litością. Nie orientował się, że z nieznanej otchłani, zamieszkanej przez choroby, ból i śmierć, wyruszył mu naprzeciw kat. Może już nawet znajdował się w chałupie i czekał skwapliwie na odpowiedni moment, by przeciąć nić życia wieśniaka jak sierp ścina wątłe źdźbło. Kiedy wpatrzony w twarz Garbosza doszukiwałem się w jego oczach oznak śmierci, prawie nie czułem spadających na mnie razów. Gdyby tylko wiedział, co go czeka!

Jednakże chłop wciąż wyglądał zdrowo. Piątego dnia zacząłem podejrzewać, że śmierć zaniedbuje swoje obowiązki, gdy nagle ze stodoły doleciał mnie krzyk. Pognałem tam czym prędzej, przekonany, że mój oprawca kona i wzywa księdza, ale tylko stał pochylony nad trupem niedużego żółwia, którego odziedziczył po dziadku. Żółw, oswojony, mieszkał w rogu stodoły. Garbosz często przechwalał się, że w całej wsi nie ma starszej istoty.

Z czasem wyczerpałem wszystkie możliwości zgładzenia Garbosza. On natomiast co rusz wynajdywał nowe sposoby, żeby mnie nękać. Niekiedy wieszał mnie za ręce na gałęzi dębu, pozostawiając pod drzewem spuszczonego z uwięzi Judasza. Dopiero pojawienie się na drodze proboszcza w dwukółce skłaniało chłopa do przerwania zabawy.

Świat zamykał mi się nad głową niczym kamienne sklepienie krypty. Wahałem się, czy nie powiedzieć księdzu, co się dzieje, ale bałem się, że tylko zbeszta Garbosza, a chłop będzie miał kolejny pretekst, żeby mnie zlać. Przez pewien czas rozważałem, czy nie uciec z wioski, lecz w sąsiedztwie znajdowały się liczne posterunki niemieckie; lękałem się, co ze mną zrobią, jeśli znów mnie złapią i wezmą za cygańskie szczenię.

Któregoś dnia usłyszałem, jak proboszcz tłumaczy staremu chłopu, że za pewne modlitwy Bóg udziela sto lub trzysta dni odpustu. Ponieważ starzec nic nie rozumiał, ksiądz zaczął mu wszystko szczegółowo wyjaśniać. Z długiego wywodu pojąłem jedno: ci, którzy odmawiają więcej modlitw, gromadzą więcej dni odpustu, co ma także natychmiastowy wpływ na ich życie doczesne; innymi słowy, im częściej kto się modli, tym lepiej mu się wiedzie, a im rzadziej, tym więcej niedoli i bólu staje się jego udziałem. Nagle porządek świata objawił mi się z niezwykłą jasnością. Zrozumiałem, dlaczego jedni są silni, inni słabi, jedni wolni, drudzy zniewoleni, jedni bogaci, inni biedni, jedni zdrowi, drudzy schorowani. Ci pierwsi po prostu wcześniej uzmysłowili sobie potrzebę odmawiania pacierzy i zbierania jak największej liczby odpustów. Gdzieś w niebie odpowiednio segregowano napływające z ziemi modlitwy; każdy człowiek miał swój kosz, w którym przechowywano zgromadzone przez niego odpusty.

Widziałem w myślach bezkresne niebieskie łąki zastawione koszami; niektóre były wielkie, pęczniejące od odpustów, inne małe i prawie puste. Obok stały nowe, przygotowane dla takich jak ja, którzy nie poznali jeszcze wartości modlitwy.

Przestałem oskarżać innych; zrozumiałem, że sam jestem sobie winien. Byłem zbyt głupi, by odkryć zasadę rządzącą światem ludzi, zwierząt i wydarzeń. Dopiero teraz przekonałem się, że na świecie panuje jednak ład i sprawiedliwość. Należy tylko odmawiać modlitwy, koncentrując się na tych, za które przypada najwięcej dni odpustu. Jeśli zacznę tak czynić, jeden z pomocników Pana wpisze mnie do rejestru wiernych i przydzieli mi kosz, w którym moje dni odpustu będą się gromadzić jak wory pszenicy po młocce. Wierzyłem w siebie. Nie wątpiłem, że w ciągu krótkiego czasu zbiorę więcej odpustów niż inni: tak szybko zapełnię swój kosz, iż niebo wnet przydzieli mi większy; z tego odpusty także poczną się wysypywać, aż w końcu potrzebny będzie jeszcze obszerniejszy, ogromny jak kościół.

Udając zwykłe zaciekawienie, poprosiłem księdza, żeby pokazał mi mszał. Zorientowawszy się po liczbach, za które modlitwy przypada najwięcej dni odpustu, poprosiłem go, aby mnie ich nauczył. Trochę się dziwił, że niektóre tak wyraźnie przedkładam nad resztę, ale się zgodził i kilka razy przeczytał mi je na głos. Cały wysiłek myśli i ciała włożyłem w ich zapamiętanie. Wkrótce znałem je doskonale. Gotów byłem rozpocząć nowe życie. Miałem wszystko, co potrzeba; rozkoszowałem się świadomością, że dni udręki i poniżenia niedługo przejdą do przeszłości. Dotychczas byłem drobnym robakiem, którego każdy mógł rozgnieść obcasem. Ale nędzny robak wnet przeistoczy się w srogiego buhaja.

Nie miałem ani minuty do stracenia. Każdą wolną chwilę należało spożytkować na jeszcze jedną modlitwę, dodając tym sposobem kolejne dni odpustu do niebieskiego rachunku. Wkrótce zostanę nagrodzony łaską Pana; Garbosz przestanie mnie dręczyć.

Cały czas poświęcałem na modlitwy. Klepałem je jak

katarynka, jedną po drugiej, niekiedy dorzucając jakąś, za którą przypadały mniejsze ulgi. Nie chciałem, aby w niebie myślano, że zupełnie zaniedbuję skromniejsze pacierze. Nikt przecież nie mógł przechytrzyć Pana.

Garbosz zachodził w głowę, co się ze mną dzieje. Widząc, że ustawicznie mamroczę coś pod nosem i niewiele przejmuję się jego groźbami, nabrał podejrzenia, że rzucam na niego cygańskie uroki. Wolałem nie wyjawiać mu prawdy. Bałem się, że w jakiś sobie tylko znany sposób zabroni mi się modlić lub, co gorsza, użyje swoich wpływów w niebie, jako chrześcijanin o znacznie dłuższym stażu, aby unieważnić moje modły lub skierować ich strumień do własnego, najpewniej pustego koszyka.

Zaczął bić mnie coraz częściej. Czasami, kiedy o coś pytał, a ja byłem akurat w trakcie odmawiania modlitwy, nie odpowiadałem od razu, żeby sobie nie przerywać i nie tracić dni odpustu. Garbosz uznał, że robię się hardy, i postanowił mnie złamać. Bał się, że inaczej zbiorę się na odwagę i powiem księdzu o ciągłym biciu. Odtąd moje życie wypełniały na zmianę modlitwy i cięgi.

Mamrotałem pacierze bez przerwy od świtu do zmierzchu, gubiąc się w rachubie należnych mi odpustów, ale niemal widząc, jak ich stos bezustannie rośnie. Wyobrażałem sobie, że nawet święci przechadzający się po niebieskich łąkach przystają i z aprobatą kiwają głowami na widok gromady modlitw wzbijających się ku niebu niczym stada wróbli — wszystkie od małego chłopca o czarnych włosach i czarnych oczach. Moje imię pada najpierw na radzie aniołów, potem pomniejszych świętych, wreszcie głównych świętych, coraz bliżej i bliżej niebieskiego tronu.

Garbosz myślał, że tracę przed nim respekt. Nawet kiedy bił mnie mocniej niż dotąd, nie marnowałem czasu, tylko dalej gromadziłem odpusty, wychodząc z założenia, że ból minie, a one na zawsze zostaną w moim koszu. Teraźniejszość była okropna właśnie dlatego, że wcześniej nie wiedziałem, iż istnieje taki cudowny sposób poprawienia przyszłego bytu. Nie mogłem sobie pozwolić na to, by znów pozostać w tyle; miałem przecież do nadrobienia zaległe lata.

Garbosz nabrał przekonania, że wpadłem w cygański trans i nic dobrego z tego nie wyniknie. W końcu wyznałem mu, iż się modlę, ale choć zaklinałem się na wszystkie świętości, nie wierzył.

Jego obawy wkrótce się potwierdziły. Pewnego dnia krowa wyłamała bramę obory i weszła do ogrodu sąsiada, gdzie poczyniła znaczne szkody. Sąsiad, wściekły, przyleciał z siekierą do sadu Garbosza i z zemsty ściął mu wszystkie grusze i jabłonie. Garbosz chrapał, pijany jak bela, a Judasz bezradnie szarpał się na uwięzi. Żeby dopełnić czary goryczy, nazajutrz do kurnika wdarł się lis i podusił najlepsze nioski. Tego samego wieczoru, jednym machnięciem łapy, Judasz zmasakrował największą dumę Garbosza, pięknego indora, którego chłop nabył ostatnio za ciężkie pieniądze.

Garbosz zupełnie się załamał. Upił się gorzałką i wyznał mi swoją tajemnicę. Dawno by mnie zabił, gdyby nie lęk przed jego patronem, świętym Antonim. Wiedział też, że policzyłem mu zęby i moja śmierć kosztowałaby go wiele lat życia. Ale oczywiście, jak dodał, gdyby przypadkowo zagryzł mnie Judasz, on sam byłby bezpieczny od moich uroków, a i święty Antoni nie miałby za co go karać. W tym czasie na plebanii zachorował ksiądz. Widocznie przeziębił się w chłodnym kościele. Leżąc w swoim pokoju, trawiony gorączką, majaczył i rozmawiał sam z sobą lub z Bogiem. Raz zaniosłem mu trochę jajek, prezent od Garbosza. Specjalnie wspiąłem się na płot, żeby spojrzeć przez okno na proboszcza. Twarz miał bladą. Jego starsza siostra, niska, tęga kobieta z włosami upiętymi w kok, krzątała się koło łóżka, a wiejska znachorka puszczała księdzu krew i przystawiała pijawki, które pęczniały, przysysając się do ciała.

Nie wierzyłem własnym oczom. Proboszcz przecież na pewno uzbierał ogromną liczbę odpustów w ciągu swojego pobożnego życia, a jednak teraz chorował jak każdy inny śmiertelnik.

Na plebanię przyjechał nowy ksiądz. Był stary i łysy, o twarzy obciągniętej cienką, żółtą jak pergamin skórą. Sutannę miał przewiązaną fioletowym pasem. Kiedy zobaczył mnie odchodzącego z pustym koszykiem, przywołał do siebie i spytał, skąd się wziąłem, że jestem taki smagły. Organista, widząc nas razem, szepnął coś księdzu szybko do ucha. Kapłan pobłogosławił mnie i odszedł.

Organista powiedział mi, że nowy ksiądz nie życzy sobie, abym zbyt często pokazywał się w kościele. Do świątyni przychodzi wielu ludzi i aczkolwiek sam ksiądz nie uważa mnie za Cygana czy Żyda, podejrzliwi Niemcy mogą mieć inne zdanie i surowo ukarać całą parafię.

Czym prędzej pognałem do ołtarza. Zacząłem rozpaczliwie odmawiać modlitwy, te, za które przypadała największa liczba odpustów. Miałem niewiele czasu. A zresztą, któż to wiedział, może modlitwy szeptane przed samym ołtarzem, pod zbolałym spojrzeniem Syna Bożego i matczynym wzrokiem Najświętszej Panienki, miały większą moc niż te wypowiadane gdzie indziej. Całkiem możliwe, że leciały do nieba krótszą trasą albo zawoził je specjalny posłaniec, korzystający z szybkiego środka komunikacji, takiego jak pociąg. Organista, widząc mnie samego w kościele, przypomniał mi ostrzeżenie nowego kapłana. Pożegnałem więc z żalem ołtarz i znajome sprzęty liturgiczne.

W chałupie czekał Garbosz. Ledwo wszedłem, zaciągnął mnie do pustej narożnej izby. Tam, w najwyższym punkcie stropu, tkwiły w belce dwa świeżo wbite haki, niespełna pół metra od siebie. Do każdego umocowane były skórzane paski, służące za uchwyty.

Garbosz wspiął się na stołek, podniósł mnie do góry i kazał mi złapać się uchwytów. Kiedy zawisłem w powietrzu, wprowadził do izby Judasza. Wychodząc, zamknął na skobel drzwi.

Judasz, widząc, jak kołyszę się u sufitu, natychmiast skoczył do góry, próbując chwycić mnie zębami za stopy. Ale podciągnąłem nogi i zabrakło mu kilku centymetrów. Znów skoczył z rozbiegu i znów chybił. Po paru dalszych próbach ułożył się na ziemi i zaczął czekać.

Musiałem wciąż mieć go na oku. Kiedy spuszczałem nogi, dzieliło je od podłogi mniej niż dwa metry i Judasz bez trudu mógł ich dosięgnąć. Nie wiedziałem, jak długo przyjdzie mi tak wisieć. Domyślałem się, że Garbosz spodziewa się, iż spadnę, a wtedy Judasz rozszarpie mnie na kawałki. To zniweczyłoby wszystkie moje wysiłki, trwające od miesięcy, dokładnego zliczenia zębów Garbosza, łącznie z żółtymi pieńkami w głębi. Ileż to razy, kiedy chrapał pijany z rozdziawioną gębą, rachowałem cierpliwie jego ohydne zębiska. To była moja broń przeciwko niemu. Kiedy bił mnie za długo, przypominałem mu, ile ma zębów; jeśli mi nie wierzył, mógł sprawdzić. Znałem każdy jego ząb, bez względu na to, jak był chwiejny, spróchniały czy wykruszony, choćby aż do dziąsła. Gdyby Garbosz mnie zabił, nie pożyłby długo. Ale jeślibym spadł w rozwarty pysk Judasza, miałby czyste sumienie. Nie musiałby się niczego lękać, a patron, święty Antoni, pewnie rozgrzeszyłby go z mojej przypadkowej śmierci.

Ramiona mi drętwiały. Przenosiłem ciężar z ręki na rękę, to prostując, to zaciskając palce na rzemieniach, i powoli rozkurczałem podciągnięte nogi, opuszczając je niebezpiecznie nisko. Judasz leżał w kącie, udając, że śpi. Ale znałem jego sztuczki nie gorzej niż on moje. Wiedział, że pozostało mi jeszcze trochę sił i że zdołam szybciej podciągnąć nogi, niż on do nich doskoczyć. Więc czekał, aż zupełnie osłabnę.

Ból rozchodził się po moim ciele w dwóch kierunkach. Z dłoni do barków i szyi oraz od nóg do brzucha. Były to dwa różne bóle, pędzące ku sobie niczym krety drążące z dwóch przeciwnych stron tunele pod ziemią. Ból płynący z rąk mniej mi doskwierał. Jakoś sobie z nim radziłem, przenosząc ciężar to z prawej ręki na lewą, to odwrotnie, rozluźniając na moment mięśnie lub nawet zwisając przez chwilę tylko na jednej ręce, podczas gdy do drugiej powracało krążenie. Bardziej przeszkadzał mi ból w kroczu i podbrzuszu; kiedy raz się zagnieździł, nie umiałem się go pozbyć. Przypominał kornika, który, gdy znajdzie sobie w drzewie miły kąt za sękiem, zostaje w nim na zawsze.

Był to dziwny, tępy, świdrujący ból. Taki ból musiał czuć człowiek, o którym Garbosz opowiedział mi kiedyś ku przestrodze. Człowiek ten zabił podstępnie syna wpływowego gospodarza, więc ojciec postanowił ukarać mordercę według starego zwyczaju. Z pomocą dwóch krewnych zaciągnął winowajcę do lasu. Tam przygotowali trzymetrowy pal, ostrząc go z jednej strony jak ołówek. Położyli pal na ziemi, opierając grubszym końcem o pień drzewa. Po czym do każdej z nóg ofiary przytroczyli silnego konia, a krocze nakierowali na cienki szpic. Konie, popędzane nieśpiesznie, zaczęły nawlekać mężczyznę na obciosany pal, który powoli zagłębiał się w naprężone ciało. Kiedy czubek tkwił głęboko we wnętrznościach ofiary, chłopi podnieśli słup wraz z nabitym nań ciałem i wetknęli do wcześniej wykopanego dołu. Zostawili mordercę, aby pomału konał.

Teraz, wisząc u krokwi, wyobrażałem go sobie i niemal słyszałem, jak wyje w nocy, usiłując wznieść do góry ręce, opuszczone bezwładnie wzdłuż nabrzmiałego korpusu. Ciało musiało mu zwiotczeć jak zewłok ptaka strąconego z drzewa celnym strzałem z procy, który — spadając — nabił się na wyschniętą, ostro zakończoną trzcinę.

Wciąż pozorując obojętność, Judasz udał, że właśnie się zbudził. Ziewnął, podrapał się za uchem i zaczął polować na pchły w ogonie. Czasami spoglądał na mnie spod oka, ale odwracał się ze wstrętem, widząc moje podciągnięte nogi. Tylko raz zdołał mnie nabrać. Myśląc, że rzeczywiście zapadł w drzemkę, wyprostowałem nogi. Natychmiast dał susa w górę, skacząc wysoko jak świerszcz. Jednej nogi nie zdążyłem podkurczyć do końca; przejechał mi kłem po pięcie, zdzierając z niej skórę. Ze strachu i bólu o mało nie spadłem. Judasz oblizał się triumfalnie i znów ułożył pod ścianą. Obserwował mnie przez zwężone w szparki oczy i czekał.

Już nie wytrzymywałem dłużej. Postanowiłem, że zeskoczę na ziemię, i obmyślałem obronę przed Judaszem, chociaż wiedziałem, że nim zdążę podnieść rękę, skoczy mi do gardła. Musiałem być szybszy. Nagle przypomniałem sobie o modlitwach.

Zacząłem przenosić ciężar z jednej ręki na drugą, kręcić głową, wymachiwać nogami. Judasz spojrzał na mnie, zniechęcony tym popisem siły. Wreszcie odwrócił się do ściany i pozostał tak, nieruchomy.

Czas płynął, a ja modliłem się bezustannie. Tysiące dni odpustu mknęły w stronę nieba przez kryty strzechą dach.

Późnym popołudniem wszedł do izby Garbosz. Popatrzył na moje ciało i kałużę potu na podłodze. Wściekły, zdjął mnie z haków i kopniakami wygnał psa. Przez cały wieczór nie mogłem ani chodzić, ani poruszać rękami. Leżałem na sienniku i modliłem się. Dni odpustu wpadały setkami, tysiącami do mojego kosza. Na pewno było ich już więcej niż ziaren pszenicy na polu. Lada dzień, lada chwila ktoś w niebie musiał to zauważyć. Może właśnie w tym momencie święci rozważali radykalną poprawę mojego losu. Garbosz wieszał mnie codziennie. Czasami rano, czasami wieczorem. Gdyby nie bał się lisów, złodziei i nie potrzebował Judasza na podwórzu, przypuszczalnie robiłby to także w nocy.

Wszystko za każdym razem przebiegało tak samo. Dopóki miałem jeszcze siły, pies wyciągał się spokojnie na podłodze, udawał, że śpi, lub obojętnie polował na pchły. Kiedy ból w moich rękach i nogach wzmagał się, pies stawał się bardziej czujny, jakby wiedział, co się ze mną dzieje. Strugi potu ściekały mi po napiętych mięśniach i skapywały na podłogę, gdzie rozbryzgiwały się głośno. Kiedy tylko prostowałem nogi, Judasz natychmiast dawał susa.

Mijały miesiące. Stawałem się coraz bardziej potrzebny w obejściu, bo Garbosz wciąż się upijał i nie chciało mu się pracować. Wisiałem więc tylko wtedy, gdy akurat nie było nic do roboty. Kiedy chłop trzeźwiał i słyszał chrząkanie zgłodniałych świń i ryczenie krowy, zdejmował mnie z haków i pędził do zajęć. Mięśnie ramion tak mi się wyćwiczyły, że mogłem wisieć wiele godzin bez specjalnego wysiłku. Ale choć ból w żołądku pojawiał się znacznie później, często łapały mnie skurcze, czego się bardzo lękałem. Judasz nadal nie przepuszczał żadnej okazji, aby zaatakować znienacka, lecz chyba sam już zwątpił, że uda mu się mnie zaskoczyć.

Zwisając z haków, koncentrowałem się na modlitwach, nie myśląc o niczym innym. Kiedy traciłem siły, mówiłem sobie, że zanim spadnę, muszę jeszcze zmówić dziesięć lub dwadzieścia pacierzy. Gdy kończyłem, obiecywałem sobie, że dobrze, zaraz puszczę rzemienie, ale najpierw zmówię kolejne dziesięć modlitw. Wierzyłem, że lada moment coś się wydarzy, że każde dodatkowe tysiąc dni odpustu może w następnej sekundzie ocalić mi życie.

Czasami, aby odwrócić uwagę od bólu i drętwienia ramion, drażniłem Judasza. Kołysałem się, jakbym za chwilę miał zlecieć; pies, widząc to, szczekał, skakał, dosłownie dostawał szału. Kiedy znów kładł się spać, budziłem go krzykiem, mlaskaniem, zgrzytaniem zębów. Nie rozumiał, co się dzieje. Myśląc, że jestem u kresu sił, skakał jak szalony, wpadając w półmroku na ściany. W końcu zwykle przewracał zydel stojący przy drzwiach, wydawał skowyt bólu i z głębokim westchnieniem znów kładł się spać. Korzystałem z okazji, żeby wyprostować nogi. Kiedy w izbie aż dudniło od chrapania znużonej bestii, pozwalałem odpocząć umęczonym mięśniom, wyznaczając sobie nagrody za wytrwałość: po każdym tysiącu dni odpustu rozkurczałem jedną nogę, po każdych dziesięciu modlitwach opuszczałem jedną rękę, a po piętnastu zmieniałem pozycję.

Niespodziewanie rozlegał się chrobot skobla i wchodził Garbosz. Widząc mnie żywego, klął Judasza, kopał go i walił, aż pies piszczał i skowyczał jak szczenię.

Furia, z jaką chłop pastwił się nad psem, była tak straszliwa, że zastanawiałem się, czy to nie sam Bóg sprowadza Garbosza. Ale patrząc na jego twarz, nie dostrzegałem w niej ani śladu boskiej obecności.

Bił mnie teraz coraz rzadziej. Wieszania pochłaniały sporo czasu, a gospodarstwo wymagało przecież opieki. Dziwiłem się, że Garboszowi jeszcze nie znudziła się ta zabawa. Czy naprawdę spodziewał się, że pies mnie zagryzie, skoro przez tyle czasu mu się nie udało?

Po każdym zwisaniu z haków coraz dłużej dochodziłem do siebie. Mięśnie rozciągnięte jak przędza na kołowrotku nie chciały się kurczyć do dawnych rozmiarów. Poruszałem się z trudem. Czułem się jak sztywna, krucha łodyga podtrzymująca ciężki kwiat słonecznika.

Kiedy praca szła mi wolno, Garbosz kopał mnie, mówiąc, iż nie będzie utrzymywał darmozjada, i groził, że mnie odstawi na niemiecki posterunek. Starałem się pracować jeszcze pilniej niż dotychczas, żeby przekonać go o mojej użyteczności, ale nigdy nie mogłem mu dogodzić. Kiedy się upił, wieszał mnie na hakach, a Judasz warował cierpliwie pod spodem.

Minęła wiosna 1943 roku. Miałem dziesięć lat i zebrałem nie wiadomo ile dni odpustu na każdy dzień życia. Zbliżała się ważna uroczystość kościelna i wieśniacy szykowali odświętne stroje. Kobiety plotły wianki z leśnego tymianku, rosiczki, lipowych witek, kwiatów jabłoni i dzikich goździków, które święcono w kościele. Nawy i ołtarze ozdobiono pękami zielonych pędów brzóz, topoli i wierzb. Po święcie pędy te nabierały wielkiej wartości. Wtykano je w grządki warzyw, na polach kapusty, konopi i lnu, żeby zapewnić szybki wzrost roślin i ochronę przed szkodnikami.

W dniu święta Garbosz już z samego rana poszedł do kościoła. Ja, posiniaczony i obolały po ostatnim laniu, zostałem w zagrodzie. Urywane echo kościelnych dzwonów niosło się po polach; nawet Judasz nie szarpał się na łańcuchu jak zwykle, tylko stał w słońcu, nasłuchując. Było to Boże Ciało. Powiadano, że w tym dniu fizyczna obecność Syna Bożego jest bardziej odczuwalna w kościele niż w jakiekolwiek inne święto. Na mszę udali się wszyscy: grzesznicy i cnotliwi; ci, którzy modlili się ustawicznie, i ci, którzy nie modlili się nigdy; bogaci i biedni; chorzy i zdrowi. Tylko ja pozostałem sam na sam z psem, który nie miał szans na poprawę życia, choć również był jednym z boskich stworzeń.

Podjąłem szybką decyzję. Zapas odpustów, jaki zgromadziłem, na pewno dorównywał zebranym niegdyś przez wielu młodych świętych. I nawet jeśli moje wysiłki nie przyniosły dotąd widocznych rezultatów, na pewno zostały dostrzeżone w niebie, gdzie przecież rządzi sprawiedliwość.

Nie miałem się czego obawiać. Ruszyłem w stronę kościoła, krocząc niezaoraną miedzą przedzielającą pola.

Dziedziniec kościelny roił się od niezwykle barwnego tłumu i wesoło umajonych furmanek i koni. Usiadłem w rogu, czekając na odpowiednią okazję, aby bocznym wejściem wślizgnąć się do środka.

Nagle zauważyła mnie gospodyni proboszcza. Powiedziała, że jeden z ministrantów, którzy mieli służyć dziś do mszy, czymś się zatruł i pochorował. Mam natychmiast biec do zakrystii, przebrać się i zająć jego miejsce przed ołtarzem. Nowy ksiądz osobiście tak zarządził.

Oblała mnie fala gorąca. Spojrzałem w niebo. Wreszcie ktoś tam w górze zwrócił na mnie uwagę. Zobaczono moje modlitwy, piętrzące się jak ogromny kopiec kartofli w czasie wykopków. Za chwilę zbliżę się do Niego, stanę przy Jego ołtarzu, pod okiem Jego kapłana. Był to zaledwie początek. Od tej chwili rozpocznę inne, znacznie łatwiejsze życie. Doczekałem końca terroru, który trzęsie ciałem, do cna wyciskając z żołądka wymioty, tak jak wiatr szarpie pękniętą makówkę, wysypując z niej wszystkie ziarenka. Garbosz przestanie mnie bić i wieszać, Judasz zrezygnuje z ataków. Otwierało się przede mną nowe życie, spokojne jak żółte pola pszenicy kołyszące się lekko w łagodnych podmuchach wiatru. Pobiegłem do wejścia.

Niełatwo było dostać się do środka. Krzykliwie wystrojony tłum tłoczył się na dziedzińcu. Ktoś spostrzegł mnie i wskazał reszcie. Wieśniacy rzucili się na mnie i zaczęli smagać batami oraz gałązkami łoziny; starzy chłopi, którzy przyglądali się tej zabawie, aż pokładali się ze śmiechu. Zostałem wciągnięty pod wóz i przywiązany do końskiego ogona. Tkwiłem między dyszlami, a koń rżał i stawał dęba; kopnął mnie dwa razy, zanim wreszcie udało mi się oswobodzić.

Drżący, obolały, wpadłem do zakrystii. Ksiądz niecierpliwił się, chcąc czym prędzej rozpocząć mszę; pozostali ministranci ubrali się już dawno. Dygocząc ze zdenerwowania, włożyłem ministrancką komżę. Kiedy ksiądz nie patrzył, inni chłopcy podstawiali mi nogi albo dźgali mnie w plecy. Kapłan, zdziwiony moją opieszałością, tak się rozzłościł, że pchnął mnie gwałtownie; upadłem na ławkę, tłukąc sobie rękę. Wreszcie wszystko było gotowe. Drzwi zakrystii otworzyły się i w ciszy zatłoczonego kościoła, na oczach wyczekującego tłumu, zajęliśmy miejsca u stóp ołtarza, po trzech ministrantów z każdej strony księdza. Msza rozpoczęła się w całej wspaniałości.

Głos kapłana brzmiał bardziej melodyjnie niż zwykle; organy dudniły tysiącem gromkich serc; ministranci z powagą wypełniali dokładnie wyuczone obowiązki.

Raptem chłopiec stojący obok szturchnął mnie w żebra i skinął nerwowo w kierunku ołtarza. Patrzyłem na niego, nie wiedząc, o co chodzi, czując, jak krew łomocze mi w skroniach. Znów skinął; zobaczyłem, że także i ksiądz posyła mi naglące spojrzenia. Miałem coś zrobić, ale co? Wpadłem w panikę; z napięcia zaparło mi dech. Akolita odwrócił się do mnie i szepnął, abym przeniósł mszał.

Wtedy dopiero zdałem sobie sprawę, że właśnie ja powinienem przenieść mszał z jednego końca ołtarza na drugi. Wiele razy widziałem, jak to się robi. Ministrant podchodził do ołtarza, brał księgę wraz z podstawką, na której leżała rozłożona, cofał się na środek najniższego schodka przed ołtarzem, klękał trzymając ją przed sobą, po czym wstawał, zanosił mszał na drugą stronę ołtarza i wracał na miejsce.

Teraz ja musiałem wykonać te wszystkie czynności.

Czułem na sobie wzrok zgromadzonych wiernych. Równocześnie organista, jakby specjalnie dla podkreślenia wymowy sceny, kiedy to Cygan usługuje przy ołtarzu Pańskim, nagle przestał grać.

W kościele zaległa cisza jak makiem zasiał.

Opanowałem drżenie kolan i wspiąłem się po schodkach do ołtarza. Mszał, Święta Księga wypełniona modlitwami zgromadzonymi ku większej chwale Pana przez świętych i uczonych na przestrzeni wieków, spoczywał na solidnej drewnianej podstawce o nogach zakończonych mosiężnymi kulkami. Zanim jeszcze jej dotknąłem, zdałem sobie sprawę, że jestem za słaby, aby podnieść ją i przenieść na drugi koniec ołtarza. Sama księga, nawet bez podstawki, byłaby dla mnie za ciężka. Ale już nie mogłem się wycofać. Stałem przy ołtarzu; podłużne płomyki świec migotały mi w oczach. W ich drżącym świetle umęczone ciało ukrzyżowanego Jezusa wyglądało jak żywe. Ale kiedy spojrzałem na Jego twarz, przekonałem się, że wcale na mnie nie patrzy; oczy Jezusa były utkwione gdzieś w dole, poniżej ołtarza, niżej niż my wszyscy.

Usłyszałem za sobą niecierpliwe syknięcie. Wsunąłem spocone dłonie pod chłodną podstawę mszału, wziąłem głęboki oddech i, wytężając wszystkie siły, podniosłem księgę do góry. Ostrożnie zrobiłem krok w tył, szukając stopą krawędzi podestu. Nagle, w przedziale czasu nie dłuższym niż ukłucie igłą, ciężar mszału stał się tak wielki, że przeważył mnie do tyłu. Zachwiałem się; nie zdołałem odzyskać równowagi. Sklepienie kościoła zawirowało mi nad głową. Mszał i podstawa runęły na schody. Mimowolny krzyk wyrwał mi się z krtani. Niemal równocześnie uderzyłem plecami i głową o posadzkę. Kiedy otworzyłem oczy, ujrzałem nad sobą krąg pochylonych, czerwonych z wściekłości twarzy.

Szorstkie ręce uniosły mnie z posadzki i powlekły w stronę drzwi. Zdjęty grozą tłum rozstąpił się na boki. Z chóru jakiś męski głos wrzasnął: „Cygański czort!", a kilka innych podjęło ten okrzyk. Gniewne dłonie zaciskały się na moim ciele tak mocno, że rozdzierający ból przenikał mnie na wskroś. Na dworze chciałem krzyczeć i błagać o litość, ale z gardła nie wydobył mi się żaden dźwięk. Spróbowałem ponownie. Bez skutku.

Świeże powietrze uderzyło moje rozgrzane ciało. Chłopi zawlekli mnie prosto do kloacznego dołu pełnego nieczystości. Wykopano go dwa czy trzy lata temu; stojący przy nim nieduży wychodek z małymi okienkami w kształcie krzyża stanowił dumę proboszcza. Był to jedyny wychodek w całej okolicy. Chłopi załatwiali swoje potrzeby na polu, a z wygódki korzystali tylko wówczas, kiedy przyjeżdżali do kościoła. Po drugiej stronie prezbiterium wykopano niedawno nowy dół, gdyż stary zapełnił się po brzegi i wiatr często wwiewał do kościoła przykry fetor.

Kiedy zdałem sobie sprawę, co mnie czeka, znów spróbowałem krzyknąć. Ale nie mogłem wydobyć głosu. Ilekroć zaczynałem się szamotać, ciężka chłopska ręka opadała mi na twarz, zatykając usta i nos. Smród stawał się coraz ostrzejszy, w miarę jak zbliżaliśmy się do dołu. Usiłowałem się wyrwać, ale chłopi trzymali mnie mocno, cały czas komentując zdarzenie w kościele. Byli przekonani, że jestem czortem, a zakłócenie uroczystej mszy sprowadzi nieszczęście na wioskę.

Zatrzymaliśmy się przy dole. Brunatna, pomarszczona

powierzchnia, podobna do ohydnego kożucha na misce gorącej kaszy manny, parowała i cuchnęła. Roiło się w niej od tysięcy drobnych białych robaków, długości mniej więcej paznokcia. Nad dołem krążyły chmary much, bzyczących monotonnie, o pięknych błękitnych i fioletowych odwłokach połyskujących w słońcu; zderzały się ze sobą w locie, opadały w stronę odchodów, po czym znów wzbijały się w górę.

Zebrało mi się na wymioty. Chłopi rozhuśtali mnie za ręce i nogi. Blade obłoki na niebie migały mi przed oczami. I nagle wylądowałem w brunatnej brei, która rozwarła się pode mną i wchłonęła mnie do środka.

Gęsta, lepka maź wypełniła mi oczy, wżarła się w pory skóry, oblepiła włosy. Zanurzałem się coraz głębiej. Światło dnia zgasło nade mną i zacząłem się dusić. Miotałem się na oślep w zawiesistej brei, rozpaczliwie wymachując rękami i nogami. Dotknąłem dna i odbiłem się czym prędzej. Fala gąbczastego kału wyniosła mnie na powierzchnię. Otworzyłem usta i chwyciłem haust świeżego powietrza. Znów wessała mnie breja i znów odbiłem się od dna. Otwór kloaki ma trzy na trzy metry. Ponownie odepchnąłem się od dna, tym razem kierując się w stronę brzegu. W ostatniej chwili, zanim powstały wir wciągnął mnie w dół, uchwyciłem się jakichś długich, grubych pnączy, rosnących na skraju kloaki. Walcząc z wirem, który uparcie wsysał mnie w otchłań, wydostałem się na brzeg, ledwo co widząc przez sklejone kałem oczy.

Kiedy tylko wyczołgałem się z brei, chwyciły mnie

torsje. Skurcze trzęsły mną tak długo, że straciłem siły i osunąłem się, zupełnie wyczerpany, w kępy kłujących ostów, łopuchów i parzących pokrzyw.

Słysząc w oddali muzykę organów i śpiew wiernych, pomyślałem, że jeśli chłopi wyjdą po mszy z kościoła i zobaczą, że leżę żywy w zaroślach, pewnie znów zechcą wrzucić mnie do dołu i utopić. Musiałem uciekać; rzuciłem się biegiem w stronę lasu. Słońce suszyło brunatną skorupę, która pokrywała moje ciało, a chmary much i innych owadów oblegały mnie ze wszystkich stron.

Gdy tylko znalazłem się w cieniu drzew, zacząłem się tarzać po chłodnym, wilgotnym mchu i wycierać mokrymi liśćmi; co chwila musiałem przerywać, żeby zwymiotować. Kawałkami kory zdrapałem z siebie resztę mazi, we włosy wtarłem piach, po czym wytarzałem się w trawie i znów się wyrzygałem.

Nagle zdałem sobie sprawę, że coś się stało z moim głosem. Usiłowałem krzyknąć, ale język tylko trzepotał mi bezradnie w otwartych ustach. Straciłem głos. Przerażony, zlany zimnym potem, nie chciałem uwierzyć, że coś takiego mogło mi się przytrafić; wmawiałem sobie, że głos mi wróci. Odczekałem kilka chwil i spróbowałem znów. Nic. Ciszę leśną zakłócało jedynie bzyczenie otaczających mnie much.

Usiadłem. Krzyk, który wydałem, padając pod ciężarem mszału, wciąż dźwięczał mi w uszach. Czy był to ostatni dźwięk, jaki kiedykolwiek wydam? Czy mój głos uciekł w dal wraz z nim niby wołanie kaczki rozchodzące się nad ogromnym stawem? Gdzie znajdował się teraz? Wyobrażałem sobie, jak fruwa samotnie pod łukowatymi żebrami wysokiego kościelnego sklepienia. Widziałem, jak tłucze się o zimne ściany, święte obrazy, o grube szybki barwionego szkła w witrażach, przez które z trudem przebijają się promienie słońca. Patrzyłem, jak błąka się bez celu po pustych nawach, przemyka z ołtarza na ambonę, z ambony na chór, z chóru znów na ołtarz, goniony wieloakordowym rykiem organów i wznoszącym się falami śpiewem tłumu. Wszystkie niemowy, jakie kiedykolwiek widziałem, przemaszerowały mi przed oczami. Nie było ich dużo, a brak umiejętności mówienia upodabniał je do siebie. Pamiętałem tylko groteskowe miny, którymi usiłowali nadrobić niemotę, i konwulsyjne ruchy, mające przekazać treść niewypowiedzianych słów. Ludzie zawsze patrzyli na nich podejrzliwie; ze śliną ściekającą po brodach, trzęsący się, wykrzywieni, przypominali obce stworzenia.

Musiała istnieć przyczyna mojej utraty mowy. Jakaś potężna siła, z którą nie udało mi się jeszcze nawiązać porozumienia, kierowała mym losem. Zacząłem wątpić w to, że jest nią Bóg lub jeden z Jego świętych. Bóg nie miał powodu karać tak okrutnie kogoś, kto zabiegał o Jego łaskę niezliczonymi modłami i zgromadził nieskończoną liczbę odpustów. Najprawdopodobniej ściągnąłem na siebie gniew jakichś innych sił, co oplatały mackami tych wszystkich, których Bóg pozostawił na ich pastwę.

Coraz bardziej oddalałem się od kościoła, zagłębiając się w gęstniejący las. Z czarnej ziemi, do której nigdy nie dochodziło słońce, sterczały pniaki dawno ściętych drzew. Przypominały kaleki nie umiejące okryć niczym swoich skarlałych, okaleczonych kadłubów. Stały pojedynczo, samotnie. Krępe, przysadziste, nie miały energii podźwignąć się do światła i powietrza. Żadna moc nie mogła odmienić ich losu, sprawić, by ich soki wpłynęły w gałęzie i liście. Duże, podobne do oczu sęki u dołu pniaków wpatrywały się ślepymi źrenicami w falujące wierzchołki żywych braci. Ich własnych ciał nigdy nie będą szarpać i targać wiatry; zbutwieją powoli, złamane ofiary wilgoci i rozkładu panującego na dnie lasu.

12

Kiedy wiejskim wyrostkom, którzy kilkakrotnie zasadzali się na mnie w lesie, wreszcie udało się mnie pochwycić, byłem pewien, że stanie mi się coś strasznego. Tymczasem zaprowadzili mnie do sołtysa. Ten upewnił się, czy nie mam na ciele ran lub wrzodów i czy umiem się przeżegnać. Następnie, spotkawszy się z odmową kilku innych wieśniaków, umieścił mnie u gospodarza zwącego się Makar.

Zagroda Makara, w której mieszkał wraz z synem i córką, leżała trochę na uboczu od wioski. Żona gospodarza podobno zmarła przed laty. On sam nie był zresztą w wiosce zbyt dobrze znany, gdyż przyjechał tu dopiero przed kilkoma laty. Traktowano go jak obcego. Ale krążyły pogłoski, że unika ludzi, ponieważ grzeszy zarówno z chłopakiem, którego podaje za swojego syna, jak i z dziewczyną, którą przedstawia jako swoją córkę. Makar był niski, krępy, z byczym karkiem. Podejrzewał, że tylko udaję niemowę, aby nie zdradzić się tym, iż mówię wyłącznie po cygańsku. Czasami w nocy zakradał się na maleńki stryszek, gdzie spałem, usiłując sprowokować mnie, bym krzyknął ze strachu. Budziłem się, drżąc z przerażenia, i otwierałem szeroko usta, tak jak pisklę rozdziawia dziób, kiedy domaga się pokarmu, ale nie wydawałem żadnego dźwięku. Makar, zawiedziony, przyglądał mi się bacznie. Kilka razy przeegzaminował mnie w ten sposób i w końcu dał spokój.

Jego syn, Anton, miał dwadzieścia lat. Był to rudzielec o bladej cerze i powiekach bez rzęs. Wieśniacy stronili od niego tak samo jak od ojca. Ale nawet jeśli ktoś mówił coś do Antona, chłopak patrzył na niego obojętnie i szedł dalej bez słowa. Przezwano go Przepiórką, podobnie jak ten ptak bowiem odzywał się tylko sam do siebie i nigdy nie odpowiadał na głosy innych.

Córka, Ewka, o rok młodsza od Przepiórki, była wysoką, szczupłą blondynką o piersiach jak niedojrzałe gruszki i wąskich biodrach, które pozwalały jej się przecisnąć między sztachetami płotu. Ewka również nigdy nie zaglądała do wioski. Kiedy Makar i Przepiórka szli do sąsiednich osad sprzedawać króliki i królicze skórki, zostawała w zagrodzie. Czasami odwiedzała ją Anulka, miejscowa znachorka.

Ewki nie lubiano w wiosce. Wieśniacy powiadali, że ma kozła w oczach. Wyśmiewali się z wola, które zaczynało jej zniekształcać szyję, z chrapliwego głosu, mówili, że krowy tracą mleko, kiedy się zbliża, i dlatego właśnie Makar hoduje tylko króliki i kozy.

Często słyszałem, jak wieśniacy szemrają między sobą,

że dziwaczną rodzinę Makara powinno się przegnać z wioski, a ich zagrodę spalić. Ale Makar nie przejmował się żadnymi pogróżkami. Zawsze nosił w rękawie długi nóż, którym potrafił rzucać tak celnie, że raz z odległości pięciu kroków przygwoździł do ściany karalucha. Z kolei Przepiórka trzymał w kieszeni ręczny granat, który znalazł przy zabitym partyzancie. Groził, że wysadzi nim wraz z całą rodziną każdego, kto będzie bruździł jemu, jego ojcu lub siostrze. Zagrody Makara pilnował tresowany wilczur, wabiący się Dydko. W szopach wokół obejścia stały rzędy króliczych klatek. Tylko druciana siatka oddzielała je od siebie. Króliki mogły się przez nią wąchać i porozumiewać, a Makarowi wystarczył rzut oka, żeby ogarnąć wszystkie sztuki.

Makar był doświadczonym hodowcą. W swoich klatkach trzymał wiele wspaniałych okazów, na jakie nie mogli sobie pozwolić nawet najbogatsi gospodarze. Miał także kozła i cztery kozy.

Opiekował się nimi Przepiórka; doił je, pędził na pastwisko, a czasami zamykał się z nimi w komórce. Kiedy Makar wracał do domu po udanej transakcji, upijał się razem z synem, po czym obaj szli do kóz. Ewka napomykała złośliwie, że dobrze się tam zabawiają. Przywiązywali wówczas Dydka przy drzwiach obory, aby nikt nie mógł się zbliżyć.

Ewka nie znosiła ani brata, ani ojca. Często całymi dniami nie wychodziła z chaty z obawy, że Makar i Przepiórka zmuszą ją, aby spędziła z nimi resztę popołudnia w komórce dla kóz.

Ewka lubiła mieć mnie przy sobie, kiedy gotowała. Pomagałem jej obierać warzywa, przynosiłem drwa na opał, wynosiłem popiół. Czasami chciała, żebym całował ją po nogach. Przytulałem się wtedy do szczupłych łydek i zaczynałem je pieścić, począwszy od kostek; delikatnie muskałem wargami i łagodnie gładziłem dłonią napięte mięśnie, całowałem miękkie zagłębienia pod kolanami, stopniowo posuwając się w stronę gładkich białych ud. Powoli unosiłem spódnicę. Dziewczyna poganiała mnie postukiwaniem w plecy, więc przesuwałem się do góry, całując i lekko szarpiąc zębami aksamitną skórę. Kiedy docierałem do ciepłego wzgórka, ciało Ewki poczynało spazmatycznie drgać. Oddychając coraz szybciej, przebiegała gwałtownie palcami po moich włosach, głaskała mnie po szyi, szczypała w uszy. Wreszcie przyciskała mocno moją twarz do siebie i, po krótkim transie, padała na ławę, zupełnie wyczerpana.

Podobało mi się również to, co robiła ze mną później. Siadała na ławie, trzymając mnie między rozchylonymi kolanami, tuliła i pieściła, całując po szyi i twarzy. Suche, podobne do wrzosów włosy spadały mi na twarz, kiedy spoglądałem w jasne oczy lub patrzyłem, jak szkarłatny rumieniec oblewa policzki, szyję i ramiona dziewczyny. Ponownie budziły się moje dłonie i usta. Ewka zaczynała drżeć i sapać, jej wargi stawały się zimne, a drżące ręce przyciskały mnie do ciała.

Kiedy słyszeliśmy, że wracają mężczyźni, Ewka szybko biegła do kuchni, poprawiając włosy i spódnicę, podczas gdy ja leciałem do klatek, nakarmić przed wieczorem króliki.

184

Później, gdy Makar i jego syn już spali, przynosiła mi kolację. Połykałem ją szybko, podczas gdy Ewka gładziła mnie zmysłowo po nogach, całowała po włosach i pośpiesznie ściągała mi ubranie. Kiedy kładliśmy się obok siebie, przytulała się mocno, mówiąc, gdzie mam ją całować, gdzie ssać. Spełniałem wszystkie jej życzenia, nawet jeśli to, co kazała mi robić, było dla mnie bolesne lub niezrozumiałe. Ruchy Ewki stawały się coraz gwałtowniejsze; dygotała pode mną, po czym sama wsuwała się na górę, następnie znów kazała mi się kłaść na siebie, obejmowała mnie kurczowo nogami, drapała paznokciami po plecach i ramionach. Spędzaliśmy tak większość nocy, od czasu do czasu zapadając w drzemkę, a po przebudzeniu od nowa próbując zaspokoić wrzące w Ewce namiętności. Ciało jej było siedliskiem dziwnych wewnętrznych wstrząsów i napięć. Chwilami naprężało się jak królicza skórka, którą dla wysuszenia naciągnięto na deskę, po czym nagle znów się uspokajało.

Zdarzało się, kiedy Przepiórka zamykał się z kozami, a Makar jeszcze nie wrócił do chałupy, że Ewka w ciągu dnia odnajdywała mnie w jednej z szop z króliczymi klatkami. Przeskakiwaliśmy razem przez płot i znikali pośród łanów pszenicy. Ewka, idąc na przedzie, wyszukiwała bezpieczną kryjówkę. Popędzała mnie, żebym szybciej się rozdziewał, niecierpliwie szarpiąc moje ubranie, po czym kładliśmy się na szorstkiej słomie. Rzucałem się na Ewkę i starałem się zaspokoić jej przeróżne zachcianki, podczas gdy nad nami kołysały się ciężkie kłosy, niczym fale na spokojnym morzu. Ewka często zasypiała na parę chwil. Wówczas rozglądałem się po złotym oceanie pszenicy, przypatrując się muchom mięsnym bzykającym niemrawo w promieniach słońca. Jaskółki obiecywały dobrą pogodę swoim kunsztownym lotem. Motyle uganiały się beztrosko dookoła, a samotny jastrząb, zawieszony wysoko na niebie znak wiecznego zagrożenia, wypatrywał naiwnego gołębia. Czułem się bezpieczny i szczęśliwy. Ewka poruszała się przez sen, a jej dłoń, rozchylając źdźbła, odruchowo szukała mojej. Podczołgiwałem się do dziewczyny, wsuwałem między jej nogi i zaczynałem znów ją całować.

Ewka chciała zrobić ze mnie mężczyznę. Odwiedzała mnie w nocy i łaskotała w krocze, wsuwała mi do środka słomki, co było dość bolesne, pieściła ręką lub lizała. Działo się ze mną coś dziwnego, czego dotąd nie znałem i na co nie miałem wpływu. Moja reakcja była jak paroksyzm, niespodziewana i nieregularna, raz szybsza, raz wolniejsza; ale wiedziałem, że tego nowego doznania nic nie powstrzyma.

Kiedy Ewka, mrucząc przez sen, zasypiała u mojego boku, zastanawiałem się nad tymi sprawami, wsłuchany w chrobotanie dochodzące z otaczających nas klatek.

Dla Ewki gotów byłem uczynić wszystko. Zapomniałem o swoim losie cygańskiej niemowy skazanej na śmierć w płomieniach. Przestałem być chochlikiem, z którego naśmiewały się pastuchy, rzucającym uroki na dzieci i zwierzęta. W snach przeistaczałem się w wysokiego, przystojnego mężczyznę o jasnej cerze i niebieskich oczach, a włosach płowych jak jesienne liście. Stawałem się niemieckim oficerem w obcisłym czarnym mundurze. Albo łowcą ptaków znającym wszystkie sekretne przejścia przez lasy i bagna.

W snach moje zręczne dłonie rozbudzały w wiejskich dziewczynach gwałtowną namiętność, przemieniając je w rozpustne Ludmiły, które uganiały się za mną po ukwieconych łąkach, kładły się ze mną na kępach dzikiego tymianku lub pośród poletek łubinu.

Przywierałem w snach do Ewki, łapiąc ją jak pająk, oplatając wokół niej więcej nóg, niż ma stonoga. Wrastałem w jej ciało jak nieduża gałązka zaszczepiona na rosłej jabłoni przez wprawnego ogrodnika.

Powtarzał się także inny sen, który przynosił całkiem odmienną wizję. Ewki próby zrobienia ze mnie dorosłego mężczyzny skutkowały natychmiast. Jedna część mojego ciała rosła błyskawicznie, przemieniając się w monstrualny, ogromny pal, podczas gdy reszta pozostawała niezmieniona. Byłem ohydnym wybrykiem natury; siedziałem zamknięty w klatce, ludzie zaś przyglądali mi się przez pręty, śmiejąc się w podnieceniu. Przez tłum szła do mnie Ewka i łączyliśmy się w groteskowym uścisku. Stawałem się potworną naroślą na jej gładkim ciele. Wiedźma Anulka czyhała w pobliżu z ogromnym nożem, gotowa odciąć mnie od dziewczyny, okaleczając okrutnie, a ochłap cisnąć mrówkom.

Głosy rozbrzmiewające o świcie kładły kres tym koszmarom. Kury gdakały, koguty piały, głodne króliki tupały w klatkach, a Dydko, rozzłoszczony hałasami, zaczynał warczeć i ujadać. Ewka ukradkiem wracała do chałupy, a ja karmiłem króliki sianem nagrzanym przez nasze ciała.

Makar parę razy dziennie obchodził klatki. Do każdego królika mówił po imieniu i nic nie umykało jego uwagi. Sam karmił ulubione samice, a kiedy miały małe, nie odstępował ich klatek. Największą miłością darzył białą olbrzymkę o różowych oczach, która dotąd nie rodziła. Co pewien czas zabierał ją do chaty i trzymał przez kilka dni w swojej izbie; za każdym razem, gdy ją odnosił do klatki, coś było z nią wyraźnie nie w porządku. Często krwawiła spod ogona, nie chciała jeść i sprawiała wrażenie chorej.

Pewnego dnia Makar zawołał mnie, wskazał na wielką samicę i kazał mi ją zarżnąć. Nie mogłem uwierzyć, że mówi poważnie. Był to niezwykle cenny okaz, gdyż tak idealnie białe króliki trafiają się bardzo rzadko. Co więcej, ze względu na swoje wyjątkowe rozmiary, samica powinna miewać duże mioty. Makar jednak powtórzył polecenie, nie patrząc ani na mnie, ani na królicę. Nie wiedziałem, co robić. Makar zawsze sam zabijał zwierzęta, bojąc się, że jestem za słaby, by zgładzić je szybko i bezboleśnie. Do moich obowiązków należało ściąganie skórek i patroszenie. Później Ewka przyrządzała z tuszek smakowite potrawy. Widząc, że się waham, Makar wymierzył mi policzek i ponownie rozkazał zabić królicę.

Była strasznie ciężka; z trudem wywlokłem ją na podwórze. Szamotała się, popiskując; brakowało mi sił, aby za tylne nogi unieść ją do góry i zadać jej śmiertelny cios za uszami. Nie miałem wyboru; musiałem zabić samicę bez podnoszenia jej z ziemi. Wyczekałem na dobry moment i walnąłem ją w głowę najmocniej, jak umiałem. Znieruchomiała. Dla pewności uderzyłem jeszcze raz. Kiedy nabrałem przekonania, że jest martwa, powiesiłem ją na specjalnym słupie. Wyostrzyłem nóż na kamieniu i wziąłem się do ściągania skórki.

Najpierw rozciąłem futerko na nogach, ostrożnie oddzielając od mięśni, aby przypadkiem go nie uszkodzić. Po każdym nacięciu obciągałem je w dół, aż doszedłem do szyi. Było to trudne miejsce, bo uderzenie za uszami spowodowało tak znaczne krwawienie, że nie widziałem, gdzie jest skóra, a gdzie mięso. Ponieważ najdrobniejsze uszkodzenie cennego króliczego futerka wprawiało Makara w furię, wolałem nie myśleć, co mi zrobi, jeśli niechcący przedziurawię akurat tę skórkę.

Zacząłem zdzierać ją ze zdwojoną uwagą, ciągnąc wolno w stronę głowy, gdy nagle wiszący zewłok przebiegł dreszcz. Oblał mnie zimny pot. Odczekałem chwilę, ale królica nie ruszała się. Uspokojony, przekonany, że mi się przywidziało, ponownie zabrałem się do roboty. Ale ciało znów drgnęło. Zwierzę było tylko ogłuszone.

Ruszyłem po pałkę, żeby ją dobić, ale straszliwy pisk zatrzymał mnie w pół drogi. Częściowo odarte ze skóry ciało zaczęło podrygiwać i skręcać się na słupie. Oszołomiony, nie bardzo wiedząc, co robię, uwolniłem szamoczącą się samicę. Gdy tylko spadła na ziemię, rzuciła się do ucieczki, pędząc raz w jedną, raz w drugą stronę. Piszcząc przez cały czas, tarzała się po obejściu, jakby chcąc się pozbyć zwisającej skóry. Trociny, liście, paprochy i kozie bobki przyklejały się do nagiego, zakrwawionego ciała.

Miotała się coraz gwałtowniej, biegając w kółko bez poczucia kierunku, oślepiona spadającymi jej na oczy fałdami skóry, która zaczepiała się o gałęzie i chwasty niczym zrolowana wokół kostki pończocha. Przejmujące piski wywołały na podwórzu istne pandemonium. Przerażone króliki pozamykane w klatkach ogarnął szał: zdenerwowane samice deptały potomstwo, a samce skakały na siebie z kwikiem, tłukąc zadkami o ścianki. Dydko ciskał się i szarpał na łańcuchu. Kury trzepotały skrzydłami, podejmując rozpaczliwe próby wyfrunięcia z tego piekła, ale, zrezygnowane i upokorzone, opadały na krzaki pomidorów i grządki cebuli.

Królica, teraz już cała szkarłatna, wciąż biegała po obejściu. Pognała w trawę, potem znów w kierunku klatek; usiłowała przedrzeć się przez zagon fasoli. Za każdym razem, gdy zwisająca skóra zahaczała o jakąś przeszkodę, zwierzę stawało, wydając straszliwy pisk i rosząc wszystko wokół krwią.

Wreszcie z chałupy wyleciał Makar z siekierą w ręce. Popędził za zakrwawioną królicą i jednym ciosem rozpłatał ją na dwoje. Po czym raz po raz walił w zalane posoką szczątki. Twarz miał bladożółtą i klął, na czym świat stoi.

Kiedy z królicy pozostała tylko krwawa miazga, Makar dostrzegł mnie i podleciał, dygocząc z wściekłości. Nie zdążyłem uskoczyć; potężny kopniak prosto w brzuch przerzucił mnie przez płot. Świat zawirował i zrobiło mi się czarno przed oczami, jakby to moja własna skóra opadła mi na twarz niczym ciemny kaptur.

Kopnięcie unieruchomiło mnie na kilka tygodni. Leżałem w starej króliczej klatce. Raz dziennie Przepiórka albo Ewka przynosili mi coś do jedzenia. Czasami Ewka zjawiała się także wieczorem, ale widząc, w jakim jestem stanie, odchodziła bez słowa.

Pewnego razu Anulka, dowiedziawszy się, od czego zaniemogłem, przyniosła żywego kreta. Rozerwała go na moich oczach i przyłożyła trupka do mojego podbrzusza, a potem trzymała tak, dopóki zupełnie nie ostygł. Nie miała wątpliwości, że po tej kuracji wnet powrócę do zdrowia.

Brakowało mi towarzystwa Ewki, jej ciepła, dotyku, uśmiechu. Chciałem wyzdrowieć jak najprędzej, ale sama ochota nie wystarczała. Kiedy usiłowałem wstać, paraliżował mnie przeraźliwy ból brzucha, który trwał kilka minut. Wyczołgiwanie się z klatki, żeby oddać mocz, było tak straszliwą męczarnią, że często rezygnowałem i załatwiałem się pod siebie.

Wreszcie zajrzał i Makar, który zagroził, że jeśli w ciągu dwóch dni nie wrócę do pracy, odda mnie chłopom. Wybierają się właśnie z dostawą na stację, więc przy okazji chętnie przekażą mnie niemieckiej żandarmerii.

Zacząłem chodzić. Nogi uginały się pode mną i szybko się męczyłem.

Pewnego wieczoru usłyszałem w obejściu hałasy. Przyłożyłem oko do szpary między deskami. Zobaczyłem, jak Przepiórka prowadzi kozła do ojcowskiej izby, oświetlonej tylko nikłym światłem lampy naftowej.

Kozła rzadko wypuszczano z komórki. Była to wielka,

cuchnąca bestia, dzika i nie lękająca się nikogo. Nawet Dydko wolał nie wchodzić mu w drogę. Kozioł atakował kury i indyczki, trykał łbem w płoty i pnie drzew. Kiedyś pogonił za mną, ale ukryłem się pośród króliczych klatek i w końcu Przepiórka go zabrał.

Zaintrygowany tą dziwną wizytą u Makara, wspiąłem się na dach szopy, aby lepiej widzieć wnętrze izby. Wkrótce weszła Ewka, owinięta prześcieradłem. Makar podszedł do kozła i brzozową witką zaczął go gładzić po podbrzuszu. Następnie, kilkoma lekkimi uderzeniami witki, zmusił bestię, by stanęła przednimi nogami na niskiej półce. Ewka zrzuciła prześcieradło; ujrzałem ze zgrozą, że jest naga. Wsunęła się pod capa, przywierając do niego jak do mężczyzny. Makar co pewien czas odpychał ją na bok i jeszcze bardziej podniecał kozła. Po chwili znów zaczynała spółkować ze zwierzęciem, obejmując je namiętnie i poruszając energicznie biodrami.

Coś we mnie pękło. Moje myśli rozsypały się i potłukły na drobne kawałki podobne do skorup rozbitego dzbana. Czułem się pusty jak rybi pęcherz, dziurawiony raz po raz, który zapada się w głęboką, mulistą wodę.

Nagle cały ciąg wypadków wydał mi się jasny i oczywisty. Zrozumiałem powiedzenie, jakie często słyszałem w odniesieniu do ludzi, którym powodziło się w życiu: „Są w zmowie z diabłem".

Wieśniacy wciąż oskarżali się nawzajem o korzystanie z pomocy różnych czortów, takich jak Lucyfer, Belzebub, Asmodeusz, Belfegor i wielu innych. Jeśli siły piekielne były tak skore do pomagania wieśniakom, zapewne czaiły się wokół każdego, czekając na najmniejszy ślad zachęty lub moment słabości. Próbowałem sobie wyobrazić, jak działają złe moce. Umysły i dusze ludzkie stały przed nimi otworem jak zaorane pole; diabły mogły siać bez przeszkód swoje jadowite ziarno. Jeśli padało na podatny grunt i wypuszczało kiełki, proponowały nieograniczoną pomoc, pod warunkiem że będzie użyta w celach egoistycznych i na szkodę innym. Od chwili podpisania paktu z szatanem, im więcej bólu, utrapień, krzywd i goryczy człowiek sprowadzał na bliźnich, tym większych sam mógł oczekiwać korzyści. Jeśli jednak wzdragał się przed gnębieniem sąsiadów i znajomych, jeśli ulegał takim uczuciom jak miłość, przyjaźń czy litość, wówczas natychmiast tracił siły, a jego własne życie musiało wchłonąć cierpienia i porażki, jakich oszczędzał innym.

Istoty zamieszkujące duszę ludzką studiowały pilnie nie tylko każdy postępek człowieka, ale także jego pobudki i myśli. Najważniejsze było, aby świadomie czynił zło, radował się cudzą krzywdą, pielęgnował diabelską moc daną mu przez szatana i używał jej tak, aby szerzyć nieszczęście i boleść.

Ci, w których takie namiętności jak nienawiść, chciwość, pragnienie zemsty albo upodobanie do zadawania tortur gorzały z prawdziwą mocą, ubijali z czortami doskonały interes. Inni, zagubieni, niepewni swoich celów, plączący się między klątwą a modlitwą, karczmą a kościołem, borykali się z życiem samotnie, bez pomocy ze strony Boga lub szatana.

Dotąd należałem do tych drugich. Byłem zły na siebie, że tak długo nie dostrzegałem prawdziwych praw rządzących światem. Przecież szatan niewątpliwie zgłaszał się najpierw do tych, którzy sami objawiali nienawiść i chęć czynienia zła. Człowiek, który zaprzedał się diabłu, do końca życia pozostawał w jego mocy. Od czasu do czasu musiał wykazywać się coraz większą liczbą nieprawości. Skala ocen była jednak różna. Czyn krzywdzący jedną osobę miał, oczywiście, mniejszą wartość, niż ten, który szkodził wielu. Liczyły się również następstwa popełnionego łajdactwa. Zniszczenie życia młodemu chłopakowi stanowiło ważniejsze osiągnięcie niż złamanie starca stojącego nad grobem. Ponadto, jeśli uczyniona krzywda potrafiła tak odmienić charakter poszkodowanego, że sam sprzymierzał się z siłami zła, wówczas należała się specjalna nagroda. Pobicie niewinnego człowieka było więc mniej warte niż rozpalenie w nim nienawiści do innych. Rozbudzenie nienawiści do całych narodów musiało zatem mieć cenę najwyższą. Nawet nie umiałem sobie wyobrazić nagrody, na jaką zasłużyła osoba, której udało się zarazić wszystkich niebieskookich blondynów ziejącą nienawiścią dla ludzi śniadych.

Zacząłem także rozumieć, co spowodowało niesłychany sukces Niemców. Czyż nie słyszałem, jak ksiądz tłumaczył wieśniakom, że Niemcy jeszcze w zamierzchłych czasach z upodobaniem prowadzili wojny? Pokój nigdy nie miał dla nich uroku. Nie chcieli uprawiać ziemi, brakowało im cierpliwości, żeby przez cały rok czekać na żniwa. Woleli napadać na inne ludy i grabić ich plony. Szatan na pewno więc dostrzegł Niemców już dawno. Rozmiłowani w szkodzeniu innym, zaprzedali mu się duszą i ciałem. Dlatego właśnie posiadali tyle wspaniałych umiejętności. Dlatego bezkarnie narzucali innym swoje wyrafinowane metody szerzenia krzywdy. Sukces tworzył błędne koło: im więcej zadawali cierpień, tym więcej dostawali tajemnych mocy, przydatnych w rozpowszechnianiu zła. A im więcej ich mieli, tym więcej zła mogli czynić. Nikt nie potrafił ich powstrzymać. Byli niepokonani; po mistrzowsku wywiązywali się z podjętych zobowiązań. Zarażali innych swoją nienawiścią, skazywali całe narody na zagładę. Każdy Niemiec już w chwili urodzenia sprzedawał duszę diabłu. W tym tkwiło źródło ich siły i potęgi.

Leżałem w ciemnej klatce, zlany zimnym potem. Ja również nienawidziłem wielu ludzi. Ile to razy marzyłem o chwili, kiedy będę duży i silny; chciałem wrócić, podpalić osadę, wytruć chłopom dzieci i bydło, a ich samych zwabić na mordercze bagna. W pewnym sensie szatan już mnie zwerbował, podpisałem z nim wstępny pakt. Teraz potrzebowałem jego pomocy w szerzeniu nieprawości. Byłem jeszcze bardzo młody; szatan mógł oczekiwać, że skoro całą przyszłość mam dopiero przed sobą, moja nienawiść i apetyt czynienia zła rozrosną się z czasem jak szkodliwe chwasty, rozsiewając swoje nasiona po wielu polach.

Poczułem się silniejszy i bardziej pewny siebie. Minął okres uległości, wiary w dobro, w moc modlitwy, w ołtarze, księży, w Boga, który pozbawił mnie mowy. Jak pięknie odpłaciła mi Ewka za moją miłość i gotowość spełniania wszystkich jej życzeń!

Teraz przyłączę się do tych, którym pomaga szatan. Jeszcze nie wykazałem się niczym szczególnym w jego służbie, ale z czasem dorównam najbardziej doświadczonym Niemcom. Otrzymam wyróżnienia i nagrody, a także specjalne moce, które pozwolą mi gnębić ludzi najsubtelniejszymi metodami. Każdego, kto się ze mną zetknie, zarażę złem. Będzie odtąd również prowadził dzieło zniszczenia, a jego sukcesy zasilą moje konto.

Nie mogłem tracić czasu. Musiałem rozniecić w sobie nienawiść tak ogromną, żeby skłoniła mnie do działań, na które szatan musi zwrócić uwagę. Jeśli rzeczywiście istnieje, nie przegapi okazji, by wprzęgnąć mnie w swoje dzieło.

Nie czułem już bólu. Podczołgałem się do chaty i zajrzałem przez okno. W izbie zakończyły się igraszki z kozłem; bestia stała spokojnie w kącie. Ewka bawiła się teraz z Przepiórką. Oboje nadzy, to skakali jak żaby, to kładli się na sobie i tarzali po podłodze, sczepieni w podobny sposób, jak uczyła mnie Ewka. Makar, również nagi, obserwował ich z góry. Kiedy Ewka zaczęła wierzgać nogami i dygotać, a Przepiórka zesztywniał nagle jak polano, Makar ukląkł przy nich, przysuwając się do twarzy córki; jego masywna sylwetka zasłoniła ją przed moim wzrokiem.

Przypatrywałem się przez chwilę całej trójce, ale obraz, który miałem przed oczami, spływał po moim odrętwiałym umyśle niczym krople wody skapujące z sopla.

Nagle zapragnąłem działać; utykając, wybiegłem z podwórza. Dydko, nawykły do moich ruchów, tylko zawarczał i znów zapadł w drzemkę. Skierowałem się w stronę stojącej na skraju wsi chaty Anulki. Wszedłem cicho na teren obejścia i zacząłem szperać dookoła; szukałem komety. Wystraszone kury rozgdakały się. Zajrzałem do sieni. W tym momencie zbudziła się starucha. Przyczaiłem się za beczką i kiedy Anulka wyszła na zewnątrz, wyskoczyłem, wyjąc jak potępieniec, i dźgnąłem ją kijem między żebra. Wiedźma rzuciła się z wrzaskiem do ucieczki, wzywając na pomoc Boga i wszystkich świętych, potykając się o żerdzie podtrzymujące krzaki pomidorów w ogródku.

Wsunąłem się do dusznej izby i wkrótce znalazłem przy piecu starą kometę. Szybko wsypałem do niej szuflę żarzących się węgli i pomknąłem w stronę lasu. Zaczynało świtać. Za sobą słyszałem piski Anulki i coraz liczniej odpowiadające jej głosy zaalarmowanych psów i ludzi.

13

O tej porze roku opuszczenie wioski nie nastręczało trudności. Często przyglądałem się chłopcom, jak mocowali do butów własnoręcznie wykonane łyżwy, nad głowami rozpościerali płachty płótna na kształt żagli i dawali się pchać wiatrom przez gładką lodową taflę pokrywającą bagna i łąki.

Bagna ciągnęły się między wioskami przez wiele kilometrów. Jesienią woda przybierała, zalewając trzciny i zarośla. Niewielkie ryby i inne stworzenia mnożyły się szybko pośród trzęsawisk. Czasami widziało się węże ze sztywno uniesionymi nad powierzchnią łbami, płynące z determinacją. Moczary nie zamarzały tak prędko jak sadzawki i jeziora. Zupełnie jakby broniły je przed tym trzciny, a także wzburzające wodę wiatry.

W końcu jednak lód skuwał wszystko. Tylko kity najwyższych trzcin, i z rzadka gałęzi, sterczały gdzieniegdzie, pokryte warstwą szronu; przycupywały na nich niepewnie płatki śniegu.

Po okolicy hulały dzikie, nieposkromione wiatry. Omijając ludzkie siedziby, nabierały prędkości nad płaskimi moczarami, gdzie wzbijały tumany sypkiego śniegu, pchały przed sobą połamane gałęzie i kartoflane łęty oraz gięły dumne korony wyższych drzew, sterczące z lodu. Wiedziałem, że jest wiele wiatrów i że toczą między sobą boje; trykają się jak barany, siłują, spychają w przeciwne strony.

Od dawna miałem łyżwy, które zrobiłem, spodziewając się, że pewnego dnia będę musiał opuścić wioskę. Przymocowałem gruby drut do dwóch długich kawałków drewna, wygiętych na końcu, po czym przeciągnąłem przez nie rzemienne paski. Służyły do wiązania łyżew do sabotów, które również wykonałem własnoręcznie. Miały prostokątne drewniane podeszwy, a z wierzchu skrawki króliczego futra wzmocnione grubym płótnem.

Na skraju moczarów przyczepiłem łyżwy. Przez ramię przewiesiłem płonącą kometę i rozpostarłem nad głową żagiel. Uderzyła mnie niewidzialna dłoń wiatru. Z każdym podmuchem, oddalającym mnie od wioski, nabierałem prędkości. Łyżwy ślizgały się po lodzie, kometa świeciła jaskrawo. Znajdowałem się teraz pośrodku wielkiej, zamarzniętej tafli. Świszczący wiatr popychał mnie coraz szybciej; wraz ze mną mknęły do przodu ciemnoszare obłoki o jasnych brzegach.

Lecąc po bezkresnej białej równinie, czułem się wolny i samotny jak szpak, który wzbił się wysoko w niebo i daje się nieść podmuchom i strumieniom powietrza, nieświadomy pędu, urzeczony żywiołowym tańcem. Zdając się na moc wiatru, szerzej rozpostarłem żagiel. Dziwiło mnie, że miejscowa ludność uważa wiatr za wroga i zamyka przed nim okna z obawy, iż przywieje im dżumę, paraliż lub śmierć. Lecz chłopi twierdzili, że panem wiatrów jest szatan, a one wykonują jego złowieszcze rozkazy.

Lodowaty powiew pchał mnie ze stałą siłą przez wiele godzin. Śmigałem po lodzie, omijając nieliczne zamarznięte badyle. Powoli słońce zaczęło chylić się ku zachodowi; kiedy wreszcie się zatrzymałem, ramiona i nogi w kostkach miałem sztywne z zimna. Postanowiłem odpocząć i się ogrzać, ale kiedy zdjąłem kometę, okazało się, że zgasła. Nie żarzyła się ani iskierka. Ze strachu opadły mi ręce; nie wiedziałem, co począć. Nie mogłem wrócić do wioski: brakowało mi sił, aby przez taki kawał drogi zmagać się z wiatrem. Nie miałem pojęcia, czy gdzieś w okolicy są jakieś domostwa i czy zdołam je znaleźć przed zapadnięciem mroku ani czy ich mieszkańcy zechcą udzielić mi schronienia.

Pośród świszczącego wiatru usłyszałem dźwięk podobny do chichotu. Zadrżałem na myśl, że to szatan wystawia mnie na próbę; czeka na chwilę, kiedy będę gotów przyjąć jego ofertę.

Zacinający wiatr niósł wciąż nowe szepty, pomruki, jęki. Więc jednak szatan się mną interesował: żeby nauczyć mnie nienawiści, najpierw zabrał mi rodziców, potem Martę, Olgę, przekazał mnie w ręce cieśli, pozbawił mowy, a Ewkę oddał staremu capowi. Teraz kazał mi wędrować przez lodowate pustkowie, ciskał w twarz śniegiem, wprawiał w zamęt myśli. Byłem w mocy szatana, sam na szklistej tafli lodu, którą rozpostarł między odległymi wsiami. Czorty fikały koziołki nad moją głową i kierowały mną według swych zachcianek.

Mimo bólu nóg udałem się w dalszą drogę. Czas płynął, lecz każdy krok był cierpieniem, więc co chwila musiałem odpoczywać. Siadając na lodzie, poruszałem przemarzniętymi kończynami, nacierałem policzki, nos i uszy śniegiem zeskrobanym z włosów i odzieży, masowałem zgrabiałe palce, usiłowałem przywrócić czucie zdrętwiałym stopom.

Słońce opadło na horyzont; jego skośne promienie były równie zimne jak blask księżyca. Kiedy siedziałem, otaczający mnie świat przypominał wielki rondel pieczołowicie wypolerowany przez pracowitą gospodynię.

Rozpostarłem nad głową płótno, aby chwytać w nie każdy podmuch, i mknąłem prosto ku zachodzącemu słońcu. Już prawie straciłem nadzieję, gdy nagle spostrzegłem rysujące się w oddali strzechy. Po chwili zobaczyłem wioskę jak na dłoni, ale równocześnie ujrzałem gromadę wyrostków jadących na łyżwach w moją stronę. Bez rozpalonej komety bałem się z nimi spotkać, więc ruszyłem na ukos, zamierzając dotrzeć na skraj osady. Było jednak za późno; już mnie zauważyli.

Pędzili ławą w moją stronę. Zacząłem biec pod wiatr, ale brakowało mi tchu, a nogi miałem jak z waty. Usiadłem na lodzie, ściskając w ręce kometę.

Chłopcy zbliżali się. Było ich co najmniej dziesięciu. Wymachując ramionami, podtrzymując się nawzajem, posuwali się szybko. Wiatr porywał ich głosy; nic nie słyszałem. W końcu rozdzielili się na dwie grupy i podjechali do mnie ostrożnie. Skuliłem się na lodzie, zakrywając twarz płótnem, w nadziei, że może dadzą mi spokój.

Otoczyli mnie, spozierając podejrzliwie. Udawałem, że ich nie widzę. Trzech najsilniejszych przysunęło się bliżej.

— Cygan — stwierdził któryś. — Cygański pędrak.

Spróbowałem się podnieść; wtedy pozostali skoczyli do mnie i wykręcili mi ręce do tyłu. Powoli ogarniało ich coraz większe podniecenie. Bili mnie po twarzy i brzuchu. Krew zamarzła mi na wargach i skroni, zakrywając jedno oko. Najwyższy coś powiedział. Reszta przytaknęła z zapałem. Chwyciwszy mnie za nogi, zaczęli rozpinać mi spodnie. Domyśliłem się, co chcą zrobić. Raz byłem świadkiem, jak zgraja pastuchów załatwiła chłopaka z innej wioski, który nieopatrznie zapuścił się na ich terytorium. Wiedziałem, że tylko cud może mnie uratować.

Pozwoliłem im zsunąć mi portki, udając, że jestem zbyt wyczerpany, aby się bronić. Liczyłem na to, że nie będą mi ściągać łyżew i sabotów, które miałem solidnie umocowane do stóp. Widząc, że leżę bezwładnie i się nie opieram, prześladowcy zwolnili nieco uścisk. Dwóch największych uklękło na lodzie i zaczęło mnie walić pokrytymi szronem rękawicami w odsłonięte podbrzusze.

Napinając mięśnie, cofnąłem nogę i kopnąłem w głowę jednego z pochylonych nade mną wyrostków. Coś trzasnęło.

W pierwszej chwili myślałem, że pękła łyżwa, ale kiedy wyszarpnąłem ją z oka prześladowcy, była cała. Drugi chłopak usiłował złapać mnie za nogi; wierzgając, przejechałem mu łyżwą po gardle. Obaj padli na ziemię, zalewając się krwią. Resztę wyrostków ogarnęła panika; większość z nich pognała w kierunku wioski. Powlekli ze sobą rannych, znacząc na czerwono lód. Jednakże czterech chłopaków pozostało na miejscu.

Przygnietli mnie do tafli długą żerdzią używaną do łowienia ryb w przeręblach. Kiedy przestałem się szamotać, zaczęli mnie spychać w stronę najbliższego otworu. Na skraju wody ponowiłem rozpaczliwie obronę, lecz nie dali się zaskoczyć. Dwóch powiększyło przeręblę, a następnie wspólnymi siłami zepchnęli mnie do niej żerdzią. Pilnowali, czy aby się nie wynurzę.

Lodowata woda zamknęła się nade mną. Zacisnąłem wargi i wstrzymałem oddech; boleśnie kłujący szpic żerdzi wpychał mnie pod lodową pokrywę. Chwilę później znalazłem się pod nią; czułem jej szorstki dotyk na głowie, ramionach, gołych dłoniach. Teraz ostry koniec żerdzi już mnie nie dźgał; kołysał się na wodzie przy moich plecach, bo prześladowcy puścili kij.

Zimno przeniknęło mnie na wskroś. Zamarzał mi nawet umysł. Dusząc się, opadałem coraz niżej. Woda w tym miejscu była płytka; nagle zdałem sobie sprawę, że mogę odepchnąć się żerdzią od dna i dopłynąć do otworu. Pochwyciłem żerdź; wspierając się na niej, przesuwałem się pod powierzchnią lodu. Kiedy już myślałem, że zaraz pękną mi płuca, i gotów byłem otworzyć usta i wciągnąć w nie choćby wodę, zorientowałem się, że jestem tuż przy przerębli. Jeszcze raz się odepchnąłem i moja głowa wyskoczyła z wody. Chwytałem ustami powietrze, które paliło mi przełyk jak strugi wrzącej zupy. Złapałem się ostrej krawędzi lodu, trzymając się jej tak, bym mógł oddychać bez zbytniego wychylania się nad powierzchnię. Nie wiedziałem, jak daleko tamci odeszli; wolałem nie ryzykować.

Jedynie w twarzy nadal miałem czucie; reszta ciała zdrętwiała mi zupełnie. Wydawało się częścią otaczającego mnie lodu. Tylko z największym wysiłkiem poruszałem rękami i nogami.

Wyjrzałem ostrożnie z przerębli i zobaczyłem w oddali malejące sylwetki wyrostków. Kiedy znikli mi z oczu, wczołgałem się na lodową taflę. Ubranie zamarzło mi natychmiast i skrzypiało przy każdym ruchu. Zacząłem skakać w miejscu, prostować zdrętwiałe nogi i ramiona, nacierać się śniegiem, ale ciepło powracało zaledwie na parę sekund, po czym znów uchodziło. Przywiązałem jakoś podarte spodnie, wyciągnąłem z wody żerdź i wsparłem się na niej ciężko. Wiatr uderzał mnie z boku; z trudem utrzymywałem kierunek. Kiedy słabłem, wsuwałem żerdź między nogi i odpychałem się nią niby sztywnym ogonem.

Odległość dzieląca mnie od domostw rosła; powoli zbliżałem się do lasu widocznego na skraju lodowiska. Było późne popołudnie; kanciaste zarysy kominów i dachów odcinały się od brązowej tarczy słońca. Każdy podmuch wiatru okradał moje ciało z cennych resztek ciepła. Wiedziałem, że dopóki nie dotrę do lasu, nie wolno mi odpoczywać ani nawet na chwilę przystawać. Zacząłem dostrzegać desenie na korze pni. Spłoszony szarak wyskoczył spod krzaka.

Kiedy doszedłem do pierwszych drzew, kręciło mi się w głowie. Miałem wrażenie, że jest środek lata, złote kłosy pszenicy kołyszą się nade mną, a ciepła dłoń Ewki gładzi mnie po ciele. Przed oczami jawiły mi się różne potrawy; ogromna misa wołowiny przyprawionej octem, czosnkiem, pieprzem i solą; gar owsianej grucy zagęszczonej kiszoną kapustą i kawałkami tłustego, soczystego boczku; równo ucięte pajdy jęczmiennego chleba namoczone w barszczu z kaszą, ziemniakami i kukurydzą.

Postąpiłem kilka kroków po zamarzniętej ziemi i wkroczyłem w las. Moje łyżwy zaczepiały o korzenie i krzaki. Potknąłem się, po czym usiadłem na zwalonym drzewie. Z miejsca zacząłem się zapadać w gorące łoże, między miękkie, nagrzane poduchy i pierzyny. Ktoś się pochylił nade mną; usłyszałem kobiecy głos, gdzieś mnie niesiono. Wszystko rozpłynęło się w parną letnią noc, pełną oszałamiających, wilgotnych, wonnych oparów.

14

Obudziłem się w ciepłej izbie na obszernym, niskim łożu przysuniętym do ściany i wyłożonym owczymi skórami. W blasku grubej świecy ujrzałem klepisko, bielone wapnem ściany, spód słomianego poszycia. Na gzymsie nad paleniskiem wisiał krzyż. Przy ogniu siedziała kobieta wpatrzona w wysokie płomienie. Bosa, w obcisłej spódnicy z samodziału, na ramiona miała zarzucony dziurawy kaftan z króliczego futra rozpięty do pasa. Widząc, że się zbudziłem, podeszła i usiadła na łóżku, które aż jęknęło pod jej ciężarem. Ujęła mnie za brodę i przyjrzała mi się bacznie. Kiedy się uśmiechnęła, nie zakryła ust dłonią, jak to było w zwyczaju tutejszych wieśniaków. Odważnie ukazała dwa rzędy żółtych, krzywych zębów.

Mówiła w miejscowym narzeczu, które nie do końca rozumiałem. Ciągle nazywała mnie swoim biednym Cyganiątkiem, małą żydowską znajdą. Początkowo nie chciała uwierzyć, że jestem niemową. Co jakiś czas zaglądała mi w usta, uderzała w krtań lub próbowała mnie przestraszyć; ponieważ jednak wciąż milczałem, wkrótce dała za wygraną. Nakarmiła mnie gęstym, gorącym barszczem, po czym obejrzała dokładnie moje odmrożone uszy, dłonie i stopy. Powiedziała, że nazywała się Łabina. Czułem się u niej bezpieczny i było mi dobrze. Bardzo ją lubiłem.

W ciągu dnia Łabina chodziła do co bogatszych gospodarzy pracować jako służąca; zwłaszcza do tych, którzy mieli dużo dzieci lub którym chorowały żony. Często zabierała mnie ze sobą, żebym mógł zjeść porządny posiłek, chociaż w wiosce szeptano, że należy mnie oddać Niemcom. Łabina reagowała na takie słowa potokiem przekleństw, wykrzykując, że przed Bogiem wszyscy są równi, a ona nie jest Judaszem, żeby sprzedać bliźniego za srebrniki.

Wieczorami Łabina przyjmowała gości. Mężczyźni, którym udało się wykraść z domu, przychodzili do jej chaty, przynosząc gorzałkę i kosz jedzenia.

W chacie znajdowało się jedno ogromne łoże, które mogło z łatwością pomieścić trzy osoby. Odsunąwszy je nieco od ściany, w powstałą szparę Łabina rzuciła stos worków, szarych szmat i baranich skór; tam było moje legowisko. Zawsze kładłem się spać przed zjawieniem się gości, ale często budziły mnie ich śpiewy i hałaśliwe toasty. Udawałem jednak, że śpię. Nie chciałem ryzykować bicia, na które — jak często, choć bez przekonania powtarzała Łabina — zasługiwałem. Przez zmrużone oczy obserwowałem, co dzieje się w izbie.

Libacje ciągnęły się do późna w nocy. Zwykle jeden chłop zostawał, kiedy inni wychodzili. Siadał obok Łabiny i, oparci o nagrzany piec, pili z tego samego kubka. Kiedy kobieta zaczynała się chwiać niepewnie i pochylać w stronę mężczyzny, kładł wielką, czarną łapę na jej zwiotczałych udach i powoli wsuwał pod spódnicę.

Łabina początkowo zachowywała się obojętnie, potem trochę się broniła. Mężczyzna wsuwał drugą rękę w dekolt jej koszuli i ściskał piersi kobiety tak mocno, że krzyczała i zaczynała dyszeć chrapliwie. Czasami klękał na klepisku i wpychał gwałtownie twarz między jej nogi, gryząc ją przez spódnicę, a równocześnie rękami ściskając za pośladki. Często uderzał ją znienacka kantem dłoni w krocze; schylała się wówczas, pojękując.

Gaszono świecę. Łabina i chłop rozbierali się po ciemku, śmiejąc się i klnąc; potykali się o meble i o siebie, niecierpliwie ciskali odzież na klepisko, przewracali flaszki, które toczyły się po całej izbie. Kiedy padali na łóżko, bałem się, że się zawali. Podczas gdy ja rozmyślałem o gnieżdżących się w chałupie szczurach, Łabina i jej gość miotali się po łóżku, dysząc, walcząc, wzywając Boga i szatana; mężczyzna wył jak pies, kobieta pochrząkiwała jak maciora.

Zdarzało się, że w nocy budziłem się nagle, wyrwany z głębokiego snu, na klepisku pomiędzy łóżkiem a ścianą. Łóżko nade mną dygotało, wprawione w drgania przez szamoczące się konwulsyjnie ciała. W końcu zaczynało zjeżdżać po pochyłym klepisku na sam środek izby.

Ponieważ worki i skóry zsuwały się, jeśli mojego legowiska nie przytrzymywało łóżko, musiałem przeczołgiwać się pod nim na drugą stronę, a następnie pchać je z powrotem do ściany. Dopiero wówczas mogłem się znów położyć. Na zimnym i wilgotnym klepisku pod łóżkiem walały się kocie odchody i szczątki przytaszczonych przez koty ptaków. Pełznąc na brzuchu, rozrywałem w ciemnościach gęste pajęczyny; wystraszone pająki przebiegały mi po twarzy i włosach. Myszy o małych, ciepłych ciałkach ocierały się o mnie, czmychając do nor.

Fizyczny kontakt z tym mrocznym światem zawsze napawał mnie wstrętem i lękiem. Wygrzebywałem się spod łóżka, oczyszczając twarz z pajęczyn, i czekałem na odpowiednią chwilę, by przysunąć łóżko bliżej ściany.

Stopniowo mój wzrok przyzwyczajał się do ciemności. Widziałem, jak spocone, zwaliste cielsko mężczyzny opada na dygoczącą kobietę. Obejmowała jego mięsiste pośladki nogami, które sterczały spod niego jak skrzydła ptaka zmiażdżonego kamieniem.

Chłop, stękając i sapiąc ciężko, wsuwał rękę pod kobietę i przygarniał ją do siebie, po czym unosił się i wierzchem dłoni bił ją po piersiach. Rozlegały się głośne plaśnięcia, jakby mokrym płótnem uderzano o głaz. Osuwając się na nią z powrotem, przygważdżał ją do łóżka. Łabina, pokrzykując niezrozumiale, okładała go kułakami po plecach. Czasami chłop podnosił ją z posłania, zmuszając, aby klękała na łóżku, wsparta na łokciach, i wchodził w nią od tyłu, rytmicznie waląc w jej ciało brzuchem i udami.

Przyglądałem się z rozczarowaniem i obrzydzeniem ich splecionym, dygoczącym postaciom. Więc to miała być miłość: dzika jak buhaj dźgany ostrym kołkiem, brutalna, cuchnąca, pełna potu? Taka miłość kojarzyła mi się z bijatyką; kobieta i mężczyzna walczyli ze sobą, usiłując wyrwać jedno drugiemu rozkosz, oboje otumanieni, niezdolni do myślenia, zasapani, bardziej zwierzęcy niż ludzcy. Przypomniałem sobie chwile spędzone z Ewką. Jakże inaczej odnosiłem się do niej. Mój dotyk był łagodny; moje dłonie, usta, język tylko muskały jej skórę, miękkie i delikatne jak babie lato unoszące się w ciepłym, bezwietrznym powietrzu. Ustawicznie wyszukiwałem nowych wrażliwych miejsc nie znanych nawet jej samej, ożywiając je dotykiem, podobnie jak promienie słońca przywracają do życia motyla zziębniętego podczas chłodnej jesiennej nocy. Pamiętałem swoje najrozmaitsze wysiłki wyzwalające z ciała dziewczyny tęsknoty i drżenia, które inaczej pozostałyby uwięzione w niej na zawsze. Uwalniałem je, bo pragnąłem wyłącznie tego, aby sama w sobie odkryła rozkosz.

Miłosne uściski Łabiny i jej gości rychło się kończyły. Były jak przelotne wiosenne ulewy, które roszą liście i trawy, ale nigdy nie sięgają korzeni. Tymczasem moje zabawy z Ewką właściwie nie ustawały; jedynie przerywaliśmy je na krótko, gdy Makar lub Przepiórka wkraczali w nasze życie. Trwały długo w noc, niczym ogień torfowy łagodnie rozdmuchiwany przez wiatr. Ale nawet ta miłość zgasła tak szybko, jak płonące żagwie, które pastuch zdusza derką. Kiedy tylko okazałem się czasowo niezdolny do pieszczot,

Ewka o mnie zapomniała. Od ciepła mojego ciała, delikatnych objęć ramion, łagodnego dotyku palców i ust wolała cuchnącego, włochatego capa, który wnikał w nią głęboko, ohydnie.

Wreszcie łóżko przestawało się trząść, a zwiotczałe ciała, leżące nieruchomo jak sztuki ubitego bydła, zapadały w sen. Wtedy przesuwałem łóżko na miejsce, po czym — przechodząc nad śpiącymi — kładłem się w zimnym kącie i naciągałem na siebie wszystkie baranie skóry.

W deszczowe popołudnia Łabinę ogarniała melancholia; opowiadała mi o swoim mężu, Łabie, który nie żył od lat. Kiedyś Łabina była piękną dziewczyną, o której rękę zabiegali najbogatsi chłopi. Ale wbrew rozsądnym radom zakochała się w Łabie przezywanym Krasnym, najbiedniejszym parobku w całej wsi, i wyszła za niego.

Łaba rzeczywiście był urodziwy: wysmukły jak topola, zwinny jak wiewiórka. Jego włosy lśniły w słońcu, cerę miał gładką niczym niemowlę, oczy bardziej błękitne niż najczystsze niebo. Wystarczyło, że spojrzał na kobietę, a krew wrzała jej w żyłach, umysł zaś wypełniały lubieżne myśli. Łaba orientował się, że jest przystojny i że wzbudza w kobietach podziw i pożądanie. Lubił paradować nago po lesie i kąpać się w stawie. Spoglądając na krzaki, wiedział, że obserwują go stamtąd zarówno młode dziewki, jak i mężatki.

Był jednak najbiedniejszym parobkiem we wsi. Cierpiał rozliczne upokorzenia ze strony bogatych gospodarzy, którzy go najmowali do pracy. Chcieli poniżyć go za to, że ich żony i córki wzdychają do niego. Dręczyli również Łabinę, wiedząc, że jej ubogi mąż jest od nich zależny i może tylko przyglądać się bezradnie.

Pewnego dnia Łaba nie wrócił z pola. Nie wrócił ani nazajutrz, ani dwa dni później. Przepadł jak kamień w wodę. Sądzono, że albo się utopił, albo wciągnęły go bagna lub może jakiś zazdrosny konkurent dźgnął go nożem i zakopał nocą w lesie.

Życie toczyło się dalej bez Łaby. Jedynie powiedzenie „krasny jak Łaba" przetrwało po nim w wiosce.

Minął rok, dla Łabiny rok samotności. Ludzie zapomnieli o Łabie; tylko ona wierzyła, że żyje i wróci. Pewnego letniego dnia, kiedy wieśniacy odpoczywali w krótkim cieniu drzew, z lasu wyłonił się wóz ciągnięty przez spasionego konia. Na wozie jechał wielki kufer pokryty płótnem, a obok wozu maszerował Krasny Łaba w pięknej skórzanej kurtce zarzuconej po huzarsku na ramiona, w spodniach z najlepszego materiału i lśniących butach z cholewami.

Dzieci rozbiegły się po chatach, roznosząc nowinę; chłopi i baby wylegli na drogę. Łaba powitał wszystkich niedbałym skinieniem, ocierając pot z czoła i popędzając konia.

Łabina czekała w progu chaty. Ucałował żonę, po czym ściągnął z wozu ogromny kufer i wniósł do środka. Sąsiedzi zebrali się przed domem i oglądali z podziwem konia oraz wóz.

Czekając niecierpliwie na Łabę i Łabinę, żartowali, że pewnie skoczył na nią jak cap na kozę i trzeba ich oblać zimną wodą.

Nagle drzwi chaty otworzyły się i zebranych aż zatkało ze zdumienia. W progu stał Krasny Łaba odziany z nieprawdopodobnym przepychem. Od opalonej szyi odcinał się śnieżnobiały kołnierzyk prążkowanej jedwabnej koszuli. Jaskrawy krawat i miękkie flanelowe ubranie aż prosiły się, by ich dotknąć. Z kieszonki na piersi sterczała niby kwiat atłasowa chustka. Stroju dopełniały czarne lakierki i — jako ukoronowanie całości — złoty zegarek z dewizką. Tłum gapił się w zachwycie. Czegoś takiego nie widziano jak świat światem. Chłopi nosili zwykle samodziałowe kurtki, portki zrobione z dwóch zszytych kawałków płótna i chodaki o wierzchach z szorstko wyprawionej skóry, przybitych do drewnianych podeszew. Łaba wyciągał z kufra niezliczone barwne marynarki o fantazyjnym kroju, spodnie, koszule i lakierki, tak świecące, że mogły służyć za lustra, ponadto chustki, krawaty, skarpety i bieliznę. Krasny Łaba stał się głównym obiektem plotek całej okolicy. Opowiadano o nim niestworzone historie. Snuto przeróżne domysły o tym, jak doszedł do owych bezcennych skarbów. Łabinę zasypywano pytaniami, na które nie znała odpowiedzi, bo Łaba udzielał tylko wykrętnych wyjaśnień, sam przyczyniając się do tworzenia krążących o nim legend.

Podczas mszy nikt nie patrzył na księdza i ołtarz. Spojrzenia wszystkich kierowały się w stronę ławy na prawo od przejścia, gdzie w towarzystwie żony siedział wyprostowany dumnie Krasny Łaba w czarnym atłasowym ubraniu i kwiecistej koszuli. Na ręku miał lśniący zegarek, na który co pewien czas spoglądał ostentacyjnie. Szaty księdza, niegdyś uchodzące za sam szczyt przepychu, teraz wydawały się szare jak zimowe niebo. Ludzie siedzący w pobliżu Łaby rozkoszowali się niezwykłymi zapachami, które roztaczał wokół siebie. Łabina wyjawiła sąsiadom, że owe zapachy biorą się z licznych flakonów i słoiczków.

Po mszy wierni wylegli na dziedziniec, ignorując proboszcza, który daremnie usiłował zwrócić na siebie ich uwagę. Czekali na Łabę. Szedł do wyjścia pewnym, swobodnym krokiem, stukając głośno obcasami o kościelną posadzkę. Ludzie z szacunkiem rozstępowali się na boki. Najbogatsi gospodarze podchodzili i witali się z nim przyjaźnie, zapraszając na obiady wydawane na jego cześć. Nie racząc nikomu nawet skinąć głową, Łaba niedbale ściskał wyciągane do niego ręce. Kobiety zagradzały mu drogę i, nie zważając na Łabinę, obciągały suknie, aby uwydatnić piersi.

Krasny Łaba nie pracował już na roli. Odmawiał nawet żonie pomocy w zagrodzie. Spędzał dni na kąpielach w jeziorze. Zawieszał swoje barwne stroje na przybrzeżnym drzewie. Ukryte w pobliżu podniecone kobiety spozierały na jego nagie, muskularne ciało. Krążyły plotki, że niektórym Łaba pozwala się dotykać pod osłoną krzaków i że gotowe są popełnić z nim każde bezeceństwo, za co na całą wioskę pewnikiem spadnie jakaś straszna kara.

Przed wieczorem powracający z pól wieśniacy, spoceni i szarzy od kurzu, mijali Krasnego Łabę, który udawał się właśnie w przeciwnym kierunku; stąpał ostrożnie po najtwardszej części drogi, aby nie ubrudzić butów, co rusz poprawiając krawat lub polerując różową chustką zegarek.

Wieczorami po Łabę zajeżdżały konie i zabierano go na przyjęcia, które często odbywały się we wsiach odległych o dziesiątki wiorst. Łabina pozostawała w chałupie, ledwo żywa z wyczerpania i upokorzenia, zmęczona troszczeniem się o gospodarstwo, konia oraz skarby męża. Dla Krasnego Łaby czas się zatrzymał, ale Łabina starzała się raptownie: jej piersi robiły się obwisłe, uda wiotczały.

Minął rok.

Pewnego jesiennego dnia Łabina, wracając z pola, myślała, że jak zwykle znajdzie męża na stryszku pośród jego skarbów. Strych był wyłącznym królestwem Łaby; na piersi, obok medalika z wizerunkiem Najświętszej Panienki, nosił kluczyk od wielkiej kłódki zabezpieczającej drzwi. Ale chata wyglądała dziwnie spokojnie. Z komina nie unosił się dym, nie było też słychać śpiewu Łaby, który na ogół o tej porze przebierał się w cieplejsze ubranie.

Wystraszona Łabina pędem wbiegła do chaty. Drzwi stryszka były otwarte. Gdy wspięła się po schodach, ujrzała straszny obraz. Na środku stał kufer z zerwanym wiekiem; widać było puste, białe dno. Nad kufrem dyndał trup. Na tym samym haku, na którym wcześniej zawieszał swoje garnitury, wisiał mąż Łabiny. Kołysał się na kwiecistym krawacie niby powolne wahadło. W dachu ziała dziura, przez którą złodziej wyniósł zawartość kufra. Słabe promienie zachodzącego słońca oświetlały siną twarz Krasnego Łaby i fioletowy język sterczący mu z ust. Opalizujące muchy bzykały dookoła.

Łabina domyśliła się, co zaszło. Kiedy Łaba wrócił

z kąpieli w jeziorze i chciał się przebrać w bardziej elegancki strój, zobaczył dziurę w dachu i opróżniony kufer. Jego wspaniałe stroje znikły. Pozostał tylko jeden krawat, leżący jak ścięty kwiat na zdeptanej słomie. Wraz z zawartością kufra Łaba utracił sens życia. Brak strojów oznaczał koniec uczt weselnych, na których nikt nie patrzył na pana młodego, koniec pogrzebów, kiedy to wszyscy żałobnicy z uwielbieniem wpatrywali się w Krasnego Łabę stojącego nad otwartym grobem, koniec ekshibicjonistycznych seansów nad jeziorem i dotyku żądnych kobiecych dłoni.

Zręcznymi, nieśpiesznymi ruchami, których nikt w wiosce nie umiał naśladować, Łaba po raz ostatni zawiązał krawat, po czym przysunął sobie opróżniony kufer i wyciągnął dłoń do haka.

Łabina nigdy się nie dowiedziała, w jaki sposób mąż wszedł w posiadanie swoich skarbów. Nigdy nie mówił o okresie nieobecności. Nikomu się nie przyznał, gdzie był, co robił, jaką cenę zapłacił za przywiezione wspaniałości. Cała wioska wiedziała jedynie, ile go kosztowała ich utrata.

Nigdy nie znaleziono ani złodzieja, ani skradzionych przedmiotów. Kiedy przebywałem w wiosce, plotkowano, że złodziejem był zdradzony mąż lub narzeczony. Inni podejrzewali jakąś szaleńczo zazdrosną kobietę. Wielu mieszkańców podejrzewało samą Łabinę. Kiedy słyszała te oskarżenia, dostawała wypieków, ręce zaczynały jej latać, a z ust wydobywał się zjełczały zapach żółci. Rzucała się z pazurami na oszczercę i musiano ich siłą rozdzielać.

Potem wracała do chaty, upijała się do nieprzytomności i, tuląc mnie do piersi, szlochała jak bóbr.

Podczas jednej z takich awantur pękło Łabinie serce. Kiedy ujrzałem gromadkę mężczyzn niosących jej martwe ciało w stronę chaty, zrozumiałem, że pora uciekać. Napełniłem kometę tlącymi się węglami, sięgnąłem pod materac i wydobyłem schowany tam przez Łabinę cenny krawat, ten, na którym powiesił się Krasny Łaba, po czym opuściłem chatę. Wierzono, że stryczek samobójcy przynosi szczęście. Miałem nadzieję, że nigdy nie zgubię tego skarbu.

15

Lato kończyło się. Snopki pszenicy stały rzędami na polach. Wieśniacy pracowali od świtu do nocy, ale brakowało im koni i wołów, by zwieźć szybko plony.

W pobliżu wioski most kolejowy spinał strome skalne zbocza, pomiędzy którymi płynęła szerokim korytem rzeka. Mostu strzegły działa osadzone w betonowych bunkrach. W nocy, kiedy niebo buczało od lecących wysoko w górze samolotów, most zaciemniano. Żołnierze w hełmach warowali przy działach, a zwisający ze zwieńczenia żelaznej konstrukcji kanciasty znak swastyki, wyszyty na fladze, skręcał się na wietrze.

Pewnej gorącej nocy w oddali rozległy się salwy armatnie. Przytłumione dźwięki niosły się po polach, siejąc popłoch wśród ludzi i zwierząt. Dalekie błyski przecinały niebo. Ludzie wychodzili przed chaty. Chłopi palili kukurydziane fajki i obserwując stworzone przez człowieka błyskawice,

218

powiadali: „Zbliża się front". Inni dorzucali: „Niemcy przegrywają". Wybuchały liczne sprzeczki.

Niektórzy chłopi twierdzili, że kiedy zjawią się sowieccy komisarze, sprawiedliwie podzielą między wszystkich ziemię, zabierając bogatym i przekazując biednym. Będzie to oznaczało koniec ziemian wyzyskiwaczy, skorumpowanych urzędników i brutalnej policji.

Inni protestowali gwałtownie. Przysięgając na krzyż święty, wołali, że Sowieci upaństwowią wszystko, nawet żony i dzieci. Patrząc na łunę na wschodzie, zaklinali się, że wraz z nadejściem „czerwonych" ludzie odwrócą się od ołtarzy, zapomną nauk przodków i wstąpią na drogę grzechu, aż wreszcie sprawiedliwy Pan Bóg poprzemienia ich w słupy soli.

Brat walczył z bratem, ojcowie zamierzali się siekierami na synów na oczach matek. Niewidzialna siła rozdzielała ludzi, rodziny, mieszała rozumy. Tylko starcy trwali przy zdrowych zmysłach i biegali od jednych do drugich, usiłując doprowadzić do zgody. Wykrzykiwali skrzypliwymi głosami, że dość jest wojen na świecie bez rozpoczynania nowej w wiosce.

Grzmoty zza horyzontu zbliżały się. Ich huk studził zwaśnionych. Ludzie zapominali nagle o sowieckich komisarzach oraz gniewie Bożym; pędzili kopać schowki w stodołach i piwnicach.

Ukrywali zapasy masła, połcie wieprzowiny, cielęcinę, żyto, pszenicę. Niektórzy potajemnie farbowali na czerwono prześcieradła, żeby mieć flagi na powitanie nowych władców, inni chowali w bezpieczne miejsca krzyże, figury Jezusa i Matki Boskiej, ikony.

Nic z tego nie mogłem zrozumieć, ale wyczuwałem powszechne napięcie. Nikt nie zwracał na mnie uwagi. Kręciłem się między chatami; zewsząd dochodziły odgłosy kopania, nerwowe szepty, modlitwy. Leżąc na polu z uchem przy ziemi, wsłuchiwałem się w odległe dudnienie. Czyżby zbliżała się Armia Czerwona? Dudnienie ziemi przypominało bicie serca. Zastanawiałem się, dlaczego sól jest taka droga, skoro Bóg może bez trudu zmieniać w słupy soli grzeszników. I dlaczego nie zmienia ich w mięso i cukier? Były wieśniakom nie mniej potrzebne od soli.

Leżałem na plecach, wpatrując się w obłoki. Widząc, jak przepływają po niebie, miałem wrażenie, że to ja płynę w przeciwnym kierunku. Jeśli to prawda, że kobiety i dzieci staną się wspólną własnością, wówczas każde dziecko będzie miało wielu ojców i wiele matek, rzeszę braci i sióstr. Wydawało się to zbyt wspaniałe, aby nawet o tym marzyć. Należeć do wszystkich! Gdziekolwiek bym się udał, tłumy ojców gładziłyby mnie po głowie ciepłymi, wzbudzającymi ufność rękami, tłumy matek tuliły do piersi, a tłumy starszych braci broniły przed psami. Ja z kolei opiekowałbym się młodszym rodzeństwem. Nie pojmowałem, czego lękają się wieśniacy.

Obłoki zlewały się, to jaśniejąc, to ciemniejąc. Gdzieś wysoko ponad nimi Bóg dyrygował wszystkim. Teraz rozumiałem, dlaczego brakowało Mu czasu na zajmowanie się taką małą, czarną pchłą jak ja. Miał na głowie ogromne, walczące z sobą armie, niezliczoną liczbę ludzi, zwierząt, maszyn. Musiał decydować, która strona zwycięży, która zostanie pokonana, kto przeżyje, kto umrze.

Ale jeśli to faktycznie Bóg o wszystkim decydował, dlaczego wieśniacy martwili się o los religii, kościołów i kleru? Jeśli sowieccy komisarze rzeczywiście zamierzali zburzyć świątynie, zbezcześcić ołtarze, wybić księży i prześladować wiernych, Armia Czerwona nie miała cienia szansy na zwycięstwo. Nawet najbardziej zapracowany Bóg nie pozwoliłby tak skrzywdzić swojego ludu. Czy wówczas jednak zwycięzcami nie zostaliby Niemcy, którzy również niszczyli kościoły i mordowali ludzi? Z punktu widzenia Boga najsensowniejsze wydawało się, że skoro wszyscy mordowali, wszyscy powinni przegrać wojnę.

„Wspólna własność żon i dzieci" — powiadali chłopi. Brzmiało to dość zagadkowo. Przy odrobinie dobrej woli, myślałem sobie, komisarze sowieccy powinni zaliczyć mnie do dzieci. Chociaż nie dorównywałem wzrostem większości ośmiolatków, miałem już prawie jedenaście lat i niepokoiłem się, że Rosjanie mogą potraktować mnie jako dorosłego, a w każdym razie nie uznać za dziecko. W dodatku byłem niemową. Miewałem też kłopoty z utrzymaniem w żołądku pokarmu, który często zwracałem niestrawiony. Ale na pewno zasługiwałem na to, by stać się własnością ogółu.

Pewnego ranka zaobserwowałem na moście niezwykły ruch. Roiło się tam od żołnierzy w hełmach, którzy ściągali ze stanowisk działa i karabiny maszynowe, zwijali niemiecką flagę. W miarę jak wielkie ciężarówki po drugiej stronie mostu oddalały się na zachód, cichły szorstkie tony niemieckich pieśni. „Uciekają" — powiadali chłopi. „Przegrali wojnę" — szeptali odważniejsi.

Nazajutrz w południe pojawił się koło wioski oddział konnicy. Liczył stu jeźdźców, może więcej. Wydawali się przyrośnięci do koni; jechali z cudowną lekkością, w luźnym szyku. Ubrani byli w zielone niemieckie mundury z lśniącymi guzikami i w naciągnięte na oczy furażerki.

Chłopi poznali ich od razu. Przerażeni, zaczęli krzyczeć, że nadciągają Kałmucy i trzeba ukryć kobiety i dzieci, żeby nie dostały się w ich ręce. Od miesięcy krążyły po wsi zdejmujące grozą historie o tych jeźdźcach, powszechnie zwanych Kałmukami. Wieśniacy mówili, że kiedy początkowo niezwyciężone wojska niemieckie zajęły rozległy obszar ziemi sowieckiej, przyłączyło się do nich — w większości dobrowolnie — wielu Kałmuków, dezerterów z Armii Czerwonej. Pałający nienawiścią do „czerwonych", przechodzili na stronę Niemców, którzy pozwalali im łupić i gwałcić zgodnie z ich wojennym obyczajem i męską tradycją. Dlatego właśnie Kałmuków wysyłano do wiosek i miasteczek, które chciano ukarać za brak posłuszeństwa, a zwłaszcza do miasteczek leżących na drodze nadciągającej Armii Czerwonej.

Kałmucy pędzili pełnym cwałem, pochyleni nisko, poganiając konie ostrogami i ochrypłym krzykiem. Spod rozpiętych mundurów wyzierały smagłe ciała. Niektórzy jechali na oklep, część miała ciężkie szable przytroczone do pasa.

W wiosce zapanowała panika. Na ucieczkę było za późno.

Z zaciekawieniem przyglądałem się jeźdźcom. Ich ciemne, natłuszczone włosy połyskiwały w słońcu. Prawie granatowoczarne, były nawet ciemniejsze od moich, podobnie jak oczy i skóra jeźdźców. Mieli duże białe zęby, wydatne kości policzkowe i szerokie, jakby opuchnięte twarze. Przez chwilę, patrząc na nich, czułem ogromną dumę i radość. No bo przecież ci wspaniali jeźdźcy byli ciemnowłosi, czarnoocy, śniadzi. Jasnowłosi mieszkańcy wioski różnili się od nich jak dzień od nocy. I na widok smagłych Kałmuków dosłownie odchodzili od zmysłów ze strachu.

Jeźdźcy osadzili konie między chatami. Jeden z nich, krępy mężczyzna w zapiętej kurtce od munduru i w oficerskiej czapce, wydawał krzykiem rozkazy. Zeskoczyli z koni i przywiązali je do płotów. Spod siodeł wyciągnęli kawałki mięsa ugotowane gorącem wydzielanym przez konia i jeźdźca. Jedli to sinoszare mięso rękami, co rusz przykładając do ust tykwy z gorzałką, krztusząc się i zachłystując.

Niektórzy przyjechali pijani. Wpadli do chat i zaczęli wywlekać na dwór kobiety, które nie zdążyły się ukryć. Kilku wieśniaków, uzbrojonych w kosy, usiłowało stawiać opór. Kałmuk jednym cięciem pałasza rozpłatał któremuś głowę. Pozostali próbowali zbiec, ale powaliły ich strzały z rewolwerów.

Kałmucy rozsypali się po wiosce. Powietrze wypełniły dobiegające zewsząd krzyki. Wleciałem w małą, gęstą kępę malin na środku placu i przypadłem do ziemi jak glista.

Obserwowałem bacznie zamęt, który ogarnął wioskę. Chłopi bronili się w chatach, do których wdzierali się

Kałmucy. Znów rozległy się strzały; mężczyzna raniony w głowę biegał w kółko, oślepiony własną krwią. Jakiś Kałmuk ciął go na odlew. Dzieci rozpierzchły się na wszystkie strony, potykając się o rowy i o płoty. Jedno wpadło w krzaki, gdzie byłem ukryty, ale na mój widok szybko wybiegło, prosto pod kopyta galopujących koni. Nieopodal Kałmucy wywlekli z chaty półnagą kobietę. Opierała się, krzycząc, daremnie usiłując złapać za nogi swoich prześladowców. Kilku roześmianych jeźdźców pędziło batogami gromadkę kobiet i dziewcząt. Ojcowie, mężowie i bracia smaganych gonili za Kałmukami, błagając o zmiłowanie, a ci opędzali się od nich razami nahajek i pałaszy. Środkiem drogi biegł wieśniak z obciętą dłonią. Szukał rodziny, nie zważając na krew, która tryskała mu z kikuta.

W pobliżu kilku żołnierzy przewróciło na ziemię kobietę. Któryś przytrzymał ją za gardło, a pozostali rozsunęli jej nogi. Jeden rzucił się na nią; reszta zachęcała go okrzykami. Kobieta szamotała się, wrzeszcząc. Kiedy pierwszy Kałmuk skończył, po kolei wchodzili na nią inni. Kobieta wkrótce znieruchomiała i przestała się opierać.

Wyciągnęli następną. Krzyczała i błagała o litość, ale zdarli z niej ubranie i cisnęli ją na ziemię. Dwóch gwałciło ją równocześnie; jeden w usta. Kiedy usiłowała wykręcić w bok głowę lub zacisnąć wargi, okładali ją nahajką. Wreszcie opadła z sił i poddawała się im biernie. Inni żołdacy gwałcili dwie młode dziewczyny, przekazując je sobie wzajem i zmuszając do wykonywania dziwacznych ruchów. Kiedy opierały się, chłostano je i kopano.

Ze wszystkich chat rozbrzmiewały krzyki gwałconych kobiet. Jednej dziewczynie udało się jakoś wyrwać: wybiegła półnaga, z krwią spływającą po udach, wyjąc jak zbity pies. Za nią pędziło ze śmiechem dwóch obnażonych żołnierzy. Gonili ją wokół placu pośród śmiechu i żartów kompanów. W końcu ją schwytali. Zanoszące się płaczem dzieci przyglądały się tej i podobnym scenom. Wciąż łapano nowe ofiary. Pijani Kałmucy, coraz bardziej podnieceni, wpadali w szał. Niektórzy kopulowali ze sobą, po czym współzawodniczyli w gwałceniu kobiet na najprzeróżniejsze sposoby: dwóch lub trzech tę samą jednocześnie albo kilku zaraz po sobie. Młodsze, ładniejsze dziewczyny niemal rozrywali; o niektóre wybuchały kłótnie. Zamknięci w chatach mężowie i ojcowie, synowie i bracia poznawali głosy dręczonych i odpowiadali strasznym krzykiem.

Na środku placu kilku Kałmuków popisywało się przed kolegami, gwałcąc kobiety bez zsiadania z koni. Jeden ściągnął mundur i pozostał tylko w butach na owłosionych nogach. Jeżdżąc dookoła placu, zwinnie podniósł do góry gołą kobietę przyprowadzoną przez kamratów. Posadził ją okrakiem na koniu, twarzą do siebie. Wprawił wierzchowca w szybszy kłus i przyciągnął kobietę bliżej, jednocześnie odchylając ją na końską grzywę. Przy każdym ruchu konia wchodził w nią ponownie z triumfalnym okrzykiem. Pozostali oklaskami nagradzali jego popisy. Następnie jeździec zgrabnie przekręcił kobietę, sadzając ją plecami do siebie. Podniósł ją nieco i miętosząc rękami jej piersi, ponowił swoje sztuczki, wchodząc w nią od tyłu.

Zachęcony przez kompanów, drugi Kałmuk wskoczył na tego samego konia, przodem do kobiety. Koń zwolnił bieg, stękając pod ciężarem, gdy dwaj żołnierze równocześnie gwałcili omdlewającą ofiarę.

Rozpoczęły się dalsze wyczyny. Bezradne kobiety podawano sobie nawzajem z kłusujących koni. Jeden Kałmuk próbował kopulować z klaczą; inny pobudził ogiera i usiłował wepchnąć pod niego dziewczynę, podnosząc ją do góry za nogi. Wczołgałem się głębiej w krzaki, zdjęty przerażeniem i wstrętem. Teraz pojąłem wszystko. Zrozumiałem, dlaczego Bóg nie reagował na moje modły, kiedy zwisałem z haków, kiedy bił mnie Garbosz, kiedy postradałem mowę. Byłem śniady. Włosy i oczy miałem czarne jak Kałmucy. Najwidoczniej wraz z nimi należałem do innego świata. Dla takich jak ja nie mogło być litości. Okrutny los skazał mnie na to, że czarne włosy i oczy łączyły mnie z tą zgrają dzikusów.

Nagle ze stodoły wyłonił się wysoki, siwy starzec. Wieśniacy zwali go Świętym, i może sam też uważał się za świętego. Trzymał oburącz ciężki drewniany krzyż, a na siwej głowie miał wieniec z pożółkłych dębowych liści. Jego ślepe oczy wzniesione były ku niebu. Bose stopy, powykręcane wiekiem i chorobą, niepewnie szukały drogi. Z bezzębnych ust płynęły jak żałobny lament słowa psalmu. Dłonie wyciągały krzyż w stronę niewidzialnego wroga.

Żołnierze na moment otrzeźwieli. Nawet najbardziej pijani spoglądali z obawą na starca, wyraźnie stropieni. Nagle któryś podbiegł do niego i podstawił mu nogę. Starzec przewrócił się, wypuszczając z rąk krzyż. Kałmucy, śmiejąc się urągliwie, czekali, co będzie dalej. Starzec niezdarnie usiłował się podnieść, szukając wokół krzyża. Jego kościste, sękate dłonie cierpliwie macały ziemię, ale kiedy zbliżały się do krzyża, żołdak odsuwał go czubem buta. Starzec czołgał się dalej, mamrocząc coś i pojękując cicho. Wreszcie, utrudzony, zaczął dyszeć chrapliwie. Kałmuk podniósł ciężki krzyż i ustawił pionowo. Przez moment krzyż balansował w miejscu, po czym przewrócił się na pełzającą postać. Starzec jęknął i już się nie poruszył.

Jeden z żołnierzy rzucił nożem w dziewczynę, która próbowała uciec na czworakach. Pozostawiono ją, krwawiącą, w pyle; nikt nie zwracał na nią uwagi. Pijani Kałmucy przekazywali sobie zbryzgane krwią kobiety i bili je, zmuszając do dziwacznych czynów. Jakiś Kałmuk wybiegł z chaty, dźwigając pięcioletnią dziewczynkę. Podniósł ją wysoko, żeby kompani mogli się jej przyjrzeć. Zdarł z niej sukienkę i kopnął dziecko w brzuch, nie przejmując się matką małej, która padła mu do stóp, błagając o litość. Powoli rozpiął i opuścił spodnie, trzymając dziecko na wysokości pasa. Nagle przykucnął i silnym pchnięciem wszedł w wyjącą dziewczynkę. Kiedy znieruchomiała, cisnął ją w krzaki i zajął się matką.

W progu jednej z chałup kilku półnagich żołnierzy walczyło z potężnie zbudowanym chłopem. Stał w drzwiach, z wściekłą furią wywijając siekierą. Kiedy go wreszcie obezwładnili, wyciągnęli z chaty za włosy zdrętwiałą ze strachu kobietę. Trzech żołnierzy usiadło na mężu, a reszta wyżywała się na żonie.

Po chwili wywlekli dwie nieletnie córki wieśniaka. Wykorzystując moment nieuwagi, kiedy trzymający go Kałmucy rozluźnili uścisk, chłop wyrwał się im i zdzielił z całej siły najbliższego. Żołnierz padł na ziemię, z czaszką zmiażdżoną jak jaskółcze jajo. Krew i białe grudy mózgu, podobne do miąższu rozbitego orzecha, wyciekły mu na włosy. Rozwścieczeni żołnierze otoczyli wieśniaka, ponownie obezwładnili i zaczęli gwałcić. Później wykastrowali go na oczach żony i córek. Oszalała kobieta rzuciła się na pomoc mężowi, drapiąc i gryząc oprawców. Wyjąc z radości, Kałmucy pochwycili ją, siłą otworzyli jej usta i wepchnęli do gardła krwawy ochłap mięsa.

Jedna z chat stanęła w ogniu. W zamieszaniu, jakie nastąpiło, niektórzy chłopi zbiegli w stronę lasu, ciągnąc na wpół przytomne kobiety i potykające się dzieci. Kałmucy strzelali do nich na oślep, a część uciekających stratowali końmi. Tych, których złapali, zaczęli torturować.

Tkwiłem skulony, niemal sparaliżowany ze strachu, pośród krzaków malin. Pijani Kałmucy łazili po całym placu; w każdej chwili mogli mnie znaleźć. Nie byłem w stanie myśleć. Oniemiały z przerażenia, zamknąłem oczy.

Kiedy je otworzyłem, ujrzałem zataczającego się Kałmuka, który szedł w moją stronę. Przywarłem do ziemi i wstrzymałem oddech. Żołnierz zerwał i zjadł kilka malin. Postąpił o krok do przodu i nadepnął na moją dłoń. Obcas podkutego buta miażdżył mi palce. Ból był straszliwy, ale nie drgnąłem. Żołnierz wsparł się na karabinie i spokojnie zaczął się odlewać. Nagle stracił równowagę, zrobił krok do przodu i potknął się o moją głowę. Podniosłem się momentalnie i rzuciłem do ucieczki; złapał mnie jednak i uderzył w pierś kolbą karabinu. Coś trzasnęło mi w środku. Padając, zdołałem przewrócić żołnierza. Kiedy zwalił się na ziemię, zacząłem biec zygzakiem, byle dalej od chałup. Kałmuk strzelił, jednakże pocisk odbił się od kamienia i tylko gwizdnął koło mnie. Żołdak ponownie nacisnął spust, ale już byłem daleko. Oderwałem deskę ze ściany stodoły, wczołgałem się do środka i ukryłem w słomie.

W stodole wciąż dochodziły mnie krzyki ludzi i wycie zwierząt, odgłosy strzałów karabinowych, trzask płonących obór i chałup, rżenie koni, hałaśliwy śmiech Kałmuków. Od czasu do czasu jakaś kobieta jęczała cicho. Wsunąłem się głębiej w słomę, chociaż przy każdym ruchu przeszywał mnie ból. Nie wiedziałem, co pękło mi w piersi. Przyłożyłem rękę do serca; biło nadal. Nie chciałem być kaleką. Mimo hałasów, zapadłem w drzemkę, znużony i wystraszony.

Obudził mnie grzmot. Potężny wybuch wstrząsnął stodołą; z góry posypały się belki, a obłoki pyłu przysłoniły wszystko. Usłyszałem pojedyncze strzały i miarowy terkot karabinu maszynowego. Wyjrzałem ostrożnie na zewnątrz: zobaczyłem spłoszone, pierzchające konie, na które usiłowali wskoczyć półnadzy, pijani Kałmucy. Od strony rzeki i lasu niosły się wystrzały oraz warkot silników. Samolot z czerwoną gwiazdą na skrzydłach przeleciał nisko nad wioską. Po pewnym czasie kanonada ustała, ale warkot wzmógł się.

Zrozumiałem, że nadciągają Rosjanie; przybywała Armia Czerwona i komisarze.

Wyczołgałem się ze stodoły, ale kiedy wstałem, poczułem w piersi tak gwałtowny ból, że o mało nie upadłem. Zakasłałem i splunąłem krwią. Jakaś kość uwierała mnie w bok. Zmusiłem się jednak, żeby iść: wkrótce dotarłem do wzgórza. Mostu nie było. Zapewne wysadził go wybuch. Z lasu powoli wyłaniały się czołgi. Za nimi postępowali żołnierze w hełmach, kroczący niedbale jak na przechadzce w niedzielne popołudnie. Bliżej wioski gromadka Kałmuków usiłowała skryć się za stogami siana. Kiedy ujrzeli czołgi, wyszli, wciąż zataczając się, z podniesionymi do góry rękami, na otwarte pole. Rzucali karabiny i odpinali pasy z kaburami. Niektórzy padali na kolana, błagając o litość. Czerwonoarmiści zgarniali ich po kolei i prowadzili przed sobą, poganiając bagnetami. W krótkim czasie wyłapali prawie wszystkich. Konie Kałmuków pasły się spokojnie opodal.

Pola wokół wioski zapełniły się ciężkim sprzętem. Żołnierze rozbijali namioty, ustawiali kuchnie polowe, przeciągali druty telefoniczne. Śpiewali i rozmawiali w języku zbliżonym do miejscowej mowy, chociaż nie do końca dla mnie zrozumiałym. Wiedziałem, że to rosyjski.

Chłopi niepewnie przyglądali się przybyszom. Na widok uzbeckich lub tatarskich twarzy niektórych czerwonoarmistów, o rysach podobnych do kałmuckich, kobiety krzyczały i umykały w popłochu, mimo że oblicza przybyszów były uśmiechnięte.

Na pole wmaszerowała grupa chłopów niosących czerwone flagi, na których niezdarnie wymalowano sierpy i młoty. Żołnierze powitali delegację okrzykami, a dowódca pułku osobiście wyszedł jej na spotkanie. Uścisnął wieśniakom dłonie i zaprosił ich do namiotu. Ci, zakłopotani, pościągali czapki. Nie wiedząc, co zrobić z flagami, w końcu oparli je o namiot i wmaszerowali do środka.

Przed białą ciężarówką z czerwonym krzyżem na dachu lekarz w białym kitlu oraz sanitariusze opatrywali ranne kobiety i dzieci. Ich pracy przyglądał się tłum gapiów, którzy z miejsca otoczyli ambulans.

Za żołnierzami biegły dzieci, dopominając się słodyczy. Rosjanie brali je na ręce i bawili się z nimi.

W południe do wioski dotarła wiadomość, że czerwonoarmiści wszystkich schwytanych Kałmuków powiesili za nogi na dębach rosnących wzdłuż rzeki. Mimo kłucia w piersi i obolałej dłoni powlokłem się tam z gromadą ciekawskich, złożoną z mężczyzn, kobiet i dzieci.

Kałmuków widać było z daleka; dyndali na drzewach jak suche, przerośnięte szyszki. Każdy wisiał na innym drzewie, powieszony za kostki, z rękami związanymi z tyłu. Przyjaźnie uśmiechnięci sowieccy żołnierze przechadzali się spokojnie między nimi, skręcając sobie papierosy z machorki i kawałków gazet. Choć nie pozwalali wieśniakom podchodzić zbyt blisko, niektóre kobiety, rozpoznając swoich dręczycieli, zaczęły przeklinać i ciskać patyki oraz grudy ziemi w bezwładne ciała.

Mrówki i muchy oblazły wiszących Kałmuków. Wchodziły im w rozchylone usta, do uszu, oczu. Zagnieżdżały się w uszach, rojnie obsiadały zmierzwione włosy. Pchały się tysiącami, walcząc o najlepsze miejsca. Kałmucy kołysali się na wietrze lub obracali się wolno, jak wędzone nad dymem kiełbasy. Niektórymi wstrząsały dreszcze; czasami z ust wyrywały się im chrapliwe jęki czy szepty. Inni zdawali się martwi. Wisieli z wybałuszonymi oczami, nie mrugając, a żyły na szyi mieli straszliwie nabrzmiałe. Chłopi rozpalili w pobliżu ognisko i całe rodziny obserwowały wiszących, wspominając ich okrucieństwo i ciesząc się, że taki spotyka ich koniec.

Podmuch wiatru targnął drzewami. Ciała, drżąc, zataczały coraz większe kręgi. Przyglądający się im chłopi zaczęli się żegnać. Wypatrywałem śmierci, bo czułem jej oddech w powietrzu. Miała twarz martwej Marty, gdy tak baraszkowała między konarami dębów, ocierając się łagodnie o wiszących mężczyzn, owijając ich pajęczą siecią, którą plotła ze swojego przezroczystego ciała. Szeptała im do uszu zdradzieckie słowa; pieszczotliwie sączyła chłód w ich serca; dusiła za gardła.

Była bliżej mnie niż kiedykolwiek. Mogłem niemal dotknąć jej zwiewnego kiru, spojrzeć w mgliste oczy. Zatrzymała się przede mną, wdzięcząc się zalotnie i obiecując następne spotkanie. Nie bałem się jej; miałem nadzieję, że zaprowadzi mnie na kraniec lasu, na głębokie bagna, gdzie gałęzie moczą swoje końce w bulgoczących kotłach, nad którymi unoszą się opary siarki, a nocą słychać cienki, suchy grzechot kopulujących duchów i ustawiczne zawodzenie wiatru pośród wierzchołków drzew, podobne do dźwięków skrzypiec płynących z odległej izby. Wyciągnąłem rękę, lecz śmierć znikła między drzewami obciążonymi szeleszczącą gęstwiną liści i plonem zwisających trupów. Czułem w piersi ogień. W głowie mi się kręciło, ciało zlewał pot. Ruszyłem w stronę brzegu rzeki. Wilgotny wiatr ochłodził moje rozgrzane ciało; usiadłem na zwalonym pniu. Na tym odcinku rzeka była szeroka. Jej szybki nurt niósł kłody drewna, połamane gałęzie, strzępy worków, gwałtownie wirujące kępy siana. Co jakiś czas przepływał wzdęty koński trup. W pewnej chwili wydało mi się, że widzę sine, przegniłe ludzkie zwłoki unoszące się tuż pod powierzchnią. Przez moment woda była czysta. Potem pojawiła się ławica ryb zabitych przez wybuchy. Obracały się i płynęły do góry brzuchami, stłoczone ciasno, jakby brakowało dla nich miejsca w rzece, do której bardzo dawno temu powpadały z tęczy.

Dygotałem. Postanowiłem podejść do czerwonoarmistów, choć nie wiedziałam, jak odnoszą się do ludzi o czarnych, urocznych oczach. Mijając szereg wiszących ciał, miałem wrażenie, że poznaję żołnierza, który uderzył mnie kolbą. Kołysał się, zataczając szerokie kręgi, z otwartymi ustami, obsiadły przez muchy. Niebacznie przechyliłem głowę, żeby mu się lepiej przyjrzeć. Dojmujący ból ponownie przeszył mi pierś.

16

Wypisano mnie z pułkowego szpitala. Moja kuracja trwała wiele tygodni. Była jesień 1944 roku. Ból w piersi znikł; zrosła się kość strzaskana kolbą karabinu Kałmuka. Wbrew moim obawom, pozwolono mi zostać z żołnierzami, choć wiedziałem, że tylko czasowo. Spodziewałem się, że kiedy pułk zbliży się do linii frontu, znajdą mi kwaterę w jakiejś wiosce. Na razie obozowaliśmy przy rzece i nic nie zapowiadało rychłego wymarszu. Był to pułk łączności, złożony z bardzo młodziutkich żołnierzy i świeżo awansowanych oficerów, którzy mieli po kilkanaście lat, kiedy wybuchła wojna. Działa, karabiny maszynowe, ciężarówki, sprzęt telekomunikacyjny były fabrycznie nowe, dobrze naoliwione i dotąd nie sprawdzone w boju. Również namioty i mundury żołnierzy nie zdążyły jeszcze spłowieć.

Wojna i linia frontu już dawno przesunęły się na terytorium nieprzyjaciela. Radio codziennie nadawało komunikaty o kolejnych porażkach armii niemieckiej i jej wyczerpanych walką sprzymierzeńców. Żołnierze uważnie wysłuchiwali wiadomości, kiwając z dumą głowami, po czym wracali do ćwiczeń. Pisali do rodzin i znajomych długie listy, w których powątpiewali, czy będą mieli okazję zmierzyć się z nieprzyjacielem, zanim skończy się wojna, bo Niemców rozgramiają ich starsi bracia.

Życie pułku było spokojne i uporządkowane. Co kilka dni mały dwupłatowiec lądował na lotnisku polowym, przywożąc pocztę i gazety. Listy zawierały wieści z domu, gdzie ludzie powoli zaczynali odbudowywać ruiny. Na zdjęciach w gazetach widać było zbombardowane rosyjskie i niemieckie miasta, zdruzgotane fortyfikacje, brodate twarze niemieckich jeńców stojących w niekończących się kolumnach. Wśród oficerów i żołnierzy coraz częściej krążyły pogłoski o rychłym końcu wojny.

Przez większość czasu zajmowało się mną dwóch ludzi. Byli to Gawryła, pułkowy oficer polityczny, który podobno stracił całą rodzinę w pierwszych dniach hitlerowskiej napaści, oraz Mitka, przezywany Kukułką, instruktor strzelecki i wyborowy snajper.

Otaczali mnie także opieką ich liczni przyjaciele. Gawryła codziennie spędzał ze mną wiele godzin w bibliotece polowej. Nauczył mnie czytać. Przecież, jak powtarzał, miałem już ponad jedenaście lat. W Związku Radzieckim chłopcy w tym wieku umieli nie tylko czytać i pisać, ale — w razie potrzeby — także walczyć z wrogiem. Nie chciałem dłużej uchodzić za dziecko: uczyłem się pilnie, obserwowałem zachowanie żołnierzy i naśladowałem ich sposób bycia.

Książki zrobiły na mnie szalone wrażenie. Ze zwykłych kartek papieru wyczarowywało się świat, równie prawdziwy, jak ten doświadczany zmysłami. Co więcej, świat książek, niby mięso konserwowe, był bogatszy i lepiej przyprawiony, niż ten oglądany dookoła. W życiu codziennym, na przykład, widywało się wiele osób, nigdy ich dobrze nie poznając, podczas gdy o postaciach z książek wiedziało się i co myślą, i co zamierzają.

Przy pomocy Gawryły przeczytałem pierwszą książkę. Nosiła tytuł *Dzieciństwo*; jej bohater, chłopiec w moim wieku, już na samym początku stracił ojca. Przeczytałem tę książkę kilkakrotnie; wzbudziła we mnie nadzieję. Bohater też nie miał łatwego życia. Po śmierci matki pozostał zupełnie sam, a jednak, mimo rozlicznych przeciwności losu, wyrósł — jak to powiedział Gawryła — na wielkiego człowieka. Był nim Maksym Gorki, jeden z największych sowieckich pisarzy. Jego książki zapełniały kilka półek biblioteki polowej, a znali je ludzie na całym świecie.

Podobała mi się również poezja. Pisana w formie zbliżonej do modlitw, była od nich jeszcze piękniejsza i bardziej zrozumiała. Co prawda, za poezję nie przypadały żadne odpusty, ale też nie recytowało się jej jako pokuty za grzechy; poezja miała służyć przyjemności. Łagodnie brzmiące, wycyzelowane strofy współgrały ze sobą niczym kamienie młyńskie dotarte po latach pracy. Ale to nie czytaniu poświęcałem najwięcej czasu. Znacznie ważniejsze były lekcje, których udzielał mi Gawryła.

Od niego dowiedziałem się, że porządek świata nie ma nic wspólnego z Bogiem, a Bóg ze światem. Przyczyna tego stanu rzeczy była prosta. Bóg nie istniał. Wymyślili Go chytrzy księża, żeby nabierać głupich, zabobonnych ludzi. Nie było Boga, Świętej Trójcy, diabłów, duchów i upiorów powstających z grobów; nie było śmierci, która latałaby w powietrzu, rozglądając się za nowymi grzesznikami, aby ich usidlić. Wszystko to bajki dla ciemnych ludzi, którzy nie rozumieli naturalnego porządku świata, nie ufali własnym siłom i musieli szukać ucieczki w wierze w jakiegoś Boga.

Według Gawryły, tylko od ludzi zależał bieg ich życia; tylko oni kierowali swoim losem. Dlatego liczył się każdy człowiek i dlatego tak istotne było, aby wiedział, co ma robić i do czego dążyć. Jednostce może się wydawać, że jej działania są bez znaczenia, ale to wyłącznie iluzja. Pojedyncze czyny niezliczonych jednostek składają się razem na wielką całość, którą potrafią dojrzeć jedynie ci stojący na szczycie społeczeństwa. Podobnie na pozór przypadkowe ruchy igły w rękach hafciarki sumują się na piękny kwietny wzór, jaki zdobi obrus albo kapę.

Zgodnie z prawami historii, tłumaczył Gawryła, zdarza się, że pojedynczy człowiek wyrasta ponad bezimienny tłum; człowiek pragnący dobra innych, który dzięki swojej większej wiedzy i mądrości rozumie, że czekanie na boską interwencję bynajmniej nie poprawi sytuacji na ziemi. Taki człowiek staje się przywódcą, jednym z wybitnych mężów, którzy kierują myślami i uczynkami narodów, podobnie jak tkacz prowadzi barwne nici przez zawiły deseń.

Portrety i fotografie wybitnych mężów wisiały w bibliotece pułku, w szpitalu polowym, w świetlicy, w kantynie i w namiotach żołnierzy. Często patrzyłem na twarze tych mądrych i szlachetnych ludzi. Wielu z nich już nie żyło. Niektórzy mieli krótkie, dźwięczne nazwiska i krzaczaste brody. Najmłodszy jednak żył nadal. Jego portrety były okazalsze, bardziej promienne i urodziwsze niż pozostałych. To właśnie pod jego dowództwem, mówił Gawryła, Armia Czerwona zwycięża Niemców, przynosząc oswobodzonym narodom nowy światopogląd, według którego wszyscy są równi. Skończy się podział na bogatych i biednych, wyzyskiwanych i wyzyskiwaczy, prześladowanie śniadych przez jasnych, skazywanie całych narodów na komory gazowe. Gawryła, jak i reszta oficerów oraz żołnierzy w pułku, zawdzięczał temu człowiekowi wykształcenie, stopień wojskowy, dom. Biblioteka zawdzięczała mu pięknie wydrukowane i oprawione książki. Ja — opiekę wojskowych lekarzy i powrót do zdrowia. Każdy obywatel sowiecki miał dług wobec tego człowieka za wszystko, co posiadał, i za dobrobyt, w jakim żył.

Człowiek ten nazywał się Stalin.

Na portretach i fotografiach miał życzliwy wyraz twarzy i ujmujące spojrzenie. Wyglądał jak kochający dziadek czy wujek, dawno nie widziany, który czeka, by cię uściskać. Gawryła czytał mi lub relacjonował opowieści o życiu Stalina. Kiedy miał tyle lat co ja teraz, młodziutki Stalin, zwany wówczas Soso, walczył o prawa upośledzonych, występując przeciwko kilkusetletniemu wyzyskowi bezsilnej biedoty przez bezlitosnych bogaczy.

Oglądałem zdjęcia nieletniego Stalina. Miał bardzo ciemne, gęste włosy, ciemne oczy, grube brwi, a później nawet czarne wąsy. Bardziej przypominał Cygana niż ja, bardziej Żyda niż ranny zastrzelony na rozkaz niemieckiego oficera w czarnym mundurze czy żydowski chłopiec znaleziony przez wieśniaków przy torach. Stalin miał szczęście, że nie mieszkał w młodości w wioskach, przez które wędrowałem. Gdyby w dzieciństwie bito go bezustannie za to, że jest śniady, może nie znalazłby czasu na pomaganie innym; może musiałby bez przerwy opędzać się od wiejskich wyrostków i psów.

Ale Stalin był Gruzinem. Gawryła nie wyjaśnił mi, czy Niemcy zamierzali spalić także Gruzinów. Kiedy jednak patrzyłem na ludzi otaczających na zdjęciach Stalina, nie miałem cienia wątpliwości, że gdyby schwytali ich Niemcy, na pewno trafiliby do pieców. Byli smagli, ciemnowłosi, o czarnych, płonących oczach.

Ponieważ tam mieszkał Stalin, Moskwa była sercem kraju i umiłowanym miastem mas pracujących całego świata. Żołnierze opiewali Moskwę w pieśniach, pisarze pisali o niej książki, poeci wychwalali ją w wierszach. Kręcono o Moskwie filmy i opowiadano fascynujące historie. Słyszałem, że pod jej ulicami, ukryte pod ziemią niczym gigantyczne krety, mkną gładko we wszystkie strony długie, lśniące pociągi, które niemal bezgłośnie zatrzymują się na stacjach zdobionych marmurami i mozaikami piękniejszymi niż w najwspanialszych kościołach.

Domem Stalina był Kreml. Wiele starych pałaców i cerkwi

stało w jednym skupisku otoczonym wysokim murem. Sterczały nad nim kopuły podobne do ogromnych rzodkwi skierowanych bulwą w niebo. Niektóre zdjęcia Kremla ukazywały pomieszczenia zajmowane niegdyś przez Lenina, zmarłego nauczyciela Stalina. Jedni żołnierze wyżej stawiali Lenina, drudzy Stalina, tak samo jak jedni chłopi częściej mówili o Bogu Ojcu, a inni o Synu Bożym.

Żołnierze powiadali, że światło w oknach Stalina na Kremlu pali się do późna w nocy, a mieszkańcy Moskwy oraz masy pracujące świata czerpią z tego widoku natchnienie i nadzieję na przyszłość. Stamtąd patrzył na nich wielki Stalin, poświęcając się dla nich wszystkich, obmyślając najlepszą strategię wygrania wojny i zniszczenia wrogów mas pracujących. Jego umysł przepełniała troska o każdego cierpiącego człowieka, nawet o ludzi w odległych krajach, którzy wciąż żyli w straszliwym ucisku. Ale dzień ich wyzwolenia nadciągał; właśnie po to, aby nastąpił jak najrychlej, Stalin musiał harować do późna w nocy.

Dowiedziawszy się tylu nowych rzeczy od Gawryły, często przechadzałem się po polach pogrążony w głębokiej zadumie. Żałowałem czasu zmarnowanego na modlitwy. Tysiące dni odpustu, które dzięki nim zgromadziłem, okazały się nic niewarte. Jeśli to prawda, że nie ma Boga, Syna, Marii Dziewicy ani świętych, co dzieje się z moimi modlitwami? Czy krążą po pustym niebie niczym stado ptaków, których gniazda zniszczyli chuligani? A może tkwią gdzieś w tajnej kryjówce i, podobnie jak mój głos, szamoczą się, by się uwolnić?

Przypominając sobie strzępy niektórych modlitw, czułem się oszukany. Gawryła twierdził, że ich słowa nie mają żadnego sensu. Dlaczego wcześniej nie zdałem sobie z tego sprawy? Nie mieściło mi się w głowie, że sami księża nie wierzą w Boga i wymyślili Go tylko po to, żeby nabierać innych. A co z kościołami, z cerkwiami? Czy wznoszono je wyłącznie po to, jak mi tłumaczył Gawryła, aby onieśmielać ludzi domniemaną boską potęgą, zmuszając ich do łożenia na kler? Jeśli księża działali w dobrej wierze, cóż z nimi będzie, kiedy nagle dowiedzą się, że Bóg nie istnieje, a nad najwyższą kościelną kopułą rozpościera się jedynie bezkresne niebo, po którym latają samoloty z czerwonymi gwiazdami na skrzydłach? Cóż uczynią, kiedy odkryją, że ich modlitwy nie przedstawiają żadnej wartości, a wszystko, co robili przed ołtarzem i co głosili z ambon, to szalbierstwo?

Poznanie tej strasznej prawdy na pewno okaże się dla nich okrutnym ciosem, większym niż śmierć ojca lub widok jego zwłok w trumnie. Ludzie zawsze czuli się pokrzepieni wiarą w Boga i zwykle umierali przed swoimi dziećmi. Tę kolejność dyktowały prawa natury. Jedyną pociechę dawała starym świadomość, że kiedy odejdą, Bóg pokieruje ziemskim życiem ich dzieci; podobnie dzieci czerpały otuchę z myśli, że za grobem Bóg powita ich rodziców. Bóg zawsze trwał w myślach ludzkich, nawet jeśli On sam był zbyt zajęty, by wysłuchiwać modłów i liczyć zebrane przez wiernych dni odpustu.

Z czasem nauki Gawryły tchnęły we mnie nową ufność do świata. Istniały w nim zarówno realne sposoby szerzenia dobra, jak i ludzie, którzy poświęcali temu celowi życie. Byli to członkowie partii komunistycznej. Wybierano ich spośród całej ludności i, po specjalnym przeszkoleniu, przydzielano im wykonywanie określonych zadań. Jeśli tego wymagało dobro ludu pracującego, gotowi byli znosić trudy, a nawet zginąć. Członkowie partii stali na wierzchołku drabiny społecznej, z którego czyny ludzkie postrzegano nie jako bezsensowną gmatwaninę, lecz jako części składowe konkretnej całości. Wzrok partii sięgał dalej niż wzrok najlepszego snajpera. Dlatego właśnie każdy jej członek nie tylko rozumiał znaczenie wypadków, ale także umiał je kształtować i kierować ich biegiem. Z tej przyczyny nic go nie zaskakiwało. Partia była tym dla ludu pracującego, czym lokomotywa dla pociągu. Prowadziła innych ku lepszym celom, pokazywała skróty, dzięki którym mogli poprawić sobie poziom życia. A Stalin był maszynistą z dłonią na przepustnicy.

Gawryła zawsze wracał zachrypnięty i wyczerpany z zebrań partyjnych, które odbywały się często, trwały długo i miały burzliwy przebieg. Podczas zebrań członkowie partii oceniali siebie nawzajem; każdy krytykował innych i siebie, nie szczędząc zasłużonych pochwał, ale i wytykając niedociągnięcia. Członkowie partii byli szczególnie świadomi rozgrywających się wokół zdarzeń i starali się zapobiec szkodliwej działalności ludzi pozostających pod wpływem kleru i obszarników. Przez ciągłą czujność hartowali się jak stal. Do partii należeli młodzi i starzy, oficerowie i szeregowcy. Jej siła, jak mi wyjaśniał Gawryła, polegała na umiejętności oczyszczania swoich szeregów z tych, którzy — jak zablokowane albo krzywe koło u wozu — hamowali postęp. Czystki odbywały się właśnie w trakcie zebrań. To wtedy członkowie kształtowali w sobie konieczną nieugiętość. Było w tym coś ogromnie pociągającego. Patrzyło się na człowieka ubranego jak inni, pracującego i walczącego jak oni. Wydawał się tylko szeregowym żołnierzem wielkiej armii. Ale mógł być członkiem partii; w kieszeni munduru, na sercu, mógł nosić legitymację partyjną. To odmieniało go w moich oczach, tak samo jak światło odmieniało czuły papier w ciemni pułkowego fotografa. Człowiek ten stawał się jednym z najlepszych, jednym z wybranych, jednym z tych, którzy wiedzieli więcej od pozostałych. Jego zdanie miało większą moc niż skrzynia dynamitu. Wszyscy wkoło milkli, kiedy się odzywał, lub mówili ostrożniej, kiedy słuchał.

W świecie Sowietów miarą człowieka było nie to, co myślał o sobie sam, ale to, co myśleli o nim inni. Tylko grupa, zwana przez nich kolektywem, miała prawo oceniać wartość i znaczenie człowieka. Grupa decydowała o tym, w jaki sposób może okazać się bardziej przydatny dla ogółu oraz kiedy staje się zbędny. On sam przemieniał się w wypadkową tego, co mówili o nim pozostali. Poznawanie prawdziwego charakteru człowieka było niekończącym się procesem, twierdził Gawryła. Nigdy nie można przewidzieć, czy na jego dnie, podobnie jak na dnie głębokiej studni, nie przyczaił się wróg mas pracujących, agent obszarników. Dlatego właśnie każdą jednostkę musiało bezustannie obserwować całe otoczenie: przyjaciele i przeciwnicy pospołu.

Człowiek miał jakby wiele twarzy; jednej można było wymierzyć policzek, podczas gdy na innej składało się pocałunki, a do następnej odnoszono się obojętnie. Ustawicznie oceniano go według takich miar, jak umiejętności zawodowe, pochodzenie społeczne, miejsce w kolektywie lub partii, i porównywano z innymi, którzy mogli go lada moment zastąpić lub na których stanowisko on sam mógł zostać skierowany. Partia patrzyła równocześnie na każdego przez wiele szkieł o różnych ogniskowych, lecz zawsze o doskonałej precyzji, i nikt nigdy nie wiedział, jaki obraz wyłoni się ostatecznie.

Zostanie członkiem partii rzeczywiście oznaczało osiągnięcie szczytu. Niełatwo jednak było dojść tak wysoko; im lepiej poznawałem życie pułku, tym bardziej zdawałem sobie sprawę z zawiłości świata, w którym poruszał się Gawryła.

Aby osiągnąć wierzchołek, człowiek musiał piąć się równolegle po wielu drabinach. Mógł być już w połowie drogi na drabinie zawodowej, a dopiero na pierwszych szczeblach drabiny politycznej. Mógł się wspinać po jednej, a obsuwać po drugiej. Tak więc jego szanse dotarcia na wierzchołek wciąż się zmieniały, a przy szczycie, jak powiadał Gawryła, często jeden krok do przodu oznaczał dwa wstecz. Co więcej, nawet po zdobyciu wierzchołka bardzo łatwo było z niego spaść; wówczas człowiek musiał zaczynać wspinaczkę od początku.

Ponieważ ocena człowieka uwzględniała też pochodzenie społeczne, liczyło się, z jakiej rodziny się wywodził, nawet jeśli jego rodzice już nie żyli. Większe szanse awansu na drabinie politycznej miał człowiek z rodziny robotniczej niż z urzędniczej lub chłopskiej. Cień pochodzenia ustawicznie włókł się za ludźmi, tak jak widmo grzechu pierworodnego prześladuje nawet najpobożniejszych katolików.

Zdjął mnie lęk. Chociaż nie znałem zawodu ojca, pamiętałem, że mieliśmy w domu kucharkę, służącą i niańkę, które z pewnością zostaną zakwalifikowane jako ofiary wyzysku. Wiedziałem też, że ani ojciec, ani matka nie pracowali fizycznie. Czyżby to znaczyło, że tak jak ciemne włosy i oczy świadczyły na moją niekorzyść, kiedy przebywałem wśród chłopów, pochodzenie społeczne może okazać się dla mnie kulą u nogi w życiu wśród Sowietów?

Pozycję na wojskowej drabinie określały stopień i funkcja. Doświadczony członek partii musiał posłusznie spełniać rozkazy swojego dowódcy, nawet jeśli ten nie należał do partii. Później, na zebraniu partyjnym, mógł skrytykować jego działalność i jeśli zarzuty uznano za uzasadnione, a inni członkowie je potwierdzili, przenoszono dowódcę na niższe stanowisko. Zdarzało się jednak, że dowódca karał oficera należącego do partii, a partia, dodatkowo, degradowała go w swojej hierarchii.

Czułem się zagubiony w tym labiryncie. W świecie, do którego wprowadzał mnie Gawryła, ludzkie aspiracje i oczekiwania były tak splecione ze sobą, jak korzenie i gałęzie najwyższych drzew w kniei, z których każde walczy o więcej wilgoci z gleby i lepszy dostęp do słońca.

Martwiłem się. Co się ze mną stanie, kiedy dorosnę? Jak

będę się prezentował, oglądany wieloma oczami partii? Jakie było moje najgłębsze jądro: zdrowe niczym środek świeżo zerwanego jabłka czy zgniłe niby toczona przez robaki pestka zepsutej śliwki?

Co się stanie, jeśli inni, kolektyw, uznają, że najlepiej się nadaję do pracy, która mi nie odpowiada, takiej jak na przykład nurkowanie? Czy wezmą pod uwagę to, że lękam się wody, bo sam jej widok przypomina mi, jak się topiłem w przerębli? Grupa może uznać to przeżycie za cenne doświadczenie, kwalifikujące mnie do szkolenia na nurka. Zamiast zostać wynalazcą zapalników, będę musiał spędzić resztę życia jako nurek, nienawidząc wody i trzęsąc się ze strachu przed każdym zanurzeniem. Co wtedy? Ale jak może jednostka dufać, pytał Gawryła, że jej ocena jest słuszniejsza od oceny grupy?

Wchłaniałem każde słowo Gawryły, a kiedy chciałem, żeby mi coś wyjaśnił, pisałem pytania na tabliczce, którą od niego dostałem. Przysłuchiwałem się rozmowom żołnierzy przed zebraniami i po nich; przez płócienne ściany namiotu podsłuchiwałem nawet dyskusje toczące się w trakcie zebrań.

Życie sowieckich dorosłych nie było łatwe. Może równie ciężkie jak moje podczas tułaczki po wsiach, kiedy to wszędzie brano mnie za Cygana. Człowiek miał do wyboru wiele ścieżek, dróg i szos, którymi mógł przejść przez życie. Ale niektóre kończyły się ślepo, inne wiodły na moczary lub do niebezpiecznych pułapek i wnyków. W świecie Gawryły jedynie partia wiedziała, które ścieżki są właściwe i w jakim kierunku trzeba podążać.

Starałem się zapamiętać nauki Gawryły, nie uronić z nich ani słowa. Utrzymywał, że aby być szczęśliwym i pożytecznym, należy włączyć się w pochód ludu pracy, kroczyć noga w nogę z innymi, na miejscu przydzielonym w szeregu. Pchanie się na czoło kolumny było nie mniej naganne niż wleczenie się w ogonie. Mogło oznaczać utratę kontaktu z masami, prowadzić do dekadencji i zwyrodnienia. Każde potknięcie opóźniało całą kolumnę, a ci, którzy upadli, ryzykowali, że stratują ich następni...

17

Późnymi popołudniami z wiosek nadciągały tłumy. Chłopi przynosili owoce i warzywa, które wymieniali na smakowitą peklowaną wieprzowinę, przysyłaną czerwonoarmistom aż hen z Ameryki, na buty albo na kawałki brezentu nadające się do uszycia kurtki czy spodni.

Kiedy żołnierze kończyli popołudniowe ćwiczenia, rozlegał się akordeon, a tu i tam zaczynały się śpiewy. Chłopi wsłuchiwali się uważnie w pieśni, ale ledwo rozumieli ich słowa. Niektórzy jednak przyłączali się odważnie i śpiewali głośno razem z wojskowymi. Inni, wyraźnie spłoszeni, spoglądali podejrzliwie na sąsiadów, objawiających tak nagłą i niespodziewaną sympatię do Armii Czerwonej.

Coraz częściej wraz z mężczyznami przychodziły kobiety. Niektóre otwarcie flirtowały z żołnierzami, usiłując nakłonić ich do zawarcia transakcji z mężami czy braćmi czekającymi w pobliżu. Popielatowłose, jasnookie, obciągały postrzępione bluzki i jakby mimochodem unosiły wytarte spódnice, a idąc kołysały biodrami. Żołnierze podchodzili bliżej, wynosząc z namiotów lśniące puszki amerykańskiej wieprzowiny i wołowiny, paczki machorki i bibułki do skręcania papierosów. Nie zwracając uwagi na obecność wieśniaków, zaglądali kobietom głęboko w oczy, niby niechcący ocierając się o ich ciała i wdychając ich zapach.

Czasem żołnierze wymykali się z obozu i odwiedzali wioski, gdzie handlowali z chłopami lub spotykali się z dziewczynami. Dowództwo pułku robiło wszystko, aby zapobiec tym potajemnym kontaktom z miejscową ludnością. Oficerowie polityczni, dowódcy batalionów, a nawet gazetki nadsyłane z dywizji ostrzegały żołnierzy przed samotnymi eskapadami. Przypominano, że wielu bogatszych gospodarzy wciąż pozostaje pod wpływem nacjonalistycznej partyzantki, która buszuje po lasach, usiłując opóźnić zwycięski pochód armii sowieckiej i zapobiec triumfalnemu ustanowieniu rządu robotników i chłopów. Napomykano, że żołnierze z innych pułków wracali poważnie pobici, a kilku w ogóle znikło.

Pewnego dnia grupka żołnierzy, nie zważając na to, iż narażają się na karę, wykradła się po cichu z obozu. Wartownicy udali, że ich nie widzą. Życie w obozie toczyło się monotonnie; żołnierze, czekając na zwinięcie obozu i odjazd na front, spragnieni byli jakiejkolwiek rozrywki. Mitka, zwany Kukułką, wiedział o wypadzie przyjaciół i — gdyby nie kulał — może by nawet wybrał się z nimi. Często powtarzał, że skoro czerwonoarmiści, walcząc z faszystami, ryzykują dla wieśniaków życie, nie widzi powodu, aby unikać ich towarzystwa.

Mitka zajmował się mną, odkąd trafiłem do pułkowego szpitala. Dzięki jego troskliwości przybrałem na wadze. Wyławiał dla mnie z ogromnego kotła najlepsze kawałki mięsa, zgarniał tłuszcz z zupy. Był przy mnie, gdy robiono mi bolesne zastrzyki, dodawał otuchy przed kolejnymi badaniami. Kiedy raz pochorowałem się z przejedzenia, przez dwa dni nie odstępował mojego łóżka; trzymał mi głowę, kiedy wymiotowałem, wycierał twarz mokrym ręcznikiem.

O ile Gawryła uczył mnie rzeczy poważnych, wyjaśniając rolę partii, Mitka zapoznawał mnie z poezją i śpiewał mi pieśni, akompaniując sobie na gitarze. To on zabierał mnie do pułkowego kina i tłumaczył dokładnie treść filmów. Z nim szedłem przypatrywać się mechanikom reperującym silniki potężnych zisów i studebakerów, albo na strzelnicę, gdzie ćwiczyli snajperzy.

Mitka należał do najbardziej lubianych i szanowanych ludzi w pułku. Mógł się szczycić swoim przebiegiem służby. W czasie uroczystości wojskowych na jego spłowiałym mundurze pojawiały się odznaczenia, jakich miał prawo zazdrościć mu dowódca pułku, a nawet dywizji: Mitka był Bohaterem Związku Radzieckiego. Oprócz tego najwyższego zaszczytu posiadał także wiele innych orderów; w całej dywizji mało kto mógł się z nim równać. Ponadto był kandydatem partii.

Jego osiągnięcia jako snajpera opisywano w gazetach

i książkach dla dzieci oraz dorosłych. Kilkakrotnie pokazywano go w kronikach filmowych, oglądanych przez miliony obywateli sowieckich w kołchozach i fabrykach. Mitka był dumą całego pułku: fotografowano go do gazetki dywizji, korespondenci przeprowadzali z nim wywiady. Przy wieczornym ognisku żołnierze często snuli opowieści o niebezpiecznych misjach, na które się wypuszczał zaledwie przed rokiem. Bez końca omawiali jego bohaterskie czyny na tyłach nieprzyjaciela, kiedy sam jeden, zrzucony na spadochronie, z niezwykłą celnością strzelał z daleka do niemieckich oficerów i łączników. Koledzy nie mogli się nadziwić, jak udawało mu się przedrzeć przez linię frontu; po powrocie wysyłano go zaraz w kolejną niebezpieczną misję.

Słuchając tych opowieści, pęczniałem z dumy. Siedząc obok Mitki, wsparty o jego silne ramię, wsłuchiwałem się z uwagą w głosy rozmawiających, aby nie uronić ani słowa z wyjaśnień przyjaciela lub z zadawanych mu pytań. Jeśli wojna się nie skończy, zanim dorosnę na tyle, żeby wstąpić do wojska, może też zostanę strzelcem wyborowym, bohaterem, o którym ludzie pracy rozmawiają w trakcie posiłków.

Sztucer Mitki był przedmiotem powszechnego zachwytu. Ulegając prośbom kolegów, snajper wyjmował sztucer z futerału i zdmuchiwał niewidoczne pyłki z celownika i kolby. Żołnierze, drżąc z podniecenia, pochylali się nad bronią z taką czcią, jak księża nad ołtarzem. Starzy wojacy o wielkich, zrogowaciałych dłoniach ujmowali sztucer o gładko wypolerowanej kolbie tak delikatnie, jak matka podnosi z kołyski niemowlę. Wstrzymując oddech, spoglądali przez czyste niczym kryształ soczewki lunety. To tym okiem Mitka patrzył na wroga. Soczewki tak przybliżały cel, że widział twarze, gesty, uśmiechy. Pomagały mu mierzyć precyzyjnie w punkt tuż poniżej baretek, gdzie biło niemieckie serce.

Twarz Mitki posępniała, kiedy żołnierze podziwiali jego sztucer. Odruchowo dotykał bolącego, zdrętwiałego boku, w którym nadal tkwiły odłamki niemieckiego pocisku. Rok temu pocisk ten położył kres jego snajperskiej karierze. Codziennie sprawiał, że ból przenikał ciało strzelca. Z Mitki Kukułki, jak zwano go niegdyś, pocisk przemienił go w Mitkę Mistrza, jak coraz częściej tytułowano go obecnie.

Był w pułku instruktorem strzeleckim i przekazywał młodym żołnierzom swoje umiejętności, ale nie tego pragnął całym sercem. Czasami w nocy widziałem jego szeroko otwarte, jasne, świdrujące oczy wpatrzone w spadziste ściany namiotu. Zapewne rozpamiętywał dnie i noce, kiedy ukryty pośród gałęzi lub ruin daleko na tyłach nieprzyjaciela czekał na odpowiednią chwilę, by zastrzelić oficera, łącznika ze sztabu, lotnika lub czołgistę. Ile to razy musiał patrzeć w twarz wroga, śledząc jego ruchy, oceniając odległość, jeszcze raz biorąc go na cel. Każdą dobrze wymierzoną kulą wzmacniał Związek Radziecki, usuwając kolejnego z niemieckich żołnierzy. Specjalne patrole z przeszkolonymi psami szukały kryjówek Mitki; obławy obejmowały rozległe tereny. Ileż to razy musiało mu się wydawać, że nie powróci z akcji! A jednak nie miałem wątpliwości, że były to najszczęśliwsze chwile w jego życiu. Mitka za nic nie oddałby tych dni, kiedy równocześnie pełnił rolę sędziego i kata. Sam, wspomagany lunetką sztucera, pozbawiał wroga doborowych ludzi. Rozpoznawał ich po baretkach, oznakach stopni, barwie mundurów. Zanim pociągał za cyngiel, musiał stawiać sobie pytanie, czy człowiek ten godzien jest umrzeć od kuli Mitki Kukułki. Może lepiej zaczekać na znamienitszą ofiarę: zastrzelić kapitana zamiast porucznika, majora zamiast kapitana, pilota zamiast czołgisty, oficera sztabowego zamiast dowódcy batalionu? Każdy strzał mógł spowodować śmierć nie tylko wroga, ale także i jego, Mitki, pozbawiając tym samym Armię Czerwoną jednego z najlepszych żołnierzy.

Rozmyślając o tych sprawach, coraz bardziej podziwiałem Mitkę. Oto, zaledwie o dwa kroki ode mnie, leżał na pryczy człowiek, który zabiegał o lepszy i bezpieczniejszy świat, nie modląc się przy ołtarzach, lecz jako strzelec wyborowy. Niemiecki oficer we wspaniałym czarnym mundurze, który spędzał czas na zabijaniu bezsilnych więźniów lub decydowaniu o losie takich nieważnych czarnych pcheł jak ja, wydawał mi się teraz żałośnie mały w porównaniu z Mitką.

Kiedy żołnierze, którzy wymknęli się z obozu do wioski, długo nie wracali, Mitka zaczął się denerwować. Zbliżała się pora wieczornego apelu; ich nieobecność mogła się wydać lada chwila. Czekaliśmy w namiocie. Mitka przechadzał się niespokojnie, pocierając dłonie, wilgotne z przejęcia. Wśród tych, co udali się do wsi, było kilku jego najbliższych przyjaciół: Lońka, który pochodził z tego samego miasta; Grisza, dobry śpiewak, któremu snajper akompaniował na harmonii; Anton, poeta, który piękniej niż ktokolwiek recytował wiersze; Wańka, który, jak twierdził Mitka, uratował mu niegdyś życie.

Słońce zaszło, zmieniono warty. Mitka co rusz spoglądał na fosforyzującą tarczę zdobycznego zegarka.

Nagle przy wartownikach na zewnątrz wybuchła wrzawa. Ktoś zaczął wołać lekarza, a w stronę dowództwa pułku pomknął na motorze posłaniec.

Mitka wybiegł z namiotu, ciągnąc mnie za sobą. Inni popędzili za nami.

Przy wjeździe na teren obozu zgromadził się już liczny tłum. Otaczając cztery nieruchome ciała, stało lub klęczało kilku okrwawionych żołnierzy. Z ich nieskładnych słów dowiedzieliśmy się, że byli na uczcie w pobliskiej wsi; nagle rzucili się na nich pijani chłopi, zazdrośni o swoje kobiety. Wieśniacy mieli przewagę liczebną; udało się im rozbroić żołnierzy. Czterech zarąbali siekierami, resztę ciężko poranili.

Pojawił się zastępca dowódcy pułku w asyście innych wyższych oficerów. Żołnierze rozstąpili się i stanęli na baczność. Ranni daremnie usiłowali się podnieść. Zastępca dowódcy, blady, lecz opanowany, wysłuchał relacji jednego z nich i wydał rozkazy. Rannych natychmiast zabrano do szpitala polowego. Niektórzy z nich szli wolno o własnych siłach, podtrzymując się nawzajem i ocierając rękawami zakrwawione twarze i włosy.

Mitka kucnął przy zabitych, wpatrując się bez słowa

w ich nieruchome, zmasakrowane oblicza. Inni żołnierze stali obok, sapiąc ciężko.

Wańka leżał na wznak, z białą twarzą zwróconą ku patrzącym. W nikłym świetle lampy widzieliśmy podłużne skrzepy krwi na jego piersi. Lońce straszliwy cios siekiery rozpłatał głowę. Odłamki kości sterczały spośród zwisających strzępów mięśni i skóry. Pogruchotane, nabrzmiałe twarze pozostałych dwóch ofiar zmienione były nie do poznania.

Zajechał ambulans. Mitka chwycił się kurczowo mojego ramienia, kiedy zabierano ciała.

O tragedii mówiono w wieczornym raporcie. Żołnierze, zaciskając zęby, słuchali nowych rozkazów zabraniających wszelkich kontaktów z wrogą ludnością miejscową oraz podejmowania jakichkolwiek działań, które mogłyby jeszcze bardziej zaognić jej stosunki z wojskiem.

Tego wieczoru Mitka długo coś mamrotał do siebie, waląc się pięścią po głowie; później siedział w milczeniu, ponuro zadumany.

Minęło kilka dni. Życie pułku powracało wolno do normy. Ludzie coraz rzadziej wspominali imiona zabitych. Znów zaczęli śpiewać; przygotowywali się też do przyjazdu teatru polowego. Mitka jednak czuł się nie najlepiej i ktoś inny musiał przejąć jego obowiązki instruktora.

Pewnej nocy Mitka zbudził mnie przed świtem. Powiedział, żebym się szybko ubierał i o nic nie pytał. Kiedy byłem gotów, pomogłem mu owinąć onucami nogi i wciągnąć buty. Syczał z bólu, ale w pośpiechu wkładał mundur.

Kazał mi się upewnić, czy pozostali żołnierze nadal śpią, po czym wydobył zza pryczy sztucer. Wyjął broń z brązowego futerału i przerzucił przez ramię. Ostrożnie odłożył na miejsce pusty, zamknięty futerał, aby wyglądało, że broń wciąż znajduje się w środku. Następnie, po zdjęciu z niej osłony, wetknął lunetkę do kieszeni razem z niewielką składaną podpórką. Sprawdził pas z nabojami, wziął wiszącą na haczyku lornetkę i zarzucił mi na szyję.

Bezszelestnie wymknęliśmy się z namiotu. Ominęliśmy kuchnię polową i, odczekawszy, aż przemaszerują wartownicy, pobiegliśmy szybko w krzaki, przecięliśmy sąsiednie pole i wkrótce znaleźliśmy się poza terenem obozu.

Horyzont wciąż zalegały nocne mgły. Biała wstęga wiejskiej drogi pełzła między nieprzejrzystymi obłokami, które ścieliły się na polach.

Mitka otarł z potu kark, podciągnął wyżej pas i poklepał mnie po głowie; ruszyliśmy w stronę lasu majaczącego w oddali.

Nie wiedziałem, dokąd idziemy ani dlaczego. Lecz domyślałem się, że Mitka chce zrobić coś na własną rękę, coś, czego nie powinien, a co może przypłacić utratą swojej pozycji w wojsku i szacunku, jakim się cieszy.

Mimo to byłem dumny, iż wybrał właśnie mnie na towarzysza i że mogę pomóc Bohaterowi Związku Radzieckiego w jego tajemniczej misji.

Szliśmy szybko. Mitkę wyraźnie męczył wysiłek; kulał coraz bardziej i wciąż poprawiał sztucer, który zsuwał mu się z ramienia. Ilekroć się potykał, klął pod nosem, choć zwykle zakazywał innym używania przekleństw; przypominając sobie o mojej obecności, kazał mi natychmiast wymazywać z pamięci usłyszane słowa. Kiwałem głową; wiele bym jednak dał, żeby odzyskać mowę i móc powtórzyć te wspaniałe rosyjskie przekleństwa, soczyste jak dojrzałe śliwki. Ostrożnie ominęliśmy śpiącą wioskę. Z kominów nie unosił się dym, psy i koguty milczały. Mitce twarz stężała, wargi zaschły. Otworzył manierkę z zimną kawą; wypił haust i oddał mi resztę. Śpieszyliśmy dalej.

Zanim wreszcie dotarliśmy do lasu, nastał dzień, ale las wciąż wyglądał ponuro. Sztywno wyprostowane drzewa strzegły polan i przesiek szerokimi rękawami konarów niby złowieszczy mnisi w czarnych habitach. W jednym miejscu słońce znalazło niewielki otwór między wierzchołkami drzew i jego promienie prześwitywały przez rozcapierzone dłonie kasztanowych liści.

Po chwili wahania Mitka wybrał wysokie, grube drzewo na samym skraju lasu, tuż przy polu. Pień był śliski, ale sterczały z niego sęki, a rozłożyste konary rosły dość nisko. Mitka podsadził mnie na pierwszy z nich, po czym podał mi długi sztucer, lornetkę, lunetę i podpórkę, które powiesiłem delikatnie na gałązkach. Teraz z kolei ja musiałem mu pomóc. Kiedy Mitka, pojękując i sapiąc, zlany potem, wdrapał się w końcu na moją gałąź, ja wspiąłem się na następną. W ten sposób, pomagając sobie, dotarliśmy ze sztucerem i resztą sprzętu prawie na sam wierzchołek drzewa.

Po krótkim odpoczynku Mitka zgrabnie usunął gałązki zasłaniające nam widok; niektóre ściął, inne związał. Wkrótce mieliśmy względnie wygodną i dobrze zamaskowaną kryjówkę. Niewidoczne ptaki szeleściły na wierzchołkach pobliskich drzew.

Kiedy przyzwyczaiłem się do wysokości, dostrzegłem zarysy chat w wiosce przed nami. Pierwsze kłęby dymu wzbijały się w niebo. Mitka założył na sztucer lunetę i ustawił solidnie podpórkę. Opierając się o pień, ostrożnie umieścił na niej sztucer.

Długo obserwował chaty przez lornetkę. Potem mi ją przekazał, a sam zaczął nastawiać lunetę na właściwą odległość. Skierowałem szkła na wioskę. Zdumiewająco powiększona, zdawała się znajdować tuż pod drzewem. Obraz był tak ostry i wyraźny, że mogłem niemal policzyć źdźbła słomy w pokryciu dachów. Widziałem kury, które przechadzały się po obejściach, od czasu do czasu dziobiąc ziemię, i psa wylegującego się w słabym słońcu poranka.

Mitka poprosił o lornetkę. Zanim mu ją oddałem, jeszcze raz zerknąłem szybko na wioskę. Ujrzałem wysokiego chłopa, który właśnie wyszedł z chaty. Przeciągnął się, ziewnął, spojrzał w bezchmurne niebo. Miał na sobie rozchełstaną koszulę, a na kolanach portek duże łaty.

Mitka wziął lornetkę i położył poza moim zasięgiem. Nie poruszając się, obserwował wioskę przez lunetę. Wysilałem wzrok, ale bez szkieł widziałem tylko maleńkie chaty w oddali.

Rozległ się strzał. Podskoczyłem, a ptaki w listowiu zatrzepotały skrzydłami. Mitka podniósł czerwoną, spoconą twarz i mruknął coś pod nosem. Sięgnąłem po lornetkę, ale uśmiechnął się przepraszająco i odsunął moją dłoń.

Miałem mu to za złe, ale mogłem się domyślać, co się

stało. Oczami wyobraźni widziałem, jak chłop przewraca się, wyrzucając ręce nad głowę, jakby chciał się złapać niewidocznej belki, i pada na próg chaty.

Mitka znów naładował sztucer, chowając do kieszeni łuskę po wystrzelonym pocisku. Przyłożywszy lornetkę do oczu, spokojnie lustrował wioskę, pogwizdując cicho przez zaciśnięte zęby.

Usiłowałem sobie wyobrazić, co się tam dzieje. Z chałupy wyszła stara baba okutana w brunatne szmaty, popatrzyła na niebo, przeżegnała się i w tej samej chwili dostrzegła leżące na ziemi ciało. Gdy podeszła bliżej niezgrabnym, kaczkowatym chodem i schyliła się, by zajrzeć w twarz leżącego, zobaczyła krew; z wrzaskiem pognała w stronę najbliższych chałup.

Z chat wyskoczyli poruszeni jej krzykiem sąsiedzi; gospodarze, którzy w pędzie dopinali portki, i zaspane kobiety. Wkrótce cała wieś zaroiła się biegnącymi ludźmi. Mężczyźni pochylali się nad trupem, żywo gestykulując i rozglądając się bezradnie dookoła.

Mitka poruszył się nieco. Czekał z okiem przytkniętym do lunety, przyciskając kolbę do ramienia. Krople potu lśniły mu na czole. Jedna z nich oderwała się, stoczyła w gęste brwi, wyłoniła u nasady nosa i zaczęła spływać wzdłuż kości policzkowej w kierunku brody. Zanim dotarła do ust, Mitka wypalił szybko trzy razy.

Zamknąłem oczy; ujrzałem wioskę i trzy ciała osuwające się na ziemię. Pozostali chłopi, którzy z powodu odległości nie słyszeli wystrzałów, rozpierzchli się w popłochu, popatrując skonfundowani na boki, nie mogąc pojąć, skąd padają kule.

Wieś zdjął strach. Rodziny zabitych, szlochając bez opamiętania, wlokły ciała za ręce i nogi w kierunku domostw i stodół. Dzieci i starcy, nieświadomi tego, co się dzieje, wciąż kręcili się po obejściach. Ale już po kilku chwilach wszyscy znikli. Pozamykano nawet okiennice. Mitka znów zaczął obserwować wioskę. Trwało to długo; zapewne nikogo nie było na zewnątrz. Wtem odłożył lornetkę i porwał za sztucer.

Oczami wyobraźni ujrzałem młodego chłopa, który skradał się między chatami, próbując uniknąć strzałów i szybko wrócić do domu. Nie wiedząc, skąd nadlatują kule, co kilka kroków zatrzymywał się i rozglądał wkoło. Kiedy zbliżył się do krzaków dzikiej róży, Mitka nacisnął spust.

Mężczyzna stanął, jakby nagle nogi wrosły mu w ziemię. Zgiął jedno kolano i miał właśnie zgiąć drugie, kiedy nagle runął prosto w krzaki. Cierniste gałęzie zakołysały się niespokojnie.

Mitka wsparł się o sztucer i odpoczywał. Chłopi siedzieli ukryci w chatach; nikt więcej nie odważył się wyjść.

Jakże zazdrościłem Mitce! Teraz znacznie lepiej pojąłem sens słów, które w rozmowie z nim wygłosił jeden z żołnierzy. „Człowiek — to brzmi dumnie. Każdy nosi w sobie swoją prywatną wojnę, którą sam musi stoczyć, bez względu na to, czy ją wygra, czy przegra; także własną sprawiedliwość, którą tylko on może wymierzyć". Teraz Mitka Kukułka wymierzył karę za śmierć swoich przyjaciół, nie zważając na opinię innych, ryzykując pozycję w pułku i tytuł Bohatera Związku Radzieckiego. Gdyby nie mógł pomścić przyjaciół, na cóż by mu się zdały długotrwałe ćwiczenia w sztuce snajperskiej, celne oko, pewna ręka, miarowy oddech? Jaką wartość posiadałby dla niego tytuł bohatera, szanowanego i wielbionego przez dziesiątki milionów obywateli, jeśli we własnych oczach nie zasługiwałby na ten zaszczyt?

Zemsta Mitki miała jeszcze jedną przyczynę. Bez względu na popularność i podziw, jakim go ludzie darzą, człowiek musi żyć w zgodzie z samym sobą. Jeśli czuje wewnętrzny niepokój, jeśli dręczy go coś, czego nie uczynił, choć powinien, aby zachować dobre mniemanie o sobie, jest jak „posępny Demon, duch wygnania, [który] wolno nad ziemią leciał grzeszną" *.

Zrozumiałem również inną ważną rzecz. Wiele dróg i wiele ścieżek wiedzie na moralny wierzchołek. Ale można go osiągnąć w pojedynkę lub przy pomocy jednego tylko przyjaciela, tak jak zrobił to Mitka, kiedy wspiął się ze mną na drzewo. Pochód mas pracujących nie miał z tym nic wspólnego.

Uśmiechając się przyjaźnie, Mitka wręczył mi lornetkę. Spojrzałem z zaciekawieniem na wioskę, ale ujrzałem tylko zamknięte na głucho chaty. Gdzieniegdzie stąpały wyniośle kury i indyki. Już miałem oddać lornetkę, kiedy między dwiema chatami pojawił się wielki pies. Zamerdał ogonem i podrapał się za uchem tylną łapą. Przypomniałem sobie Judasza. Drapał się dokładnie tak samo, przyglądając mi się spode łba, kiedy wisiałem na hakach.

---

* Przekład Zbigniewa Bieńkowskiego.

Dotknąłem ramienia Mitki i wskazałem głową na wioskę. Myśląc, że wyszli ludzie, przyłożył oko do lunetki. Nie dojrzawszy nikogo, podniósł na mnie pytająco wzrok. Pokazałem na migi, żeby zabił psa. Zdziwiony, odmówił. Ponowiłem prośbę. Znów odmówił, spoglądając na mnie z dezaprobatą. Siedzieliśmy w milczeniu, wsłuchując się w groźne szmery lasu. Mitka jeszcze raz popatrzył na wioskę, ale ponieważ chłopi nadal kryli się po chałupach, złożył podpórkę i zdjął lunetę ze sztucera. Zaczęliśmy wolno schodzić z drzewa; Mitka czasami klął z bólu, kiedy zwisając na rękach, szukał nogami gałęzi, na której mógłby stanąć.

Zakopał pod mchem łuski po wystrzelonych nabojach i usunął wszystkie ślady naszego pobytu. Ruszyliśmy w stronę obozu, skąd dolatywał nas warkot silników; mechanicy sprawdzali ciężarówki. Wślizgnęliśmy się niepostrzeżenie do naszego namiotu.

Po południu, kiedy inni żołnierze mieli służbę, Mitka szybko wyczyścił sztucer oraz lunetę i schował je do futerału.

Tego wieczoru był serdeczny i pogodny jak dawniej. Śpiewał cliwym głosem ballady o Czapajewie, o pięknie Odessy, o kanonierach na tysiącu baterii, mszczących się za matki, które straciły na wojnie synów.

Siedzący dookoła żołnierze podejmowali refren. Ich czyste głosy niosły się w dal. Z wioski dochodziło odległe, miarowe dudnienie żałobnych dzwonów.

18

Przez kilka dni nie chciałem się pogodzić z myślą, że muszę rozstać się z Gawryłą, Mitką i innymi przyjaciółmi z pułku. Ale Gawryła oświadczył mi stanowczo, że wojna się kończy, moja ojczyzna została całkowicie wyzwolona od Niemców i że zgodnie z przepisami bezdomne dzieci należy przekazywać do specjalnych ośrodków, gdzie będą przebywać, dopóki nie wyjaśni się, czy żyją ich rodzice.

Patrzyłem mu w twarz, kiedy mi to tłumaczył, i z trudem hamowałem łzy. Gawryła też miał niewyraźną minę. Wiedziałem, że on i Mitka długo zastanawiali się, co ze mną zrobić, i gdyby istniało inne rozwiązanie, na pewno by je znaleźli.

Obiecał, że jeśli w ciągu trzech miesięcy od zakończenia wojny nie zgłosi się nikt z mojej rodziny, sam się mną zaopiekuje i pośle mnie do szkoły, w której znów nauczę się mówić. Tymczasem przekonywał mnie, żebym był dzielny i pamiętał wszystko, czego się od niego dowiedziałem, a także bym codziennie czytał „Prawdę".

Dostałem worek prezentów od żołnierzy oraz książki od Gawryły i Mitki. Włożyłem mundur czerwonoarmisty uszyty specjalnie dla mnie przez pułkowego krawca. W kieszeni znalazłem drewniany pistolecik z wizerunkiem Stalina po jednej stronie, a Lenina po drugiej.

Nadeszła chwila rozstania. Zabierał mnie sierżant Jurij, mający załatwić jakieś wojskowe sprawy w mieście, w którym znajdowało się schronisko dla dzieci bez rodzin. To właśnie w tym przemysłowym mieście, największym w całym kraju, mieszkałem przed wojną.

Gawryła upewnił się, czy wszystko spakowałem i czy mam swoje akta. Spisał w nich dokładnie uzyskane ode mnie informacje dotyczące moich personaliów, poprzedniego miejsca zamieszkania, oraz to, co pamiętałem o rodzicach, krewnych, znajomych i o rodzinnym mieście.

Kierowca zapuścił silnik. Mitka poklepał mnie po ramieniu, przykazując, bym podtrzymywał honor Armii Czerwonej. Gawryła wyściskał mnie serdecznie, a pozostali podali mi dłonie, jakby żegnali się z kimś dorosłym. Zbierało mi się na płacz, ale wziąłem się w garść, sznurując usta ciasno niby żołnierski but.

Pojechaliśmy na stację. W wagonach tłoczyli się żołnierze i cywile. Pociąg stawał często, a to przy połamanych semaforach, a to w szczerym polu. Mijaliśmy zbombardowane miasteczka, opustoszałe wioski, porzucone samochody, czołgi, działa, samoloty o skrzydłach i ogonach odartych z blachy. Czasami wzdłuż torów biegli ludzie w łachmanach, żebrząc o papierosy i jedzenie, a półnagie dzieci, rozdziawiając usta, wpatrywały się w pociąg. Dotarcie do celu zajęło nam dwa dni.

Na wszystkich torach stały wojskowe transporty, wagony Czerwonego Krzyża, otwarte platformy wyładowane sprzętem wojskowym. Przez perony przewalały się tłumy żołnierzy sowieckich, byłych więźniów w rozmaitych mundurach i nędznie odzianych cywilów, a także kulejący inwalidzi oraz ślepcy, którzy idąc, postukiwali laskami o płyty chodnika. Tu i ówdzie pielęgniarki prowadziły wymizerowanych ludzi w pasiastych strojach; żołnierze milkli na ich widok — byli to ludzie uratowani od pieców, którzy powracali do życia z obozów koncentracyjnych.

Zaciskając palce na dłoni Jurija, spoglądałem na szare twarze tych ludzi, o rozgorączkowanych, płonących oczach, połyskujących jak kawałki szkła pośród popiołów gasnącego ogniska.

Lokomotywa wypchnęła na środek toru błyszczący wagon. Wyłoniła się z niego zagraniczna delegacja wojskowa w barwnych mundurach ozdobionych licznymi odznaczeniami. Szybko uformowała się straż honorowa i orkiestra wojskowa zaczęła grać hymn. Oficerowie w wymuskanych mundurach i ludzie w obozowych pasiakach mijali się bez słowa na wąskim peronie.

Nad budynkiem dworcowym wisiały nowe flagi, a przez głośniki płynęła muzyka, którą od czasu do czasu przerywały ochrypłe głosy; nadawano przemowy, padały słowa pozdrowienia. Jurij spojrzał na zegarek. Ruszyliśmy do wyjścia.

Jakiś kierowca wojskowy zgodził się zawieźć nas do schroniska. Ulicami ciągnęły konwoje i maszerowali żołnierze, chodniki roiły się od ludzi. Sierociniec mieścił się w kilku starych budynkach na bocznej ulicy. Z okien wyglądały tłumy dzieci.

Przez godzinę czekaliśmy w holu; Jurij czytał gazetę, a ja udawałem obojętność. Wreszcie zjawiła się kierowniczka, przywitała nas i wzięła od Jurija moje akta. Podpisała jakiś dokument, oddała Jurijowi i położyła mi dłoń na ramieniu. Strząsnąłem ją zdecydowanie. Epolety munduru to nie miejsce, gdzie kobieta może kłaść rękę.

Nadeszła chwila pożegnania. Jurij, siląc się na wesołość, poprawił mi furażerkę na głowie, po czym związał mocniej sznurkiem książki z dedykacjami od Mitki i Gawryły, które trzymałem pod pachą. Uścisnęliśmy się jak dwaj dorośli. Kierowniczka stała obok.

Zacisnąłem palce na czerwonej gwieździe, którą miałem przypiętą do lewej piersi. Był to prezent od Gawryły; widniał na niej profil Lenina. Wierzyłem, że ta gwiazda, prowadząca do celu miliony robotników na całym świecie, mnie również przyniesie szczęście. Ruszyłem za kierowniczką.

Idąc zatłoczonymi korytarzami, mijaliśmy otwarte drzwi klas, w których odbywały się lekcje. Tu i tam poszturchiwały się rozwrzeszczane dzieci. Na widok mojego munduru kilku chłopców zaczęło się śmiać i wytykać mnie palcami. Odwróciłem wzrok. Ktoś rzucił we mnie ogryzkiem; uchyliłem się, trafił w kierowniczkę.

Przez kilka pierwszych dni nie miałem spokoju. Kierowniczka żądała, abym oddał mundur i włożył zwyczajne ubranie cywilne, jakie przysyłał dla dzieci Międzynarodowy Czerwony Krzyż. O mało nie walnąłem w głowę wychowawczyni, kiedy próbowała zabrać mi mundur. Przed położeniem się spać składałem bluzę oraz spodnie i chowałem pod materac.

Po pewnym czasie mój dawno nieprany strój zaczął śmierdzieć, ale mimo to nie chciałem się z nim rozstać nawet na jeden dzień. Kierowniczka, rozsierdzona moim nieposłuszeństwem, zawołała dwie wychowawczynie i kazała im siłą pozbawić mnie munduru. Otoczył nas tłum uradowanych chłopaków.

Wyrwałem się niezdarnym kobietom i wybiegłem na ulicę. Zatrzymałem czterech przechadzających się spokojnie sowieckich żołnierzy i pokazałem na migi, że jestem niemową. Dali mi kawałek papieru; napisałem, że jestem synem sowieckiego oficera, który przebywa na froncie, i że czekam w schronisku na powrót ojca. Po czym, starannie dobierając słowa, wyjaśniłem, że kierowniczka jest córką obszarnika, nienawidzi Armii Czerwonej i — wraz z wyzyskiwanymi przez siebie wychowawczyniami — bije mnie codziennie z powodu mojego munduru.

Tak jak się spodziewałem, te informacje rozjuszyły żołnierzy. Poszli ze mną do schroniska i podczas gdy jeden tłukł po kolei doniczki w wyłożonym dywanem gabinecie szefowej, pozostali gonili wychowawczynie, bijąc je po twarzach i szczypiąc w pośladki. Przerażone kobiety uciekały z krzykiem.

Po tym zajściu pozostawiono mnie w spokoju. Nauczyciele nawet nie zaprotestowali, kiedy odmówiłem uczenia się czytania i pisania w ojczystym języku. Napisałem kredą na tablicy, że moim językiem jest rosyjski, język kraju, w którym nie istnieje wyzysk mas przez jednostkę, a nauczyciele nie prześladują uczniów.

Nad moim łóżkiem wisiał duży kalendarz. Codziennie skreślałem czerwoną kredką miniony dzień. Nie wiedziałem, jak długo przyjdzie mi jeszcze czekać, zanim skończy się wojna wciąż trwająca w Niemczech, lecz nie wątpiłem, że Armia Czerwona robi, co może, by jak najprędzej położyć jej kres.

Codziennie wymykałem się ze schroniska, żeby kupić „Prawdę" za pieniądze, które dał mi Gawryła. Czytałem pośpiesznie wiadomości o ostatnich zwycięstwach i z uwagą studiowałem najnowsze zdjęcia Stalina. Dodawały mi otuchy. Stalin wciąż wyglądał silnie i młodo, więc wszystko układało się pomyślnie. Koniec wojny był bliski.

Pewnego dnia wezwano mnie na badania lekarskie. Nie zgodziłem się zostawić munduru przed gabinetem i kiedy byłem badany, cały czas trzymałem go pod pachą. Później stanąłem przed komisją społeczną. Jeden z jej członków, starszy mężczyzna, przeczytał dokładnie moje akta. Następnie podszedł i, przyjaźnie zwracając się do mnie po imieniu, zapytał, czy nie wiem, dokąd zamierzali się udać moi rodzice po rozstaniu ze mną. Udałem, że nie rozumiem. Ktoś przetłumaczył pytanie na rosyjski, dodając, że starszy pan sądzi, iż znał moich rodziców przed wojną. Wtedy bez skrupułów napisałem na tabliczce, że rodzice nie żyją, zginęli od bomby. Członkowie komisji popatrzyli na mnie podejrzliwie. Zasalutowałem sztywno i wymaszerowałem z sali. Wścibski starzec zdenerwował mnie.

W schronisku mieszkało pięćset dzieci. Podzieleni na grupy, chodziliśmy na lekcje odbywające się w małych, obskurnych pomieszczeniach. Sporo chłopców i dziewcząt było kalekami i zachowywało się dziwnie. Klasy pękały w szwach. Brakowało ławek i tablic. Za sąsiada miałem chłopca w mniej więcej moim wieku, który bełkotał bezustannie: „Gdzie jest mój tatuś, gdzie jest mój tatuś?". Rozglądał się dookoła, jakby spodziewał się, że jego tatuś zaraz wyłoni się spod najbliższej ławki i pogładzi go po spoconym czole. Tuż przed nami siedziała dziewczynka, której wybuch urwał wszystkie palce. Wpatrywała się w palce innych, ruchliwe niczym żywe glisty. Widząc jej spojrzenia, dzieci szybko chowały ręce, jakby bały się jej wzroku. Nieco dalej siedział chłopiec, który nie miał połowy szczęki i jednego ramienia. Musiano go karmić, a odór gnijącej rany rozchodził się wokół niego. Kilkoro dzieci było częściowo sparaliżowanych.

Wszyscy spozieraliśmy na siebie z nienawiścią i strachem. Nikt nie wiedział, czym może zarazić się od sąsiada ani czego się po nim spodziewać. Wielu chłopców w klasie było starszych i silniejszych ode mnie. Wiedząc, że nie umiem mówić, myśleli, że jestem również niedorozwinięty. Ciągle mnie wyzywali, a kilka razy pobili. Rano, kiedy wchodziłem do klasy po bezsennej nocy w zatłoczonej sypialni, czułem się jak w potrzasku, wystraszony, niepewny. Oczekiwanie katastrofy wciąż się potęgowało. Nerwy miałem napięte jak naciągnięta guma procy; najdrobniejszy incydent wytrącał mnie z równowagi. Nie tyle bałem się napaści, ile tego, że w samoobronie mogę kogoś poważnie okaleczyć. To zaś, jak nam często powtarzano, oznaczałoby więzienie, a zarazem kres nadziei na połączenie z Gawryłą.

W razie bójki traciłem zupełnie kontrolę nad sobą. W moje ręce wstępowało odrębne życie; nie dawały się oderwać od przeciwnika. Potem przez długi czas nie mogłem się uspokoić, rozmyślałem o tym, co się wydarzyło, i denerwowałem się jeszcze bardziej.

Nie potrafiłem także uciekać. Kiedy widziałem zbliżającą się gromadę wyrostków, natychmiast się zatrzymywałem. Wmawiałem sobie, że postępując w ten sposób, unikam ataku od tyłu, a w dodatku mogę lepiej ocenić siły i zamiary wroga. Ale w rzeczywistości nie umiałbym zbiec, nawet gdybym pragnął. Moje nogi stawały się dziwnie ciężkie; co więcej, ich ciężar nie był rozłożony równomiernie. Uda i łydki obracały się w ołów, natomiast kolana wiotczały, uginając się pode mną jak miękkie poduszki. Pamięć o licznych ucieczkach, jakie udawały mi się w przeszłości, nic nie pomagała. Jakaś tajemnicza siła przykuwała mnie do miejsca. Stałem, czekając na napastników.

Przez cały czas myślałem o naukach Mitki; człowiek nigdy nie powinien dać się źle traktować, bo wówczas straci szacunek dla samego siebie i odtąd jego życie będzie pozbawione sensu. To właśnie umiejętność mszczenia się na tych, którzy go skrzywdzili, pozwala mu zachować poczucie własnej godności i określa jego wartość.

Należy pomścić każdą krzywdę i upokorzenie. Za wiele jest niesprawiedliwości na świecie, aby społeczeństwo mogło wszystko ocenić i osądzić. Każdy ma obowiązek sam rozważyć uczynione mu krzywdy i wybrać odpowiedni sposób zemsty. Tylko przekonanie, że jest się równie silnym jak wróg i że należy mu odpłacić z nawiązką, pozwala ludziom przetrwać, twierdził Mitka. Człowiek powinien mścić się zgodnie ze swoim charakterem i możliwościami. Zasada była prosta: jeśli ktoś cię chamsko potraktował, a ciebie zabolało to niczym smagnięcie bicza, należało mu odpłacić tak, jakby rzeczywiście cię wychłostał. Jeśli ktoś uderzył cię raz, lecz ty miałeś wrażenie, że spadło na ciebie tysiąc ciosów, należy wziąć zemstę za tysiąc. Zemsta musi być proporcjonalna do bólu, goryczy i poniżenia, które się czuło w następstwie czynu przeciwnika. Jeden człowiek odbiera policzek jako rzecz niespecjalnie bolesną; drugi miesiącami przeżywa tę hańbę. Pierwszy zapomina o tym w godzinę; drugiego przez wiele tygodni gnębią koszmarne wspomnienia.

Obowiązywała także i odwrotna zasada. Jeśli ktoś uderzył cię kijem, ale zabolało jak klaps, mścij się za klapsa.

W schronisku co rusz ktoś na kogoś napadał albo wybuchały bójki. Prawie wszyscy mieli przezwiska. Jednego chłopaka z mojej klasy nazywano Czołgiem, bo tłukł pięściami każdego, kto stał mu na drodze. Inny, Armata, bez żadnego powodu rzucał we wszystkich ciężkimi przedmiotami. Szabla ciął przeciwników kantem dłoni; Samolot przewracał wrogów, a potem kopał po głowie; Snajper miotał z odległości kamienie; Miotacz Ognia ciskał płonące zapałki sztormowe na ubrania lub do toreb. Dziewczyny również nosiły przezwiska. Granat kaleczyła twarze ukrytym w dłoni gwoździem. Partyzantka, drobna, niepozorna, kucała i wywracała przechodzących, zgrabnie łapiąc ich za nogi, podczas gdy sprzymierzona z nią Torpeda rzucała się na leżącego wroga, jakby chciała się z nim kochać, po czym wprawnie waliła go kolanem w krocze.

Nauczyciele i wychowawcy nie mogli sobie poradzić z tą czeredą; zwykle nie wtrącali się do bijatyk, lękając się co silniejszych chłopców. Czasami zdarzały się poważniejsze wypadki. Pewnego razu Armata cisnął ciężkim butem w młodszą dziewczynkę — podobno za to, że nie chciała go pocałować. Zmarła po kilku godzinach. Innym razem Miotacz Ognia podpalił trzem chłopcom ubrania i zamknął ich w pustej klasie. Dwóch, poważnie poparzonych, zabrano do szpitala.

Przy każdej bójce lała się krew. Chłopcy i dziewczyny walczyli o życie i nie dawali się rozdzielić. W nocy działy się jeszcze gorsze rzeczy. Chłopcy napadali na dziewczyny w mrocznych korytarzach. Pewnego wieczoru kilku zgwałciło w piwnicy wychowawczynię. Trzymali ją tam przez wiele godzin, spraszając na dół kolegów i podniecając kobietę na różne wyszukane sposoby, których nauczyli się podczas wojny. Wreszcie doprowadzili ją do szału. Krzyczała i wyła przez całą noc, aż w końcu zabrała ją karetka.

Niektóre dziewczyny same domagały się pieszczot. Rozbierały się do naga i prosiły chłopaków, żeby dotykali ich

ciał. Bez żadnego skrępowania rozprawiały o najprzeróż-
niejszych żądaniach seksualnych, jakie stawiali im liczni
mężczyźni poznani w czasie wojny. Kilka twierdziło, że nie
mogą zasnąć, jeśli wcześniej nie miały faceta. Wykradały
się w nocy do parku i dawały podrywać pijanym żołnierzom.
Wielu chłopców i wiele dziewcząt było z kolei zupełnie
pasywnych, apatycznych. Przeważnie stali w milczeniu pod
ścianami, ani nie płacząc, ani się nie śmiejąc, wpatrzeni
w coś, co widzieli tylko oni jedni. Mówiono, że część z nich
przeszła przez getta lub obozy koncentracyjne. Gdyby nie
koniec okupacji, dawno by nie żyli. Inni podobno mieszkali
u brutalnych, chciwych opiekunów, którzy wyzyskiwali ich
bezlitośnie i bili za najlżejszy przejaw nieposłuszeństwa.
Byli także tacy, których przeszłość stanowiła całkowitą
zagadkę. W schronisku umieściło ich wojsko lub milicja.
Nikt nie wiedział, skąd się wzięli, gdzie przebywali ich
rodzice, gdzie sami spędzili wojnę. Odmawiali mówienia
o sobie czegokolwiek; wszystkie pytania zbywali wymija-
jącymi odpowiedziami albo pobłażliwymi półuśmiechami,
z których przebijała totalna pogarda dla pytającego.

W nocy bałem się zasnąć, bo chłopcy często płatali sobie
bolesne figle. Leżałem ubrany w mundur, z nożem w jednej
kieszeni, a drewnianym kastetem w drugiej.

Każdego ranka skreślałem kolejny dzień z kalendarza.
„Prawda" informowała, że Armia Czerwona dotarła już do
samego gniazda hitlerowskiej żmii.

Stopniowo zaprzyjaźniłem się z chłopcem o przezwisku
Milczek. Zachowywał się jak niemowa; odkąd trafił do

schroniska, nikt nie słyszał jego głosu. Wiedziano, że umie mówić, ale w pewnym momencie wojny uznał, że mówienie nie ma sensu. Inni chłopcy próbowali zmusić go, aby się odezwał. Raz nawet pobili go do krwi, ale nie udało im się wydobyć z niego ani słowa. Milczek był starszy i silniejszy ode mnie. Początkowo unikaliśmy się. Uważałem, że odmawiając mówienia, szydzi z takich jak ja, którzy stracili głos. Ludziom może się zdawać, że skoro Milczek nic nie mówi, choć nie jest niemową, to ja także nie odzywam się wyłącznie z przekory. Nasza przyjaźń mogłaby tylko spotęgować podobne wrażenie.

Pewnego dnia Milczek niespodziewanie pośpieszył mi z pomocą i przewrócił chłopaka, który znęcał się nade mną na korytarzu. Nazajutrz czułem się zobowiązany opowiedzieć po stronie Milczka w bójce, jaka wybuchła podczas przerwy.

Od tej chwili siadaliśmy w jednej ławce z tyłu klasy. Na początku pisaliśmy do siebie na kartkach, ale wkrótce nauczyliśmy się porozumiewać na migi. Milczek towarzyszył mi w wypadach na dworzec, gdzie zaprzyjaźnialiśmy się z odjeżdżającymi sowieckimi żołnierzami. Razem ukradliśmy rower pijanemu listonoszowi, włóczyliśmy się po parku, wciąż pełnym min i zamkniętym dla spacerowiczów, podglądaliśmy dziewczyny rozbierające się w łaźni.

Wieczorami wymykaliśmy się z sypialni i łazili po okolicznych placach i podwórzach, płosząc obściskujące się pary, wrzucając przez otwarte okna kamienie do mieszkań, napadając na niewinnych przechodniów. Milczek, wyższy i silniejszy, pierwszy przeprowadzał szturm.

Każdego ranka budził nas gwizd przejeżdżającego nie-opodal pociągu, którym chłopi przywozili towary na targ. Wieczorem ten sam pociąg jechał w odwrotnym kierunku po pojedynczym torze, odwożąc chłopów do ich wiosek; jego oświetlone okna migotały między drzewami jak rządek robaczków świętojańskich.

W słoneczne dni chodziliśmy wzdłuż torów po nagrzanych słońcem podkładach i ostrych kamykach, które uwierały nas w bose stopy. Czasami, jeśli w pobliżu bawiła się liczna grupka dzieci z pobliskich osiedli, urządzaliśmy dla nich popis. Kilka minut przed przejazdem pociągu kładłem się na brzuchu pomiędzy szynami i rozpłaszczałem jak mogłem, zasłaniając rękami głowę. Czekałem cierpliwie, Milczek zaś gromadził widzów. Kiedy zbliżał się pociąg, najpierw słyszałem dudniący łoskot kół, a potem czułem go poprzez szyny i podkłady; wreszcie dygotałem razem z nimi. Gdy lokomotywa była tuż-tuż, przywierałem jeszcze silniej do ziemi, starając się nie myśleć o niczym. Omiatał mnie gorący oddech kotła i wielka lokomotywa przetaczała się nade mną w szaleńczym pędzie. Potem, stukocząc rytmicz-nie, przesuwał się długi szereg wagonów; czekałem, aż mnie minie ostatni. Pamiętałem, jak bawiłem się w ten sposób w wioskach. Pewnego razu, dokładnie w chwili, gdy lokomotywa przejeżdżała nad leżącym chłopcem, maszynista spuścił trochę płonącego żużlu. Kiedy pociąg przejechał, chłopiec nie żył; plecy i głowę miał zwęglone niczym zbyt długo trzymany w piecu kartofel. Kilku wyrostków, którzy byli świadkami tego zajścia, twierdziło, że palacz, dojrzawszy chłopca przez szybę, specjalnie spuścił żużel. Pamiętałem i inne wydarzenie: złączka zwisająca na końcu ostatniego wagonu, dłuższa niż normalnie, strzaskała głowę chłopcu leżącemu między szynami. Jego czaszka wyglądała jak wgnieciona dynia.

Mimo tych ponurych wspomnień, w leżeniu na torach pod dudniącym pociągiem było coś ogromnie fascynującego. Od momentu, kiedy mijała mnie lokomotywa, do chwili przejazdu ostatniego wagonu, czułem w sobie życie w formie równie skoncentrowanej jak twaróg, który powstaje ze zsiadłego mleka odsączonego przez szmatkę. Przez ten krótki czas, kiedy wagony z łoskotem przetaczały się nade mną, nie liczyło się nic poza prostym faktem, że żyję. Zapominałem o wszystkim: o schronisku, swojej niemocie, Gawryle, Milczku. Na dnie nowego doświadczenia odkrywałem radość z tego, że jestem cały i zdrów.

Kiedy pociąg odjeżdżał, unosiłem się na drżących rękach, stawałem na dygoczących nogach i rozglądałem dookoła z większą satysfakcją, niż przynosiła nawet najokrutniejsza zemsta na wrogach.

Usiłowałem zapamiętać to uczucie na przyszłość. Mogło mi się przydać w chwilach strachu i cierpienia. W porównaniu z przerażeniem, jakie mnie ogarniało, kiedy czekałem na zbliżający się pociąg, inne lęki wydawały się nieznaczne.

Z obojętną, znudzoną miną opuszczałem nasyp. Milczek podchodził do mnie pierwszy, posyłając mi opiekuńcze, choć pozornie niedbałe spojrzenie. Otrzepywał mi ubranie z piasku i drzazg. Stopniowo opanowywałem drżenie rąk, nóg, kącików suchych ust. Gromadka dzieci otaczała mnie kołem i patrzyła z podziwem.

Później wracałem z Milczkiem do schroniska. Duma rozsadzała mi pierś; wiedziałem, że on również jest ze mnie zadowolony. Żaden inny chłopak nie miał odwagi zrobić tego, co ja. Stopniowo przestali mi dokuczać. Byłem jednak świadom, że raz na kilka dni muszę powtarzać swój wyczyn; inaczej na pewno pojawi się jakiś sceptyk, który nie zechce przyjąć mojej odwagi na wiarę, lecz zapragnie wypróbować mnie w bójce. Przyciskając do piersi czerwoną gwiazdę, maszerowałem na kolejowy nasyp i czekałem na ryk nadciągającego pociągu.

Milczek i ja wiele godzin spędzaliśmy przy torach. Obserwowaliśmy pociągi, a czasami wskakiwaliśmy na stopnie ostatniego wagonu, po czym zeskakiwali, kiedy pociąg zwalniał przy rozjeździe.

Rozjazd znajdował się kilka kilometrów od miasta. Dawno temu, zapewne jeszcze przed wojną, zaczęto kłaść boczny tor, ale nigdy nie dokończono budowy. Zardzewiałą, nieużywaną zwrotnicę porastał mech. Szyny urywały się kilkaset metrów dalej, na wysokiej skarpie: w tym miejscu planowano kiedyś postawić most. Parę razy oglądaliśmy dokładnie zwrotnicę i nawet próbowali przesunąć dźwignię. Ale skorodowany mechanizm nie chciał drgnąć.

Pewnego dnia widzieliśmy, jak ślusarz w schronisku otwiera zamek, który się zaciął; wystarczyło, że wpuścił do niego kilka kropli oliwy. Nazajutrz Milczek ukradł z kuchni butelkę oleju; wieczorem wylaliśmy całą zawartość na mechanizm zwrotnicy. Odczekaliśmy chwilę, żeby olej wsiąkł głębiej, po czym całym ciężarem uwiesiliśmy się dźwigni. Coś zaskrzypiało w przekładni; nagle dźwignia drgnęła, a zwrotnica przesunęła się z piskiem na drugi tor. Wystraszeni niespodziewanym sukcesem, szybko przestawiliśmy ją z powrotem. Od tej chwili, ilekroć mijaliśmy rozjazd, wymienialiśmy porozumiewawcze spojrzenia. To była nasza tajemnica. I ilekroć, siedząc w cieniu drzewa, obserwowałem wyłaniający się na horyzoncie pociąg, ogarniało mnie poczucie niezmiernej władzy. Życie wszystkich pasażerów spoczywało w moich rękach. Gdybym podbiegł do dźwigni i przestawił zwrotnicę, cały skład runąłby ze skarpy do płynącego spokojnie w dole strumienia. Jedno mocne pchnięcie i byłoby po wszystkim...

Przypomniałem sobie pociągi wiozące ludzi do komór gazowych i krematoriów. Ci, którzy zorganizowali tę akcję, też pewnie mieli podobne poczucie nieograniczonej władzy nad swoimi nieświadomymi niczego ofiarami. Mieli w ręku losy milionów ludzi, których nazwiska, twarze i zawody nie były im znane; mogli albo pozwolić im żyć, albo przemienić ich w sadzę unoszącą się na wietrze. Wystarczyło, że wydali rozkazy, a w niezliczonych wsiach i miastach wyszkolone patrole wojskowe i policyjne zaczęły wyłapywać ludzi do gett i obozów śmierci. Od nich zależało, czy zwrotnice tysięcy linii kolejowych będą nastawione na tory prowadzące ku życiu czy ku śmierci.

Możliwość decydowania o losie tylu ludzi, których się nawet nie znało, musiała być wspaniałym uczuciem. Nie wiedziałem tylko, czy przyjemność polega wyłącznie na świadomości posiadania władzy, czy na korzystaniu z niej.

Kilka tygodni później wybrałem się z Milczkiem na miejscowe targowisko, gdzie chłopi z okolicznych wiosek przywozili raz w tygodniu swoje towary i wyroby. Zwykle udawało się nam wyłudzić parę jabłek, pęczek marchwi czy nawet szklankę śmietany w zamian za uśmiechy, których nie szczędziliśmy tęgawym chłopkom.

Plac targowy roił się od ludzi. Wieśniacy zachwalali towary, kobiety przymierzały barwne spódnice i bluzki, wystraszone jałówki ryczały, prosięta z piskiem wbiegały pod nogi przechodniom.

Zagapiwszy się na lśniący rower milicjanta, wpadłem na stragan zastawiony nabiałem. Runęły na ziemię wiadra mleka i śmietany, słoje maślanki. Zanim zdążyłem uciec, rosły chłop, czerwony z wściekłości, grzmotnął mnie pięścią w twarz. Od siły ciosu zwaliłem się z nóg; zalany krwią, wyplułem trzy zęby. Wieśniak chwycił mnie za kark, podniósł do góry jak królika i okładał dalej, aż ciekąca mi z ust krew zabryzgała mu koszulę. Wtedy, rozpychając tłum gapiów, który nas otoczył, wsadził mnie do pustej beczki po kwaszonej kapuście i przewrócił ją kopniakiem; potoczyła się w kierunku sterty śmieci.

Przez moment nie wiedziałem, co się stało. Słyszałem śmiech chłopów; w głowie wirowało mi od ciosów i od obracania się w beczce. Krztusiłem się własną krwią; czułem, jak puchnie mi twarz.

Nagle ujrzałem Milczka. Blady, rozdygotany, próbował

mnie wyciągnąć. Chłopi, pokrzykując, że jestem cygańskim przybłędą, wyśmiewali się z jego wysiłków. Z obawy, że się na nas rzucą, Milczek zaczął turlać beczkę ze mną w środku w stronę pobliskiej pompy. Kilku wiejskich wyrostków biegło obok, usiłując go przewrócić i odebrać mu beczkę. Odpędził ich kijem i w końcu doturlał mnie do pompy. Mokry od soku z kapusty i krwi, z drzazgami w plecach i dłoniach, wyczołgałem się z beczki. Ledwo powłóczyłem nogami; Milczek musiał mnie podtrzymywać. Po bolesnym marszu wreszcie dotarliśmy do schroniska.

Lekarz opatrzył mi rozbite usta i policzek. Milczek czekał za drzwiami. Po odejściu lekarza przez długi czas wpatrywał się w moją pokancerowaną twarz.

Dwa tygodnie później Milczek zbudził mnie o świcie. Był zakurzony, a koszula lepiła mu się do spoconego ciała. Domyśliłem się, że całą noc spędził poza schroniskem. Pokazał na migi, abym poszedł za nim. Ubrałem się szybko i wkrótce znaleźliśmy się na zewnątrz, nie zauważeni przez nikogo.

Zaprowadził mnie do opuszczonej szopy w pobliżu rozjazdu, gdzie nie tak dawno temu nasmarowaliśmy zwrotnicę. Wdrapaliśmy się na dach. Milczek zapalił papierosa, którego znalazł po drodze, i dał mi znak ręką, że musimy czekać. Nie wiedziałem, o co chodzi, ale i tak nie miałem nic do roboty.

Słońce dopiero wschodziło. Z krytego papą dachu zaczęła parować rosa, a spod rynny wypełzły brunatne robaki.

Z oddali doleciał nas gwizd pociągu. Milczek znieruchomiał i skinął głową. Obserwowałem pociąg, który wyłonił się z mgły zalegającej horyzont i zbliżał się w naszą stronę. Był dzień targowy, więc do miasta jechało wielu chłopów. Z okien przepełnionych wagonów sterczały kosze, ludzie wisieli na stopniach. Milczek przysunął się do mnie. Był spocony, ręce miał wilgotne. Co jakiś czas oblizywał spierzchnięte wargi, odgarniał włosy z czoła. Jakby nagle postarzały, wpatrywał się w pociąg.

Pociąg zbliżał się do rozjazdu. Stłoczeni chłopi wychylali się z okien; wiatr targał ich jasne włosy. Milczek tak mocno wpił mi palce w łokieć, że aż podskoczyłem. W tej chwili lokomotywa skręciła raptem w bok, przechylając się gwałtownie, jakby przegięta jakąś ogromną siłą.

Tylko dwa pierwsze wagony pojechały posłusznie za lokomotywą. Inne jakby utknęły na moment w miejscu, po czym, niby rozbrykane konie, zaczęły wspinać się sobie na grzbiety i zsuwać z nasypu. Rozległ się huk, straszliwy łoskot i zgrzyt. Chmura gorącej pary trysnęła w niebo, przysłaniając widok. Z dołu rozległy się wrzaski i jęki.

Oszołomiony, drżałem jak drut telegraficzny trafiony kamieniem. Milczek jakby zapadł się w sobie. Przez chwilę siedział, ściskając kurczowo kolana, wpatrzony w powoli opadający pył. Nagle poderwał się i rzucił do ucieczki, ciągnąc mnie za sobą. Wróciliśmy szybko do schroniska, unikając tłumu ludzi pędzących na miejsce katastrofy. Gdzieś w pobliżu rozległy się sygnały karetek pogotowia.

W sierocińcu wszyscy jeszcze spali. Zanim weszliśmy do naszej sali, przyjrzałem się dobrze twarzy Milczka. Nie było na niej śladu napięcia. Odwzajemnił moje spojrzenie, uśmiechając się łagodnie. Gdyby nie bandaż na twarzy i ustach, też bym się uśmiechnął.

Przez następne kilka dni całe schronisko mówiło o katastrofie kolejowej. Gazety drukowały w czarnych obwódkach nazwiska ofiar; milicja poszukiwała sabotażystów, podejrzewanych również o inne zbrodnie. Przy torach pracowały dźwigi, podnosząc splątane ze sobą wagony, zniszczone nie do poznania.

W najbliższy dzień targowy Milczek zaprowadził mnie z rana na plac. Przepchnęliśmy się przez tłum. Wiele straganów było pustych; klepsydry z czarnymi krzyżami informowały o śmierci właścicieli. Milczek, patrząc na nie, pokazywał mi na migi, jak bardzo jest rad. Szliśmy w stronę straganu mojego prześladowcy.

Podniosłem głowę. Ujrzałem znajomy stragan, a na nim dzbany mleka i śmietany, osełki zawiniętego w gazę masła, trochę owoców. Zza drewnianego blatu, jak kukiełka w teatrze, wyskoczyła nagle głowa mężczyzny, który wybił mi zęby i wepchnął mnie do beczki.

Popatrzyłem z bólem na Milczka. Z niedowierzaniem wpatrywał się w chłopa. Kiedy nasze oczy zetknęły się, złapał mnie za rękę; szybko wybiegliśmy z targowiska. Gdy tylko znaleźliśmy się na drodze, padł na trawę i zaczął krzyczeć, jakby straszliwie cierpiał; jego słowa tłumiła ziemia. Po raz pierwszy słyszałem głos przyjaciela.

19

Wcześnie rano wywołał mnie z sali nauczyciel. Miałem się stawić w gabinecie kierowniczki. W pierwszej chwili pomyślałem, że nadeszły wieści od Gawryły, ale już po drodze ogarnęło mnie zwątpienie.

Kierowniczka czekała w gabinecie w towarzystwie tego samego członka komisji społecznej, który mówił, że chyba znał przed wojną moich rodziców. Przywitali się ze mną serdecznie i poprosili, żebym usiadł. Widziałem, że oboje są zdenerwowani, choć starali się to ukryć. Rozejrzałem się niepewnie dookoła. Z sąsiedniego pomieszczenia dobiegał odgłos kroków.

Członek komisji poszedł tam i zaczął z kimś rozmawiać. Po czym otworzył drzwi na oścież. W progu stanęli kobieta i mężczyzna.

Wydali mi się dziwnie znajomi; poczułem, jak pod czerwoną gwiazdą łomocze mi serce. Zmuszając się, by zachować obojętny wyraz twarzy, przyjrzałem się im dokładnie. Podobieństwo było uderzające: wyglądali jak moi rodzice. Chwyciłem się krawędzi krzesła; przez głowę, z szybkością rykoszetów, przelatywały mi różne myśli. Rodzice... Nie wiedziałem, co robić, przyznać się, że ich poznaję, czy udawać, że nie?

Podeszli bliżej. Kobieta pochyliła się nade mną. Nagle jej twarz wykrzywiła się od płaczu. Mężczyzna, poprawiając nerwowo okulary na spoconym nosie, podtrzymywał ją ramieniem. Nim także targał szloch. Ale szybko się opanował i zaczął do mnie mówić. Zwróciłem uwagę, że mówi po rosyjsku, wysławiając się równie płynnie i pięknie jak Gawryła. Poprosił, żebym rozpiął mundur; na piersi, po lewej stronie, powinienem mieć znamię.

Wiedziałem, że mam. Zawahałem się jednak, czy im pokazywać. Jeśli je zobaczą, wszystko będzie stracone; stanie się oczywiste, że jestem ich synem. Przez kilka chwil nie mogłem się zdecydować, ale żal mi się zrobiło łkającej kobiety. Wolno rozpiąłem mundur.

Znalazłem się w sytuacji całkowicie bez wyjścia. Rodzice, jak wyjaśnił mi Gawryła, mają prawo do swoich dzieci. Nie byłem przecież jeszcze dorosły; skończyłem dopiero dwanaście lat. Nawet gdyby nie chcieli, mieli obowiązek zabrać mnie ze sobą.

Znów na nich popatrzyłem. Kobieta uśmiechała się przez rozmazany łzami makijaż. Mężczyzna pocierał nerwowo ręce. Nie wyglądali na ludzi, którzy by mnie bili. Wręcz przeciwnie, sprawiali wrażenie słabych, chorowitych.

Rozchyliłem bluzę; znamię widać było wyraźnie. Rodzice pochylili się nade mną z płaczem; ściskali mnie, całowali. Znów ogarnęły mnie wątpliwości. Wiedziałem, że mogę umknąć w każdej chwili, wsiąść do jednego z zatłoczonych pociągów i odjechać daleko, gdzie nikt mnie nie znajdzie. Ale ponieważ zależało mi na tym, aby Gawryła mógł mnie odszukać, nie chciałem uciekać, aczkolwiek zdawałem sobie sprawę, że połączenie z rodzicami oznacza kres marzeń o zostaniu wielkim wynalazcą zapalników zmieniających barwę ludzkiej skóry i o pracy w kraju Gawryły i Mitki, państwie wielkiego Stalina, gdzie dzień dzisiejszy jest już jutrem.

Świat okazywał się ciasny jak stryszek chłopskiej chaty. Człowiekowi ustawicznie groziło, że albo wpadnie we wnyki zastawione przez tych, którzy go nienawidzą i chcą gnębić, albo w ramiona tych, którzy go kochają i pragną chronić.

Nie byłem przygotowany na to, że nagle staję się czyimś rodzonym synem, że jacyś ludzie obsypują mnie pieszczotami i troszczą się o moje dobro, a ja muszę ich słuchać, nie dlatego, iż są silniejsi i mogą wyrządzić mi krzywdę, ale ponieważ są moimi rodzicami i posiadają prawa, których nikt im nie może odebrać.

Rodzice, oczywiście, są przydatni, kiedy dziecko jest małe. Ale chłopak w moim wieku powinien być wolny od jakiegokolwiek przymusu i móc sam wybierać, z kim chce przebywać i od kogo się uczyć. Ale nie potrafiłem się zdecydować na ucieczkę. Patrzyłem na zalaną łzami twarz kobiety, która była moją matką, na drżące ręce mężczyzny, mojego ojca, obojga niepewnych, czy mogą mnie głaskać po włosach i klepać po plecach, a jakaś wewnętrzna siła zatrzymywała mnie i zakazywała ucieczki. Nagle poczułem się jak malowany ptak Lecha, którego nieznana siła ciągnie do swoich.

Matka pozostała ze mną w gabinecie; ojciec wyszedł załatwić formalności. Powiedziała, że będę z nimi szczęśliwy i że mogę robić, co pragnę. Uszyją mi nowy mundur, dokładnie taki sam jak ten, który mam na sobie.

Słuchając jej słów, przypomniałem sobie zająca, którego Makar schwytał kiedyś w sidła. Był to duży, silny okaz. Czuło się w nim umiłowanie wolności, kicania potężnymi susami, wesołych wywrotek, szybkich ucieczek. Zamknięty w klatce szalał, tupał łapami, tłukł się o ścianki. Po kilku dniach Makar, rozzłoszczony jego zachowaniem, zarzucił na klatkę kawał grubego brezentu. Zając miotał się długo, ale wreszcie się poddał. Z czasem tak się oswoił, że jadł z ręki. Pewnego dnia pijany Makar zostawił drzwi klatki otwarte. Zając wyskoczył i ruszył w stronę łąki. Myślałem, że odbije się potężnie, zniknie w wysokiej trawie i tyle go będziemy widzieli. Ale on jakby najpierw chciał przypomnieć sobie smak wolności: usiadł, nastawił uszy. Z odległych pól i lasów napływały odgłosy, które tylko on mógł usłyszeć i zrozumieć, zapachy i wonie, które on jeden potrafił docenić. Wszystko to stało przed nim otworem; opuścił przecież klatkę.

Nagle nastąpiła w nim zmiana. Postawione uszy opadły, on sam jakby przyklapł, zmalał. Dał niewielkiego susa, zastrzygł wąsami, ale nie uciekł. Gwizdnąłem głośno, w nadziei, iż się opamięta, zrozumie, że jest wolny. On jednak cofnął się i niemrawo, jakby nagle postarzały, skurczony, podreptał z powrotem w stronę szopy. Po drodze zatrzymał się jeszcze, obejrzał, zastrzygł uszami, w końcu jednak minął wpatrzone w niego króliki i wskoczył do klatki. Zamknąłem drzwiczki, choć było to zbyteczne. Teraz nosił klatkę w sobie; krępowała mu mózg i serce, paraliżowała mięśnie. Pragnienie wolności, którym odróżniał się od zrezygnowanych, ospałych królików, opuściło go niby zapach zgniecioną, wyschniętą koniczynę.

Powrócił ojciec. Wyściskali mnie oboje i obejrzeli dokładnie, wymieniając uwagi. Nadeszła chwila opuszczenia schroniska. Udaliśmy się razem do Milczka, z którym chciałem się pożegnać. Popatrzył podejrzliwie na moich rodziców, potrząsnął głową i nie podał im ręki.

Wyszliśmy na ulicę; ojciec pomagał mi nieść książki. Wszędzie panował chaos. Poszarpani, brudni, zmizerowani ludzie z workami na plecach wracali do swoich domów, wykłócając się z tymi, którzy zajęli je w czasie wojny. Maszerowałem między rodzicami, czując ich ręce na ramionach i włosach, czując, że duszę się od ich miłości i nadmiaru troski.

Zabrali mnie do swojego mieszkania. Wystarali się o nie z największym trudem, kiedy się dowiedzieli, że w miejscowym schronisku znajduje się chłopiec odpowiadający rysopisowi ich syna i że istnieje możliwość zaaranżowania spotkania. W mieszkaniu czekała mnie niespodzianka. Mieli drugie dziecko; czteroletniego chłopczyka. Wyjaśnili mi, że to sierota, jego rodzice i starsze siostry zginęli. Uratowała go wiekowa niańka, która w trzecim roku wojny, a zarazem ich tułaczki, przekazała malca mojemu ojcu. Rodzice go adoptowali; przekonałem się też, że bardzo go kochają.

To tylko powiększyło moje wątpliwości. Czy nie byłoby lepiej, abym czekał, aż Gawryła weźmie mnie do siebie? Bardziej niż z rodzicami, wolałbym znów być sam, wędrować od wioski do wioski, z miasteczka do miasteczka, nigdy nie wiedząc, co się wydarzy. Uregulowane życie mierziło mnie.

Mieszkanie składało się zaledwie z jednego pokoju i kuchni. Łazienka znajdowała się na schodach. Było ciasno, wciąż wchodziliśmy sobie w drogę. Ojciec chorował na serce. Jeśli tylko się czymś zdenerwował, od razu bladł, a twarz pokrywała mu się potem. Łykał wtedy jakieś proszki. Matka wyruszała o świcie, żeby stać w nieskończonych kolejkach po żywność. Kiedy wracała, zaczynała gotować i sprzątać.

Dokuczała mi obecność malca. Ilekroć siadałem z gazetą, żeby przeczytać o nowych sukcesach Armii Czerwonej, chciał się ze mną bawić. Czepiał się moich spodni, zrzucał książki. Pewnego dnia tak mnie rozdrażnił, że chwyciłem go za ramię i ścisnąłem mocno. Coś pękło; dzieciak darł się na całe gardło. Ojciec wezwał lekarza. Okazało się, że kość jest złamana. Tej nocy, leżąc w łóżeczku, z ręką w gipsie, malec, kwiląc cicho, spozierał na mnie z przerażeniem. Rodzice przyglądali mi się bez słowa.

Często udawałem się potajemnie na spotkania z Milczkiem. Ale kiedyś nie zjawił się o umówionej porze. Dowiedziałem się w schronisku, że został przeniesiony do innego miasta. Nadeszła wiosna. Pewnego deszczowego dnia w maju dotarła wiadomość, że wojna się skończyła. Ludzie tańczyli na ulicach, całując się i ściskając. Wieczorem słyszeliśmy karetki jeżdżące po mieście i zabierające ludzi poturbowanych w bójkach, które wybuchały podczas pijatyk. Przez następne dni często zaglądałem do schroniska, spodziewając się listu od Gawryły lub Mitki. Ale nic do mnie nie było.

Czytałem dokładnie gazety, starając się zorientować, co dzieje się na świecie. Nie wszystkich żołnierzy odsyłano do domu. Niemcy miały być okupowane; mogły minąć lata, zanim Gawryła i Mitka powrócą.

Życie w mieście stawało się coraz trudniejsze. Codziennie z całego kraju napływały rzesze ludzi, których gnała nadzieja, że łatwiej się urządzą w ośrodku przemysłowym niż na wsi i że szybko zarobią dość pieniędzy, by kupić wszystko, co stracili. Nie znajdując ani pracy, ani kąta do spania, włóczyli się zdezorientowani po ulicach, walcząc o miejsca w tramwajach, autobusach, restauracjach. Byli nerwowi, gwałtowni, kłótliwi. Miałem wrażenie, że każdy uważa się za wybrańca losu, któremu należą się specjalne przywileje tylko dlatego, iż przetrwał wojnę.

Pewnego dnia rodzice dali mi pieniądze na bilet do kina. Wyświetlano akurat sowiecki film o mężczyźnie i kobiecie, którzy umówili się na randkę o szóstej w pierwszy dzień po wojnie.

Przed kasą była długa kolejka; czekałem cierpliwie przez kilka godzin. Kiedy wreszcie dotarłem do kasy, okazało się, że zgubiłem jedną z monet. Kasjer, widząc, że jestem niemową, odłożył mi bilet, mówiąc, że mogę go odebrać, kiedy doniosę pieniądze. Pognałem do domu. Niecałe pół godziny później wróciłem z pieniędzmi i chciałem wykupić bilet. Ale portier powiedział mi, że muszę stanąć w kolejce. Nie wziąłem tabliczki, więc próbowałem mu wyjaśnić na migi, że bilet czeka na mnie w kasie. Nawet nie starał się zrozumieć moich gestów. Ku uciesze tłoczących się ludzi, chwycił mnie za ucho i brutalnie wypchnął na zewnątrz. Poślizgnąłem się i upadłem na bruk. Z nosa pociekła mi na mundur krew. Wróciłem szybko do domu, przyłożyłem do twarzy zimny kompres i zacząłem obmyślać zemstę.

Wieczorem, kiedy rodzice szykowali się już do snu, ubrałem się. Zatroskani, spytali, dokąd się wybieram. Odpowiedziałem na migi, że idę na spacer. Usiłowali mnie przekonać, że niebezpiecznie jest wychodzić o zmroku.

Udałem się prosto pod kino. Przy kasie było niewiele osób, a portier, który wyrzucił mnie na ulicę, przechadzał się bezczynnie po dziedzińcu. Podniosłem z ziemi dwie spore cegły i zakradłem się na schody budynku sąsiadującego z kinem. Z drugiego piętra cisnąłem na jezdnię pustą butelkę. Tak jak się spodziewałem, portier poszedł sprawdzić, co się stało. Kiedy się schylił nad rozbitą butelką, zrzuciłem obie cegły, po czym zbiegłem po schodach.

Po tym zajściu zacząłem wychodzić z domu tylko w nocy. Rodzice usiłowali oponować, ale nie zważałem na ich protesty. Spałem w ciągu dnia, a o zmierzchu wyruszałem na nocną wyprawę.

Przysłowie mówi, że o zmroku wszystkie koty są jednakie. Ale powiedzenie to bynajmniej nie było słuszne w odniesieniu do ludzi. Z nimi działo się wręcz odwrotnie. Podczas dnia dokładnie tacy sami, trzymający się utartych ścieżek, w nocy zmieniali się nie do poznania. Niektórzy kroczyli prawie środkiem ulicy, inni skakali jak świerszcze od latarni do latarni, co jakiś czas pociągając łyk z ukrytej w kieszeni flaszki. W ziejących mrokiem bramach stały kobiety w porozpinanych bluzkach i obcisłych spódnicach. Podchodzili do nich zataczający się mężczyźni; znikali razem. Zza anemicznych krzaków rozbrzmiewały kwiki kochających się par. W ruinach zbombardowanego domu kilku chłopaków gwałciło dziewczynę, na tyle lekkomyślną, by samotnie wyjść w nocy. Z piskiem opon karetka skręciła za odległy róg; w pobliskiej gospodzie wybuchła bijatyka, docierały brzęki tłuczonego szkła.

Wkrótce nocne miasto nie miało przede mną tajemnic. Znałem ciche zaułki, gdzie młodsze ode mnie dziewczęta zaczepiały mężczyzn starszych od mojego ojca. Odkrywałem miejsca, gdzie eleganccy ludzie ze złotymi zegarkami na rękach handlowali towarami, których samo posiadanie wystarczyło, żeby na długie lata trafić do więzienia. Byłem świadkiem, jak z niepozornego domu kilku młodzieńców wynosiło stosy ulotek, które rozlepiali na rządowych budynkach, a które milicjanci i żołnierze zdzierali później z wściekłością. Przyglądałem się obławie zorganizowanej przez milicję na jakiegoś człowieka; widziałem ludzi zabijających żołnierza. W ciągu dnia panował na świecie pokój. W nocy nadal trwała wojna.

Co noc odwiedzałem park w pobliżu ogrodu zoologicznego na peryferiach miasta. Mężczyźni i kobiety gromadzili się tam, żeby handlować, upijać się i grać w karty. Niektórzy z nich byli dla mnie dobrzy. Dawali mi czekoladę, niedostępną na rynku, uczyli mnie rzucać nożem, pokazywali, jak obezwładnić uzbrojonego napastnika. W zamian doręczałem różne pakunki pod wskazane adresy, unikając milicjantów i agentów w cywilu. Kiedy wracałem z misji, kobiety przytulały mnie do swoich wyperfumowanych ciał i zachęcały, bym kładł się obok i pieścił je tak, jak się nauczyłem od Ewki. Czułem się swojsko wśród tych ludzi o twarzach skrytych w mroku nocy. Nikt nie mówił, że mu przeszkadzam, nikt mnie nie odpędzał. Moją niemotę traktowano jako zaletę, gwarancję dyskrecji, kiedy wykonywałem powierzone mi zlecenia.

Ale pewnej nocy wszystko się skończyło. Oślepiające reflektory rozbłysły zza drzew, milicyjne gwizdki rozdarły nocną ciszę. Park otoczyła milicja i zabrano nas wszystkich do aresztu. Po drodze o mało nie złamałem palca oficerowi, który pchnął mnie brutalnie, nie zważając na czerwoną gwiazdę na mojej piersi.

Nazajutrz rano zjawili się w areszcie rodzice. Wyprowadzono mnie do nich brudnego, w podartym mundurze, po bezsennej nocy. Żal mi było rozstawać się z przyjaciółmi, ludźmi ciemności. Rodzice przypatrywali mi się z zakłopotaniem, lecz nic nie mówili.

20

Wciąż byłem zbyt chudy i nie rosłem. Lekarze zalecili górskie powietrze i dużo ruchu. Nauczyciele również uważali, że nie służy mi życie w mieście. Na jesieni ojciec podjął pracę w wyżynnym rejonie na południowym zachodzie kraju i wyjechaliśmy z miasta. Kiedy spadł pierwszy śnieg, wysłano mnie w góry. Stary instruktor narciarski obiecał się mną zająć. Zamieszkałem z nim w jego chacie; rodzice odwiedzali mnie raz na tydzień.

Wstawaliśmy z samego rana. Instruktor klękał, żeby zmówić pacierz, a ja przyglądałem mu się z pobłażaniem: dorosły człowiek, wychowany w mieście, a postępuje jak prosty wieśniak, który nie potrafi pogodzić się z faktem, że jest na świecie sam i od nikogo nie może oczekiwać pomocy. Każdy z nas jest sam, a im prędzej zrozumie, że musi się nauczyć radzić sobie bez Gawrył, Mitek czy Milczków, tym lepiej dla niego. Moja niemota nie miała wielkiego znaczenia; ludzie i tak się nie rozumieli. Zderzali się albo oczarowywali, ściskali lub tratowali, ale każdy myślał tylko o sobie. Jego uczynki, pamięć i zmysły oddzielały go od innych równie skutecznie, jak gęste trzciny oddzielają wodę od mulistych brzegów. Jak górskie szczyty dookoła patrzymy na siebie odseparowani dolinami, za duzi, aby przemknąć niepostrzeżenie obok, za mali, by dotknąć nieba.

Dni mijały mi na pokonywaniu długich górskich tras. Okolica była opustoszała. Schroniska popalono, a ludzie, którzy niegdyś zamieszkiwali te tereny, zostali przesiedleni. Nowi osadnicy dopiero zaczynali napływać.

Instruktor był małomównym, cierpliwym człowiekiem. Starałem się go słuchać i cieszyłem się, kiedy udało mi się zasłużyć na jego skąpe pochwały.

Zamieć przyszła nagle, zasłaniając szczyty i granie wirującym śniegiem. Straciłem z oczu instruktora i zacząłem sam zjeżdżać po stromym zboczu, pragnąc czym prędzej dotrzeć do chaty. Narty podskakiwały na twardym, oblodzonym śniegu, szybkość zapierała mi dech. Kiedy naraz ujrzałem głęboki rów, nie miałem czasu skręcić.

*

Kwietniowe słońce wypełniało pokój. Poruszyłem głową; już mnie nie bolała. Oparłem się na łokciu i chciałem właśnie położyć się z powrotem, kiedy zaterkotał telefon. Pielęgniarka dawno wyszła, a jednak telefon wciąż dzwonił i dzwonił.

Zwlokłem się z łóżka i podszedłem do stołu. Podniosłem słuchawkę i usłyszałem męski głos. Trzymałem słuchawkę przy uchu, wsłuchując się w zniecierpliwiony głos; gdzieś na drugim końcu drutu znajdował się ktoś, może podobny do mnie, kto chciał się ze mną porozumieć... Ogarnęło mnie straszne pragnienie, by przemówić. Krew zalała mi mózg i na moment oczy tak wyszły mi na wierzch, jakby miały wypaść na posadzkę.

Otworzyłem usta i wytężyłem gardło. Moją krtanią zaczęły pełznąć dźwięki. Napięty, skoncentrowany, powoli wiązałem je w sylaby i słowa. Wyraźnie słyszałem, jak wyskakują ze mnie, niczym ziarna fasoli z rozłupanego strąka. Odłożyłem słuchawkę, niemal nie wierząc w to, co się ze mną dzieje. Powtarzałem słowa i zdania, urywki pieśni śpiewanych przez Mitkę. Głos utracony w odległym wiejskim kościele znów mnie odnalazł i wypełnił sobą cały pokój. Mówiłem donośnie, bez przerwy, jak chłopi, jak ludzie z miasta, szybciej i szybciej, zachwycony dźwiękami nasączonymi treścią niby rozmiękły śnieg wodą, upewniając się raz po raz, że powróciła mi mowa i że nie zamierza uciec ode mnie przez drzwi wiodące na balkon.

Uwagi Autora

Andrzejowi Watowi

Les images choisies par le souvenir sont aussi arbitraires, aussi étroites, aussi insaisissables, que celles que l'imagination avait formées et la réalité détruites. Il n'y a pas de raison pour qu'en dehors de nous un lieu réel possède plutôt les tableaux de la mémoire que ceux du rêve.

Marcel Proust

I

Często uważa się, że najistotniejszym etapem procesu twórczego jest wychodzenie autora poza przeżycia, jakie zamierza odzwierciedlić w swoim utworze. Główną przyczynę tej alienacji stanowi świadome pragnienie obejrzenia z zewnątrz siebie i własnych doświadczeń; niezbędny jest dystans, aby zarówno sam autor, jak i szczegóły wydarzeń zatraciły konkretność i — po długim okresie wysiłków i wahań — oddzieliły się od codziennej rzeczywistości, wkraczając w bardziej płynny i mniej sztywno określony wymiar. Ten nowy wymiar istnieje wyłącznie w świadomości autora, gdzie cząstek rzeczywistości nie obowiązuje ziemskie prawo grawitacji, a szczegóły czasu i miejsca przestają mieć znaczenie.

Pomiędzy rzeczywistością zewnętrzną a własną wyobraźnią pisarz zawiesza coraz to nowe zasłony. Ich liczba i skuteczność jako filtrów dla myśli autora zależy od jego usposobienia i wizji twórczej. Zasłony te nie mogą całkowicie skryć rzeczywistości; jedynie zaciemniają jej kontury, zawężają lub poszerzają granice, przyśpieszają lub spowolniają jej ustawiczny ruch.

Tak jak aktor grający Hamleta nie jest ani Hamletem, ani wyłącznie aktorem, lecz aktorem wcielającym się w p o-s t a ć Hamleta, podobnie zdarzenie opisane w powieści nie jest ani prawdziwym zdarzeniem, ani zmyślonym zdarzeniem bez żadnego zaczepienia w rzeczywistości: jest zdarzeniem ujętym w p o s t a ć fikcji. Symbol to zarówno konkret, jak abstrakcja. Nie jest ani dosłowną rzeczywistością, ani iluzją; cechuje go zarazem dosłowność i iluzoryczność. Bodziec, który doprowadził do jego powstania, nie może być poznany w pełni; gdyby udało się tego dokonać, symbol straciłby rację bytu. Dlatego też symbol nigdy nie może zostać zdefiniowany; najwyżej może podlegać interpretacji. Marcel Proust sformułował to następująco: „Wielkość sztuki prawdziwej... polega na tym, aby odnajdować, chwytać na nowo i ukazywać ową rzeczywistość, od której żyjemy z dala i odchylamy się coraz bardziej, w miarę jak nabiera gęstości i nieprzepuszczalności wiedza umowna, jaką zastępujemy tę rzeczywistość, ryzykując mocno, iż umrzemy nie poznawszy jej — która jest po prostu naszym życiem" *.

Przenoszenie cząstek obiektywnej rzeczywistości do nowego wymiaru, w którym powstaje utwór literacki, rządzi się własną logiką i wymaga dokonywania wyboru — oraz

---

* Przekład Juliana Rogozińskiego.

kondensacji — tych spośród licznych zdarzeń, które zdaniem autora najlepiej „dokumentują" jego wyobraźnię, najlepiej „pasują" do obranej przez niego twórczej perspektywy. Rzeczywistość obiektywna nabiera dla twórcy drugorzędnego znaczenia; korzysta z niej tylko w takim stopniu, w jakim zawiera się ona we wszechświecie stworzonym przez jego wyobraźnię. M o ż n a r z e c, i ż a u t o r c z e r-p i e z z e w n ą t r z t y l k o t o, c o s a m j e s t w s t a-n i e s t w o r z y ć w s w o j e j w y o b r a ź n i. „Wyobraźnia — powiada Susanne K. Langer w *Philosophical Sketches* — jest prawdopodobnie najstarszą typowo ludzką cechą umysłową, starszą nawet niż myślenie dyskursywne; w niej mają wspólne źródło sny, rozumowanie logiczne, religie i wszystkie spostrzeżenia natury ogólnej. Właśnie z tej pierwotnej umiejętności ludzkiego umysłu zrodziła się sztuka, która z kolei bezpośrednio na nią oddziałuje".

Zdystansowanie się od konkretnego doznania wydaje się niezbędnym warunkiem rozpoczęcia procesu twórczego. Jest jednak nieuchronne, że książka po wydaniu powróci niczym bumerang do poprzedniej, konkretnej rzeczywistości, od której autor musiał się odsunąć, aby utwór mógł powstać.

Po zaprezentowaniu książki odbiorcom autor staje się jednym z wielu czytelników własnego utworu, a jego ocena jest po prostu kolejną subiektywną oceną, ani bardziej wnikliwą, ani bardziej płytką niż ocena innych czytelników. „Jeśli chodzi o dosłowną interpretację — oświadczył Paul Valéry — już kiedyś pisałem, co myślę na ten temat, ale należy to powtarzać bez przerwy: n i e m a p r a w d z i-

w e g o z n a c z e n i a tekstu. Autor nie jest żadnym auto-
rytetem. Bez względu na to, c o c h c i a ł n a p i s a ć, napisał,
co napisał. Wydrukowany tekst stanowi narzędzie, którym
każdy może się posługiwać zgodnie ze swoją wolą i umiejętno-
ściami: nigdzie nie jest powiedziane, że jego twórca potrafi
robić z niego lepszy użytek od innych. Co więcej, jeśli
naprawdę wie, co zamierzał, świadomość ta zawsze będzie
zakłócać jego odbiór tego, co faktycznie spłodził".

II

Twierdzenie, że *Malowany ptak* to proza niefabularna,
może ułatwić klasyfikację książki, lecz nie jest proste do
udowodnienia. Ponieważ nasze umysły odbierają wymyślone
sytuacje oraz wczuwają się w nie według przyjętych sche-
matów, pewne w miarę niezmienne sytuacje fikcyjne (a
więc te, których zapis możemy wydobyć z głębi pamięci,
wygrzebać z warstw podświadomości lub które rozpo-
znajemy dzięki własnym umiejętnościom twórczym) zawsze
będą pozbawione twardych zarysów absolutnych faktów.
W każdej kulturze, zarówno w sztuce, w literaturze jak
w świadomości danego wieku, istnieją znane, wręcz klasycz-
ne sceny: połączenie dziecka z utraconymi rodzicami,
połączenie kochanków, sceny śmierci, itp.; nie są one jednak
tak subtelne jak schematy, które tworzymy bezwiednie, aby
pomóc naszemu procesowi myślenia i identyfikowania. Te
schematy to nasze własne drobne fikcje. Wpasowujemy
doświadczenia w formy, które je upraszczają i kształtują,

nadając im odpowiednią klarowność emocjonalną. Z a p a-
m i ę t a n e   w y d a r z e n i e   s t a j e   s i ę   f i k c j ą, k o n-
s t r u k c j ą   d o s t o s o w a n ą   d o   l o k o w a n i a   w   n i e j
p e w n y c h   u c z u ć. Gdyby podobne konstrukcje nie istniały,
sztuka okazałaby się zbyt osobista dla twórcy, aby mógł ją
tworzyć, dla odbiorcy zaś niepojęta. N i e   m a   s z t u k i,
k t ó r a   b y ł a b y   r z e c z y w i s t o ś c i ą; s z t u k a   t o
s p o s ó b   u ż y w a n i a   s y m b o l i,   d z i ę k i   k t ó r y m
n i e   d a j ą c a   s i ę   i n a c z e j   o p i s a ć   r z e c z y w i s t o ś ć
s u b i e k t y w n a   s t a j e   s i ę   m o ż l i w a   d o   p r z e k a-
z a n i a. Nawet film, ze wszystkich sztuk najbardziej pre-
dysponowany do dosłownego prezentowania zdarzeń, podlega
odpowiedniej obróbce; bez tego byłby albo całkowicie
niezrozumiały, albo zupełnie niestrawny dla widzów. Ten sam
proces ma miejsce w wypadku innych sztuk; z kolei wspo-
minanie jest automatycznym poddawaniem obróbce tego, co
się wydarzyło. „Ekspresja zaczyna się tam, gdzie kończy się
myśl" — powiedział Camus, mając na myśli tworzenie,
a zwłaszcza pisanie. Zarówno wymyślając fikcje, jak i opisując
fakty, aktywny, twórczy umysł usuwa to, co nieistotne lub nie
do przekazania, skłaniając się ku sytuacjom wyimaginowa-
nym. Błędem byłoby twierdzić, że pamięć cechuje dosłowność
lub dokładność; jeśli wspomnienia zawierają prawdę, jest to
raczej prawda emocjonalna niż obiektywna. Można rzec, że
przekształcamy nasze doznania w krótkie ujęcia filmowe.
Dobrym przykładem zamknięcia przeżycia w formę emocjonalną jest „Powrót do Tipasy" Alberta Camusa, tekst
niesłusznie uważany za prozę dokumentalną. Pisząc o powro-

cie do północnoafrykańskiego miasteczka, Camus najwyraźniej potraktował rzeczywistą Tipasę jako symbol. Prawdą jest, że był kiedyś w Tipasie, że nawet w niej mieszkał, a po latach znów ją odwiedził. Ale sama wizyta, chociaż ważna jako wybór sytuacji, której miały zostać przypisane konkretne uczucia, była podporządkowana tym konkretnym uczuciom, które pisarz m o ż e   i s t o t n i e odczuwał w Tipasie, ale przede wszystkim pragnął przekazać czytelnikowi. Co więcej, ten właśnie wybór symbolicznej lokalizacji jeszcze bardziej nakłania czytelnika do empatii emocjonalnej poprzez dobór dalszych szczegółów; proces ten, jeśli nie całkiem podświadomy, jest przynajmniej częściowo spontaniczny i kieruje zmysły odbiorcy do poziomu emocjonalnego, na którym konkretne prawdy emocjonalne utworu objawiają się najpełniej. Zakłada się, że esej jest autobiograficzny: zgnębiony Albert Camus powraca do miejsca, które zawsze utożsamiał ze spokojem, jasnością i łagodnością przyrody; spacerując wzdłuż plaży odkrywa, że pośród zimy nosi w sobie niezniszczalne lato. Ale nawet to odkrycie musi wyrazić za pośrednictwem symboli, tworząc sytuację, w której to, co dosłowne, i to, co symboliczne, tak zbliżają się do siebie, że właśnie ze zbliżenia rodzi się znaczenie.

III

Aby odtworzyć mechanizm działania pamięci, autor skomponował *Malowanego ptaka* z małych dramatów, krótkich serii doznań, pomiędzy którymi powiązania są najczęściej pominięte, tak jak to ma miejsce w wypadku wspomnień. Ekstremalność sytuacji przez przerysowanie akcji i obrazu naśladuje formy, jakie przybierają sny i myśli. Symboliczny charakter postaci i szczegółów zdarzeń również jest istotny, ponieważ czy to w procesie wspominania, śnienia, czy tworzenia fikcji, służy jako sposób zaznaczenia lub uwypuklenia czegoś innego; na przykład konkretyzacji uczucia. Ktoś mógłby spytać, dlaczego jest to książka o dzieciństwie. Dlaczego autor wybrał właśnie ten motyw? C. G. Jung, w eseju „Psychologia archetypu dziecka", dostarcza wielu ciekawych wskazówek. Jung traktuje motyw dziecka jako reprezentujący przedświadomy etap ludzkiej świadomości, dzieciństwo procesów myślowych, których ślady każdy z nas wciąż nosi w sobie: określa je mianem „nieświadomości zbiorowej". Pisze tak: „...analogia pewnych doświadczeń psychologicznych... [dowodzi] ...że niektóre etapy z życia jednostki mogą stawać się autonomiczne i uwydatniać do tego stopnia, iż powstaje nowa wizja samego siebie — na przykład, człowiek postrzega siebie jako dziecko. Podobne doświadczenia wizjonerskie, czy to we śnie, czy na jawie, są, jak wiemy, uzależnione od nastąpienia dysocjacji pomiędzy przeszłością a teraźniej-szością. Przyczyną dysocjacji są różne nieprawidłowości: obecny stan człowieka może być w konflikcie z jego stanem dzieciństwa lub człowiek ten mógł się gwałtownie odciąć od swojego właściwego charakteru w pogoni za arbitralną p e r s o n ą bardziej pasującą do jego ambicji... Stał się zatem dziecinny i sztuczny, utracił swoje korzenie. Dostarcza to doskonałej okazji do równie gwałtownej konfrontacji z podstawową prawdą".

Malowany ptak, w takim razie, może być wizją siebie z okresu dzieciństwa, w i z j ą, a nie badaniem tego okresu czy próbą powrotu. Ta wizja, to poszukiwanie czegoś utraconego, może być zrealizowana tylko poprzez metaforę, przez którą podświadomość najłatwiej się objawia i do której najnaturalniej dąży. Miejsca i okoliczności wypadków są nie mniej metaforyczne, gdyż cała podróż mogła się przecież odbyć wyłącznie w wyobraźni. Podobnie jak metaforyczne są miejsca, tak i postacie stają się archetypami, symbolami rzeczy na równi odczuwanych i na równi nieuchwytnych, chociaż jako symbole są podwójnie prawdziwe; wyrażają bowiem to, co reprezentują.

Możliwe, że książka wymyka się szybkiej i prostej klasyfikacji. Imiona użyte w *Malowanym ptaku* nie odnoszą się do konkretnych osób; nie mogą też być definitywnie przypisane żadnej grupie narodowościowej. Obszar jest tylko mgliście określony; zresztą rejony pogranicza, bezustannie nękane walką, nie posiadały jedności narodowej lub religijnej. Dlatego też żadna grupa etniczna czy religijna nie ma podstaw, by twierdzić, że chodzi właśnie o nią; niczyje szowinistyczne uczucia nie powinny być podrażnione. Tak jak cmentarz zaciera życiorysy ludzi na nim pogrzebanych, tak czas i przemiany polityczne zmieniły nie do poznania życie na obszarze, gdzie rozgrywa się opowieść.

Treść książki nastręcza trudności. Rozbudowane fakty nie

są fikcją; wzbogacone wspomnienia nie są tworem fantazji. Dla wydawcy obszar pośrodku jest ziemią niczyją. W eseju „Stosunek estetyczny sztuki do rzeczywistości" Mikołaj Czernyszewski napisał w 1855 roku: „Jakkolwiek trwała byłaby pamięć, nie jest ona w stanie zachować wszystkich szczegółów, tych zwłaszcza, które nie mają znaczenia dla istoty sprawy; niektóre z nich jednak, i to liczne, potrzebne są z punktu widzenia artystycznej pełni opowiadania, musi je tedy poeta zapożyczać z innych scen... co prawda uzupełnianie zdarzenia tymi szczegółami jeszcze go nie odmienia, to zaś, co różni opowiadanie artystyczne od zdarzenia, które odtwarza, ogranicza się na razie jedynie do formy. Nie wyczerpuje to jednak działania wyobraźni. Zdarzenie w rzeczywistości splatało się z innymi zdarzeniami, które łączyły się z nim jedynie zewnętrznie, bez istotnego związku; kiedy przystąpimy do wyodrębniania wybranego przez nas zdarzenia od innych wypadków i niepotrzebnych epizodów, przekonamy się, że wyodrębnienie to spowoduje nowe luki w życiowej pełni opowiadania..." *.

Fakt i wspomnienie: czy książka jest wyłącznie tego rezultatem? *Malowany ptak* stanowi raczej efekt powolnego tajania umysłu długo skutego strachem, utwór powstał jako gobelin utkany z izolowanych faktów. Światło pamięci jest mniej jaskrawe, ale jego blask, bardziej miękki, bardziej przychylny, pada na szerszy obszar. Plan pierwszy zatraca ostrość, plan dalszy wyłania się z cienia. Ludzie, niegdyś

---

* Przekład Tadeusza Zabłudowskiego.

zapamiętani za czyny, mogą być ocenieni na podstawie swoich charakterów. Dla dziecka wydarzenia są doraźne; odkrycia jednowymiarowe. Ten morduje, ten okalecza, ten bije, ten głaszcze. Ale dla dorosłego wizja tych wspomnień jest wielowymiarowa. Głód nie jest już tym dojmującym cierpieniem co wówczas, a strach tym samym nieregularnym biciem serca. Te bolesne doznania nie są przyjmowane przez organizm jako część zmiennych losów mijających dni. Wydają się raczej szwami czy wiązaniami pewnego sposobu życia.

Przesąd i strach, zaraza i oczekiwanie śmierci, ponure lasy i zamarznięte bagna, żelazne okowy głodu, które przykuwają wieśniaka do nieustępliwej ziemi, podejrzliwość, która odwraca go od sąsiada, lęki, które każą im się jednoczyć przeciwko obcym, szarość i smutek, oczekiwanie klęski. Niechętna wiara w bezlitosnego Boga, ciągły strach przed rychłymi nieszczęściami zapowiadanymi przez ptaki i zwierzęta, demony i upiory bezustannie czatujące na dusze ludzkie, rozliczne pułapki grożące nieroztropnemu. Tych zjawisk nie sposób ująć w porządne, posegregowane, sklasyfikowane zapiski. Marta, Głupia Ludmiła, Łaba i Makar są mieszkańcami swoich wiosek; nie istnieją poza nimi. Antropolog, który chciałby się ograniczyć do spisania suchych faktów z ich życia, pominąłby najważniejsze, zupełnie tak samo jak w wypadku czarownic z *Makbeta*.

Przedstawione wydarzenia straciły odrębność, złączyły się i zespoliły, zlały i wezbrały, przepływając jak fala przyboju przez umysł autora. Autor dostarcza doświadczeniom i nici, i sukna. Nici splatają się we wzory będące czymś więcej od poszczególnych nici, aczkolwiek ich barwa i jakość nie uległy zmianie. Autor nie tyle sporządza katalog dorosłego, ułożony ze starannie dopasowanych faktów, co wyrzuca z siebie poszarpane bólem i spotęgowane strachem wspomnienia, impresje i odczucia dziecka. Nie może nadać temu wszystkiemu dokładnej miary. Nie tworzy chronologicznego zapisu wędrówki; przytacza wycinkowe doświadczenia małego zbiega, który przyjmował każdy świt z mieszanymi uczuciami, który bardziej lękał się, niż cieszył każdym nowym dniem, który nie dostrzegał obietnicy słońca, a jedynie groźbę burzy.

„Uderzającym paradoksem wszystkich dziecięcych mitów — pisze Jung — jest to, że z jednej strony zupełnie bezradne «dziecko» dostaje się w ręce straszliwych wrogów i ciągle grozi mu unicestwienie, a z drugiej, że posiada moce znacznie przewyższające te, jakimi dysponują zwykli śmiertelnicy". W *Malowanym ptaku* dziecko (Chłopiec) przeżywa, ponieważ nie ma wyboru, nie może postąpić inaczej; jest idealnym ucieleśnieniem instynktu przetrwania i samospełnienia. Nie potrafi zapanować nad sobą, zapobiec pełnemu rozwojowi swojego potencjału. Natura wyposażyła go tylko w te instynkty i umiejętności, które zapewniają mu zdolność wychodzenia z opresji. Świadomy umysł hamuje i krępuje niemożność p o s t ą p i e n i a   i n a c z e j, „dziecko" natomiast przeciwstawia się do końca każdemu, nawet najmniejszemu zagrożeniu jego bezpieczeństwa. Widać to przy każdej z kolejnych prób, którym jest poddawane. Wszystkie te próby wykorzystują oczywiste symbole naturalne: ogień, wodę, błoto i kał; Chłopiec zostaje zakopany, porzucony samotnie na pustkowiu. Ale musi przetrwać. Fakt, że narracja prowadzona jest w pierwszej osobie, sugeruje, iż tak się stanie. Wybór dziecka jako osoby prowadzącej poszukiwania jest szczególnie wymowny, ponieważ tylko na przykładzie rozwoju dziecka możemy prześledzić w przybliżeniu proces ewolucji ludzkiego umysłu. Dziecko patrzy — i uczy się — za pośrednictwem tych samych symboli, co wspólnoty pierwotne; wystarczy wspomnieć wizerunki zwierząt czy bliski związek z siłami przyrody. W książce interesujące jest także zaabsorbowanie mową i jej brakiem. Chłopiec nie umie mówić dialektem używanym w okolicy, w której przebywa, a kiedy z czasem zaczyna go opanowywać, w ogóle traci zdolność mowy. Najwyraźniej autor specjalnie pozbawia Chłopca korzyści, jakie daje możliwość normalnego porozumiewania się. Narzucona niemota spełnia kilka funkcji.

Kiedy Chłopiec traci mowę, musi opierać się wyłącznie na umotywowanym działaniu. Podczas gdy mowa może zastąpić działanie, lub sugerować je w okrężny sposób, czyny mówią za siebie.

Współczesne literackie posługiwanie się językiem jest kontrapunktowe; obnaża ważny obszar, który istnieje między językiem a czynem, uwydatnia dzielącą je przepaść. Właśnie ta przepaść wydaje się ogniskować sztukę współczesną. Jednakże autor *Malowanego ptaka* posuwa się jeszcze dalej; w swojej próbie powrotu do korzeni odwołuje się do symboli bardziej namacalnie niż poprzez powierzchowny proces mowy i dialogu. Co więcej, pozbawienie bohatera możliwości swobodnej komunikacji zwiększa poczucie alienacji. Obserwacja jest procesem niemym; bez środków, aby stać się uczestnikiem, milczący musi obserwować. Być może jego cisza jest również metaforą na wyalienowanie Chłopca ze społeczności i także z czegoś większego. Uczucie wyobcowania unosi się na powierzchni utworu i ujawnia — może podświadomą — wiedzę autora o rozcząstkowaniu jego jaźni.

IV

Jednym z zabiegów formalnych często stosowanych w *Malowanym ptaku* jest użycie podfabuły naturalnej. Czyny ludzkie są albo najpierw odgrywane albo powtarzane w obrazach zwierzęcych. Dobitnym przykładem jest scena kolacji w domu młynarza, kiedy dwa koty służą spotęgowaniu nastroju napięcia seksualnego, który trwa jakby pod powierzchnią. Ta sama technika zostaje wykorzystana podwójnie, gdyż wewnątrz utworu posługuje się nią młynarz, aby uzyskać ten sam efekt, co autor. Takie zestawienie obrazu i podkreślenia składa się na bogatszą, bardziej czytelną narrację, i dlatego autor wielokrotnie czyni z niego użytek, w sposób najbardziej pełny przy opisie psów szczepionych przy parzeniu, będącym rozszerzoną paralelą sytuacji, w jakiej znaleźli się Tęcza i młoda Żydówka. Inne zastosowanie tej samej techniki polega na ciągłym posługiwaniu się obrazem i jego konsekwentnym powtarzaniu przez całą narrację, aż do kulminacyjnej metamorfozy w symbol. Pierwszorzędnym przykładem jest wizerunek malowanego ptaka. W książce odnajdujemy również niedopowiedziane podobieństwa w psychice, działaniu lub losach postaci i zwierząt: Żydzi stłoczeni w pociągach, dziewczyna gwałcona przez Tęczę, chłopiec umierający przy torach, niemowlęta wyrzucane z pędzących wagonów, wszystkie te sceny tworzą silną analogię z wizerunkiem obdartego ze skóry królika biegającego na oślep po podwórzu. Atak szczurów na cieślę w bunkrze przypomina atak Kałmuków na wioskę. Także najautentyczniejszym godłem każdej postaci jest zwierzę: Garbosz i wilczur, Lech i malowane ptaki; ciągłe utożsamianie się ze zwierzęciem jako obcym: gołąb w zagrodzie Marty, malowane ptaki w chałupie Lecha, to wszystko znaki kierujące czytelnika w stronę dominującego wizerunku Chłopca. Inne użycie przyrody polega na przeciwstawieniu życia i śmierci: pociągi wiozące Żydów do obozów zagłady najczęściej przejeżdżają w pobliżu wiosek w płodnym okresie grzybobrania; najsroższy czyn społeczności przeciwko Chłopcu ma miejsce w Boże Ciało i, nie bez znaczenia, na dziedzińcu kościelnym; morderstwo zostaje popełnione podczas uczty weselnej, która przemienia się w stypę. Wieśniacy jak hieny plądrują zwłoki Żydów, triumfalnie unosząc zgromadzone pamiątki; fotografia zamordowanego Żyda wisi obok świętego obrazka. Rozpoznawalne struktury fabularne stosowane są zupełnie na opak:

wędrówki Milczka i Chłopca tworzą idyllę dzieciństwa, zaczernioną przez tragizm ich sytuacji. Również scena pojednania z rodzicami jest kompletnie przenicowana: radość zostaje zastąpiona przez obojętność. Lech i Ludmiła, jedno szalone, drugie obłąkane, są jedynymi kochankami w opowieści, w której naczelnym uczuciem jest nienawiść.

V

Malowany ptak sprowadza rzeczywistość do natury, odwołując się poniekąd do metafizycznej ramy, aby skonstruować moralność. Jest próbą odarcia świata z blichtru, dojrzenia go bez wygodnych truizmów, którymi ozdabiamy postrzeganą rzeczywistość. Takie poszukiwanie prowadzi na powrót do metafory dzieciństwa i wynikającej z niej mnogości naturalnych wyobrażeń i motywów — snów, symboli fallicznych, obrazów, które nauczyliśmy się kojarzyć z baśniami. Bez blichtru i karmazynowej fasady, objawiają się czarne korzenie baśni. *Malowanego ptaka* można uważać za bajkę; za bajkę, której nikt nie opowiada dziecku, lecz której d o ś w i a d c z a ono na własnej skórze; wówczas żołnierze SS stają się nadludzkimi bohaterami, którzy z niesłychaną łatwością wykonują najtrudniejsze zadania; Ludmiła to leśna panna; kometa, karabin i „mydło" to niezwyciężona broń; są czarownice, trolle, groźne lasy i wielkie poszukiwania. Dzięki tym właśnie środkom poszukiwania wiodą do stanu pierwotnego. Znów dochodzi się do korzeni nieświadomości. Każdy z nas ma zakodowane w psychice pewne mechanizmy działania i musi zareagować na odpowiednie bodźce. Ich moc, aby nas pobudzić, jest wrodzona i trwała; szok wywołany wypadkami opisanymi w *Malowanym ptaku* może, w rzeczy samej, być szokiem rozpoznania. Może chodzi o rozpoznanie samego siebie, owego ja, którego w ogóle nie znamy lub z którego istnienia ledwo zdajemy sobie sprawę poprzez treść naszych snów i rojeń: „Symbole własnego ja — stwierdza Jung — powstają w głębi ciała i wyrażają jego materialność dokładnie identycznie jak świadomość percepcyjna. A więc symbol to żywy organizm, *Corpus et Anima*; dlatego właśnie «dziecko» jest dla symbolu tak odpowiednim obrazem".

Świat przedstawiony w *Malowanym ptaku* można postrzegać jako świat wyraźnych podstawowych symboli, prostych kluczy do kultury europejskiej połowy dwudziestego wieku. Dziś, dwadzieścia pięć lat później, wiele z tych symboli wciąż nie jest rozpoznanych. Podobnie jak wieśniacy zbierają fotografie wyrzucane z pociągów śmierci, my odnajdujemy w prasie codziennej niekończące się opisy i liczne zdjęcia okrucieństw czynionych gdzieś, przez kogoś, komuś. I jak ci wieśniacy, bierni obserwatorzy wielkiego spektaklu przemocy i zniszczenia, my, bezpieczni w wygodnej izolacji naszych domów, oglądamy programy telewizyjne. Dzień w dzień, co wieczór, nasze ekrany wypełniają i zalewają obrazy i odgłosy nieszczęść ludzkich wydarzających się g d z i e   i n d z i e j: oglądamy spadające bomby, walące się domy, mordowanie i torturowanie ludzi z powodu ich pochodzenia, religii, przekonań, koloru skóry. Żadna katastrofa nie pozostaje niezauważona. Na naszych oczach giną każdego dnia niewinne ofiary, tak jak na oczach Lecha, leśnego łowcy, ginęły malowane ptaki zadziobywane przez swoich pobratymców z powodu odmiennych barw. Patrzymy na tragiczne wydarzenia ze spokojną świadomością, że wszystkie te okrucieństwa i zbrodnie dzieją się g d z i e i n d z i e j, gdzieś daleko, i popełniają je i n n i, którzy muszą mieć jakieś własne powody, by postępować w ten sposób, my sami zaś, acz przejęci i oburzeni, nie mamy z tym nic wspólnego — i, co więcej, nie chcemy mieć. W *Incydencie w Vichy* Arthur Miller ujmuje to następująco:

„Leduc: Jestem panu winien prawdę, książę; teraz mi pan nie uwierzy, ale chciałbym, żeby się pan zastanowił nad moimi słowami i nad tym, co z nich wynika. Nigdy nie analizowałem chrześcijanina, który nie czułby skrytej gdzieś w głębi mózgu niechęci czy wręcz nienawiści do Żydów.

Von Berg: To niemożliwe, w moim wypadku tak nie jest!

Leduc: Dopóki nie uświadomi pan sobie, że to, co powiedziałem, dotyczy także pana, zabija pan każdą prawdę, jaka może wyniknąć z tej zbrodni. Częścią wiedzy o tym, kim się jest, jest wiedza o tym, kim się nie jest. Żyd to jedynie nazwa, jaką nadajemy obcemu, agonii, której nie czujemy, śmierci, na którą patrzymy jak na chłodną abstrakcję. Każdy ma swojego Żyda; jest nim ten drugi. Żydzi również mają swoich Żydów. Teraz, zwłaszcza teraz, musi pan zrozumieć, że choć jest pan porządnym człowiekiem, też ma pan swojego Żyda — kogoś, czyja śmierć przynosi ulgę, że się nim nie jest. I dlatego właśnie nic nie ma i nic nie będzie, dopóki nie uświadomi pan sobie swojego w tym współudziału... swojego własnego człowieczeństwa".

VI

Zdumiewa nas okrucieństwo i prymitywizm wieśniaków opisanych w książce. Czy to możliwe, pytamy, żeby ludzie byli tak gruboskórni i nie zaopiekowali się małym, bezbronnym dzieckiem? Jak mogą patrzeć obojętnie na pociągi wiozące tysiące ludzi na straszną śmierć? Jak mogą torturować ofiarę, której udało się uciec? Zastanówmy się nad tym przez chwilę. Wieśniacy ci trwali od wieków w ciemnocie i okrucieństwie; ważne jest to, że sami zdołali przetrwać tak długo. To samo dotyczy społeczności ludzkiej jako takiej; chłopska mentalność dbania o siebie i własne przetrwanie wykracza poza wszelkie granice państwowe. Zarazy pochłonęły rzesze ofiar, wojny spowodowały śmierć milionów ludzi, ale jakościowo życie trwa nadal.

Lekcje wyciągnięte z wędrówek Chłopca, nawet jeśli nie przynoszą ostatecznych odpowiedzi, podkreślają i potwierdzają chłopską umiejętność opierania się siłom zewnętrznym i, kiedy to możliwe, wyszukiwania i wykorzystywania podobieństw między własną mentalnością a mentalnością gnębicieli. Usprawiedliwia ich to, że dla nich samych okupacja stanowi śmiertelne zagrożenie. Jeśli dzięki przypad-

kowej zbieżności między doktrynami ich i wrogów, prześladowanie pewnej liczby spośród własnego grona może
choć po części zapewnić przetrwanie reszcie, tym lepiej.
Przynajmniej ktoś przeżywa.

Czy wieśniacy opisani w *Malowanym ptaku* byli bardziej
okrutni od swoich nie tak odległych sąsiadów? Czyż pociągi
wiozące ludzi ku ich ostatecznemu przeznaczeniu nie
pochodziły bezpośrednio z „cywilizowanego" świata nowo-
czesnych miast zapełnionych pamiątkami tysiącletniej kultury, z elektrycznością, stacjami radiowymi, szpitalami,
szkołami, bibliotekami, stowarzyszeniami naukowymi...?
Czyż chłopi mogli nagle zapomnieć to, o czym na każdym
kroku przypominały porozlepiane wszędzie *Bekanntmachun-
gen* (Obwieszczenia): za udzielanie schronienia lub pomocy
Żydom i Cyganom grozi kara śmierci b e z w z g l ę d u n a
o k o l i c z n o ś c i. Prawo to nie zostało wymyślone w odległych, ubogich wioskach Europy Wschodniej. Nie napisali
go wieśniacy; trafiło do nich prosto z „cywilizowanego"
świata; przyniosły je na bagnetach okupujące wojska. Jego
sformułowaniem i rozpowszechnianiem zajęli się ludzie
wykształceni w ośrodkach kultury europejskiej, wychowani
ze świadomością Renesansu i Oświecenia, filozofii Kanta,
Hegla i Schopenhauera, miłośnicy muzyki Bacha, Beetho-
vena i Mozarta, poezji Goethego i Schillera, znający prozę
najwybitniejszych umysłów swojego pokolenia...

Prawo to wprowadzili w życie inżynierowie i technicy
śmierci, nie tylko w wioskach Europy Wschodniej, ale
w całej Europie okupowanej przez hitlerowców; nie tolero-

wano żadnych wyjątków i nie pozostawiano żadnych furtek. Czy mały zbieg, chłopczyk wyraźnie wyglądający na Żyda lub Cygana, mógł znaleźć bezpieczne schronienie w okupowanej Europie czasu wojny? Wojny tej nie wywołali wieśniacy. Podobnie jak miliony wykształconych i „cywilizowanych" mieszkańców miast, stali się jej ofiarami. Przez cały czas trwania wojny wieśniacy Europy Wschodniej nie byli reliktami przeszłości, niedorozwiniętą społecznością, którą ominął postęp cywilizacji. Wręcz przeciwnie, wieśniacy z *Malowanego ptaka* symbolizują i personifikują poziom, na który druga wojna światowa sprowadziła tak zwaną cywilizację europejską. Wieśniacy stali się częścią wielkiego pogromu, morderstw, bezprawia i zniszczenia, jakie przyniosła wojna. Rozumieli terror, ponieważ mieścił się w podstawowych kategoriach brutalności popełnianych przez silnych na słabych, przez zwycięzcę na pokonanym, przez uzbrojonych na bezbronnych. Jeśli nie dziwiły ich pojedyncze sceny kataklizmu i jeśli nawet czasem sami brali w nich udział, to dlatego, że rozgrywające się wypadki nie wykraczały poza ich poziom umysłowy i nie wymagały od nich ani „dokształcenia się", ani „docywilizowania". Nie dziwiło ich prześladowanie Żydów i Cyganów, albowiem byli nauczeni przez ojców — którzy z kolei nauczyli się od swoich — że Żydzi nie zasługują na litość, gdyż zabili Syna Bożego, i z tego względu sam Bóg jest im nieprzyjazny i szykuje dla nich okrutną, acz sprawiedliwą karę. Od niepamiętnych czasów wieśniacy wiedzieli, że morderców Syna Bożego można poznać po czarnych włosach, czarnych oczach, haczykowatych nosach, śniadej cerze i obrzezanych członkach. I dlatego właśnie teorie rasizmu, „naukowo udowodnionej" konieczności ludobójstwa, zostały tak chętnie podchwycone przez niektórych prostych, niewykształconych chłopów w wiejskich ostępach Europy Wschodniej...

Równocześnie musimy pamiętać, że okrucieństwo wieśniaków przedstawionych w *Malowanym ptaku* nie wynika z chęci zadawania bólu. Jest niczym innym jak formą obrony: instynktowną, usankcjonowaną przez tradycję, wiarę i przesądy, stulecia ubóstwa, wyzysku, chorób i ciągłych napaści łupieżczych ze strony silniejszych sąsiadów. To, co o okrucieństwie pisał Antonin Artaud, w pełni odnosi się do chłopów: „Jest w okrucieństwie, którego się dopuszczamy, jakby wyższe uwarunkowanie, jakiemu poddany jest również kat dręczyciel i jakie on sam musi być z d e c y d o w a n y znieść w razie potrzeby. Okrucieństwo jest przede wszystkim trzeźwe, jest to rodzaj sztywnego wskazania, poddania konieczności" *. Takie właśnie okrucieństwo cechuje opisanych wieśniaków. Aczkolwiek ich społeczności nie można nazwać — w antropologicznym rozumieniu — „prymitywną", ich życie jest niewątpliwie silniej związane z odwiecznymi tradycjami plemiennymi niż poszatkowane istnienie społeczności miejskich na bardziej rozwiniętych obszarach. Wieśniacy nie oderwali się od zbiorowej, prymitywnej

---

* Przekład Jana Błońskiego.

mentalności; poddają się bez buntu ryzom tradycji i przesądów, czerpiąc z nich otuchę i odczuwając je jako spoiwa łączące ich społeczność. Możliwe że perwersje, indywidualne zboczenia, wydają się mieszkańcom wsi albo zupełnie naturalne, albo traktują je jako zachowania kompulsywne narzucone przez moce zewnętrzne. Nie są świadomi, że tylko od nich samych zależy ich postępowanie. Pragnienia, które się budzą, są wprowadzane w czyn. „Jeśli naszemu życiu brakuje siarki, czyli nieustannej magii, to dlatego, że lubujemy się w oglądaniu naszych czynów i gubimy się w rozważaniach o wymarzonych kształtach naszych czynów, zamiast aby te marzenia nami powodowały" *, że pozwolę sobie znów zacytować Antonina Artaud. To stwierdzenie, wypowiedziane w trakcie nawoływania społeczeństwa do powrotu do prymitywnych wzorców kulturowych, odnosi się znakomicie do wieśniaków z książki: Lecha, Garbosza, Ewki, Makara i innych. Ich zachowaniem rządzą instynkty. I choć życie, jakie wiodą, jest dalekie od prehistorycznego, w rozwoju psychicznym zatrzymali się na bardzo prymitywnym poziomie.

W grono wieśniaków wkracza postać mityczna, Chłopiec-zbieg. Jest żywym wcieleniem motywu, z którym ich nieświadomość zbiorowa wciąż ma powinowactwo, symbolem nadal wyjątkowo silnym, chociaż konkretnie i formalnie niemożliwym do zidentyfikowania. Jest dzieckiem, którego istnienie może w straszne lub cudowne sposoby

* Przekład Jana Błońskiego.

obnażyć dusze tych, którzy się z nim zetkną: prowokuje namiętności; sprawia, że chłopi odwołują się do swoich najgłębszych instynktów; zmusza ich do kontaktu ze wspólną i prywatną przeszłością, porusza ich zastygłą, wielowarstwową ignorancję. Stanowi zagrożenie. Zjawia się w ich odizolowanym świecie w tym samym czasie, kiedy pojawiają się Niemcy, a wraz z nimi bardzo konkretna groźba unicestwienia. Jego obecność dodatkowo pobudza wieśniaków, zaskoczonych przez bieg wypadków i już pobudzonych przez wojnę; parcie różnych dających o sobie znać napięć popycha ich do gwałtownych czynów. Jednakże uczucia chłopów mają jakby drugie dno. Za strachem leży instynkt, który każe im patrzeć na dziecko jako na kogoś, kogo nie wolno zniszczyć. Może w głębi najskrytszych myśli tli się wiarą, że choć zarówno przybycie i wygląd Chłopca naraża ich na niebezpieczeństwo, m ó g ł zostać przysłany, aby ich uratować. Te nie do końca uświadomione uczucia współistnieją i kolidują ze sobą. Ich wypłynięcie na powierzchnię (w scenie służenia przez Chłopca do mszy) wprowadza zamęt do psychiki wieśniaków, po czym otwiera tamę gniewnych uczuć, kiedy Chłopiec — przekreślając wszelkie wiązane z nim nadzieje — złowróżbnie upuszcza mszał. Warto nadmienić, że społeczność zagrożona zniszczeniem lub rozpadem form kulturowych ze zdwojoną zapalczywością trzyma się mitów; zagrożenie wojenne powoduje taką właśnie reakcję grupową, wprowadzając element napięcia do zbiorowej i indywidualnej świadomości.

VII

Wystarczy to, że nie zabijają Chłopca, aby uznać wszystkich dorosłych występujących w książce za bohaterów pozytywnych. W czasach, kiedy życie ludzkie często nie posiadało tej wartości co kula, która mogła je przerwać, fakt, że samotny chłopiec, uważany za Żyda lub Cygana, zdołał przetrwać wojnę, jest niewątpliwie wyjątkowy. Setki tysięcy dzieci ginęły w gettach, w bombardowanych miastach, w obozach koncentracyjnych. Umierały z głodu, z chorób, w wyniku przemocy. Setki tysięcy innych stały się kalekami. Tymczasem dorośli spotkani przez Chłopca przyczynili się do przetrwania przez niego wojny, i to mimo że cały czas przebywał wśród obcych, którym groziła śmierć za udzielanie mu schronienia lub jakiejkolwiek pomocy. Z kolei Niemcy mieli służbowy obowiązek zabijania wszystkich podejrzanych osób. Oni również narażali życie, jeśli zaniedbywali obowiązki.

Tyle jeśli chodzi o bohaterów pozytywnych. Książka ma jednak także negatywnego bohatera.

Jest nim Chłopiec.

Ze wszystkich postaci on jeden nienawidzi świadomie, ciągle i płomiennie; pragnie odpłacać nienawiścią za wszystko, co przydarzyło mu się na tym świecie. Życie codzienne dostarcza mu zarówno powodów do nienawiści, jak i wielu możliwości jej wyrażania. *Malowany ptak* kreśli bowiem wizję świata opanowanego przez impuls niszczenia, przedstawia rzeczywistość, w której nawet przedmioty (komety,

„mydło", etc.) stają się nośnikami destrukcji, a ci, którzy je kontrolują, zdobywają władzę poprzez ich posiadanie. Sztucer Mitki Kukułki jest doskonałym przykładem. Siła zniszczenia wciąga w swój zasięg najbardziej, zdawałoby się, niewinne przedmioty i maszyny. Pociągi, które odgrywają zasadniczą rolę w dwóch wyjątkowo ważnych epizodach, wręcz stają się instrumentem zagłady. Dotyczy to zarówno pociągów wiozących transporty Żydów do obozów śmierci, jak i pociągu wykolejonego przez Milczka dla pomszczenia upokorzenia przyjaciela; w katastrofie giną niewinni wieśniacy jadący na targ. Dla Chłopca pociągi stanowią dodatkowe wyzwanie. Ogromną przyjemność sprawia mu szarpiąca nerwy, ryzykowna zabawa polegająca na kładzeniu się między szynami, po których pędzą pociągi. Wystawia się na niebezpieczeństwo, jakie reprezentuje pociąg, i przeżywa je. Z kolei w przypadku pociągu wiozącego wieśniaków na targ, ciemiężeni przemieniają się w ciemięzców. Ci, których pociągi mogły zawieźć do obozów, teraz zabijają chłopów, którzy przyglądali się bezczynnie, kiedy pociągi z hukiem przejeżdżały obok. To właśnie ci, którym tak niewiele brakowało, by stali się ofiarami, teraz czekają przy torach i radują się w milczeniu. Nienawiść może być maszyną tak samo funkcjonalną i punktualną jak lokomotywa; zawsze będzie pojawiać się na horyzoncie i zawsze znajdą się ludzie, którzy będą ją oklaskiwać, głośno czy tylko w duchu. Chłopiec wyłania się wreszcie ze świata wrogich wieśniaków i pociągów jadących do obozów zagłady, ale opuszcza go ze świadomością, że nigdy nie będzie całkiem od niego wolny. Zostaje przywrócony rodzicom mądrzejszy o to, czego nauczył się podczas wędrówki, ale jego wiedza jest przerażająca. Jednakże tylko dzięki temu, że do głębi poznał nienawiść i pragnienie zemsty, jest w stanie wyzbyć się tych uczuć. To właśnie nienawiść pozwala mu widzieć z pełną jasnością czego i z jakiej przyczyny nienawidzi. Jak na ironię, proces wyzbywania się nienawiści i pragnienia zemsty doprowadza wyłącznie do tego, że uczucia te przestają być skierowane przeciwko j e d n e j   k o n k r e t n e j   o s o b i e   l u b   g r u- p i e; stają się głęboko wrośniętym podłożem jego stosunku do życia, podstawą zachowania w k a ż d e j   s y t u a c j i. Chłopiec jest więc znów dokładnie tam, skąd zaczynał, równie samotny jak wówczas, kiedy oddzielono go od rodziców. Były wędrowiec ponownie staje się obcym, a jego „ponadosobowa" filozofia może mieć nadany nowy kierunek, nową orientację (na przykład przez proces indoktrynacji) i jeszcze raz zogniskować się na konkretnych osobach, grupach lub poglądach. Ci, którzy przetrwali, chętnie p a- m i ę t a j ą; w każdej chwili gotowi są się m ś c i ć. Ludziom wystarczy tak niewiele, by znów zacząć nienawidzić. Zawsze będzie następny pociąg. Kto, wobec tego, jest winien? Ci, którzy prowadzą, czy ci, którzy stoją przy torach i wznoszą okrzyki zachęty? I jedni, i drudzy? Którzy? Żadni? Jedno wiadomo na pewno: współczesne przykłady masowej destrukcji są przykładami potencjału maszyn wspaniale realizowanego przez ludzi-automaty.

Lecz współczesna nienawiść, współczesna odmiana zemsty, bywa zarazem czymś bardzo osobistym, a raczej bardzo indywidualistycznym. Może nienawiść jest sposobem samorealizacji? Uczucie to otacza przecież mistyczna aura; nienawidzić znaczy posiadać wielką moc, a ten, kto ją dzierży, ma do swojej dyspozycji wiele niezwykłych umiejętności. Jak Prospero rządzi swoim królestwem, a sprawiedliwość wymierzana jest według jego woli. Rzeczy są takie, jakimi on je widzi; jeśli nawet nie są takie od początku, wkrótce podporządkowują się jego wizji świata. Może kształtować świat według swoich pragnień: pragnienie zemsty staje się czarodziejską różdżką.

Fakt, że następuje totalne lekceważenie „obiektywnej" rzeczywistości, a obraz, który się wyłania, jest niepełny i cudownie jednostronny, jest jednak bardziej szczery. Któż może ustanowić cenę na zbrodnie popełnione przeciwko Chłopcu przez wieśniaków? Na pewno nie ktoś stojący z boku, kto niczego nie doświadczył. Na pewno nie wieśniacy, którzy działali bez świadomości własnych czynów. Tylko Chłopiec jest zdolny znać jakość czynów, osądzać postępki i decydować o karze.

Inaczej niż Vendice w *Tragedii mściciela* Cyrila Tourneura, nikt nie musi stawać twarzą w twarz z ofiarą; nie ma konieczności, by ofiara poznała sprawcę swojej zagłady. Konfrontacja kata i ofiary była melodramatycznym gestem czynionym na użytek publiczności. Teraz liczy się sam fakt zemsty, sam c z y n. Mitce Kukułce, bohaterskiemu sowieckiemu snajperowi, wystarczy, że zabija; czynem mści wyrządzone sobie krzywdy i może żyć dalej z poczuciem potwierdzenia własnej wizji siebie. Nigdy nie waha się brać odpowiedzialności za swoje posunięcia; przyjmuje ją zawsze. Chłopiec przeżywa wojnę przepełniony straszliwą trucizną nienawiści, która daje mu cel w życiu, a zatem pomaga przetrwać. Z bezbronnej ofiary w rękach oprawców staje się żywym symbolem tych, którzy go prześladowali. Litość jest mu obca. Nie wierzy w charyzmatyczną moc religii. Uważa się za zdradzonego i oszukanego; nosi w sobie własną odmianę sprawiedliwości i według swojego osądu wymierza wszystkim karę. Świat jest dla niego zapomnianym bunkrem, w którym mordują się szczury bez nadziei ucieczki. Do tego świata odczuwa wyłącznie bezgraniczną pogardę i nienawiść; cień tej pogardy będzie się wydłużał, w miarę jak on sam będzie rósł...

Chłopiec w *Malowanym ptaku* ucieleśnia dramat naszej cywilizacji: tragedia zbrodni zawsze pozostaje z żywymi. Tego dramatu nie można rozbić w pył na żadnym polu bitwy, zbombardować w miastach, zamknąć w obozach koncentracyjnych. Ten dramat noszą w sobie wszyscy, którzy przetrwali zbrodnię, zarówno zwycięzcy, jak i zwyciężeni. Jest esencją nienawiści.

Zwycięzcy są przekonani o skuteczności i sprawiedliwości swojej nienawiści, gdyż udało im się pokonać znienawidzonego wroga. Pokonani widzą potwierdzenie swojej nienawiści w fakcie, że ponieśli klęskę z rąk znienawidzonego zwycięzcy. Obie strony mówią o tych, którzy „oddali życie dla sprawy, dla ojczyzny, w imię sprawiedliwości". Obie pragną raz jeszcze, po raz ostatni, spłacić święty dług krwi — zemścić się. Obie, jak wieśniacy w *Malowanym ptaku*, przeciwni są ostatecznemu zmyciu śladów krwi z miejsca zbrodni. Obie przyprowadzają dzieci, aby oglądały plamy; dzieci, które przetrwały masakrę i wciąż odczuwają strach, ból i poniżenie, pamiętają głód, hałas bomb i krzyki niewinnych wleczonych po ziemi. Zarówno zwycięzcy, jak i pokonani pokazują im plamy i szepczą w napięciu: pamiętasz zamordowanego wujka, dziadka, ojca, matkę? Wiedz, że nie wolno ci zapomnieć, bo to na ciebie, maleńki, spada twardy obowiązek ich pomszczenia, przejęcia od nas, którzy jesteśmy starzy i zmęczeni, buzującej pochodni świętej zemsty...

I dzieci, same będące malowanymi ptakami, patrzą na ślady krwi — żeby zapamiętać.

Tak więc nienawiść nie może umrzeć: jadowita i żywotna jak samo życie, idzie śladem życia; jest jego częścią, tak jak ogon jest częścią komety.

Polecamy głośne powieści Jerzego Kosińskiego

WYSTARCZY BYĆ

Amerykańska wersja *Kariery Nikodema Dyzmy*. Rozsławiona nominowanym do Oscara filmem Hala Ashby'ego z popisową rolą Petera Sellersa. Satyra na współczesną Amerykę, zawierająca wątki autobiograficzne.

Prostaczek, który całe życie spędził w zamknięciu, zajmując się pielęgnowaniem ogrodu, a rzeczywistość zna tylko z telewizji, przez przypadek wkracza w wielki świat amerykańskiej finansjery. Otwiera się przed nim oszałamiająca kariera. Mężczyźni widzą w nim genialnego polityka, kobiety – doskonałego kochanka. W każdej jego wypowiedzi, które *de facto* dotyczą jedynie ogrodu, doszukują się ukrytych znaczeń i głębokich myśli.

PASJA

Historia Fabiana, zawodowego gracza w polo, najbardziej romantycznego i kipiącego energią bohatera w całej twórczości Kosińskiego. Niczym współczesny „błędny rycerz" przemierza Amerykę luksusowym karawaningiem w poszukiwaniu wciąż nowych przygód, niebezpieczeństw, wrażeń i romansów. Ze zwierzęcą zaciekłością igra z własnym losem, co rusz rzucając wszystko na jedną szalę – ryzykując życie lub kalectwo podczas szaleńczej gry w polo i brawurowych skoków przez przeszkody, ryzykując utratę wolności, gdy uprawia seks z nieletnimi partnerkami. Jego dwie namiętności to młode dziewczyny i konie, uosobienia budzącego się piękna i pierwotnej, nieokiełznanej siły, ale prawdziwą pasję ma tylko jedną – życie.